흥분하라

드디어 책이 나왔습니다.
감사

백작가의 망나니가 되었다

백작가의 망나니가 되었다 1

초판 1쇄 인쇄 2022년 08월 19일
초판 1쇄 발행 2022년 08월 25일

지은이 유려한
펴낸이 서경석
총괄 서기원 **책임편집** 황창선 서지혜
편집 박현성 김범석 이준영 김우진 이신영 양준 김수아
편집디자인 이문영 **표지디자인** 코마

펴낸곳 도서출판청어람
출판등록 1999년 05월 31일(제38-7-1999-000006호)

본사 경기도 부천시 부일로483번길 40, 3층
지사 서울특별시 구로구 디지털로272, 404호
전화 02-6956-0531
팩스 02-6956-0532
메일 chungeoram_book@naver.com

ISBN 979-11-04-92443-9 04810
         979-11-04-92442-2 (세트)

1

THE BIRTH OF A HERO

LOUT OF COUNT'S FAMILY LOUT OF

유려한 장편소설

백작가의
망나니가
되었다

제 1 부
영웅의 탄생

CONTENTS

프롤로그 · 007

1장 눈 떠보니 · 009

2장 만났다 · 033

3장 주웠다 · 079

4장 밖으로 · 143

5장 용 봤다 · 189

6장 은혜 갚은 · 227

7장 도대체 당신은 · 289

8장 가만히 · 379

9장 모른다, 나는 모른다 · 455

프롤로그

눈 떠보니 소설 속이었다.

'영웅의 탄생'.

차원 이동한 주인공 소년을 중심으로, 대륙의 수많은 영웅들의 탄생과 그들의 격돌을 그린 소설.

그 소설 속에 내가 들어왔다.

그것도 차원 이동한 주인공이 처음 도착한 마을을 영지로 둔 백작가의 망나니 도련님으로.

그런데 문제는 그 마을이 몰살되면서 주인공이 비틀어진다는 점이다.

더 큰 문제는 이 망나니 새끼가 그것도 모르고 주인공 건들다가 뒈지게 처맞는다는 사실이다.

"……큰일인데?"

조금 큰일이 나에게 일어난 듯하다.

하지만 해볼 만했다.

1장
눈 떠보니

1장
눈 떠보니

남자는 누군가 자신의 몸을 부드럽게 토닥이는 손길을 느꼈다. 거친 손이 마치 고단한 부모의 손길이 있다면 이렇지 않을까 생각하게 만들었다. 그만큼 따뜻했다.

"도련님, 아침입니다."

그런데 목소리가 아주 중후했다. 순간 소름이 돋아, 저도 모르게 눈이 뜨였다. 그러자 창을 통해 비친 눈부신 햇살이 남자의 눈을 따스히 감싸기는커녕, 웬 노인이 흐뭇한 눈빛으로 남자를 바라보고 있었다.

"웬일로 한 번에 일어나십니까?"

"예?"

"가주님께서 오랜만에 도련님과 식사를 하고 싶다고 하십니다. 오늘은 되겠군요."

남자는 노인의 어깨 너머로 거울을 보았다. 거울 안에는 아직 스무 살이 넘지 않았을 것 같은 적발의 남자가 떨떠름한 표정으로 그와 눈을 마주했다. 아무래도 저놈이 자신인 것 같다.

"케일 공자님?"

남자가 염려 가득한 목소리에 시선을 돌리자 시종으로 보이는 노인이 그를 바라보고 있었다. 하지만 염려와 걱정이 문제가 아니었다.

남자는 분명 들었다.

케일 공자. 왠지 모르게 익숙한 이름이었다. 그 이름이 입 밖으로 흘러나왔다.

"케일 헤니투스?"

시종 노인은 마치 친손자를 보듯 그를 바라보고 있었다.

"네, 도련님이시죠. 아직 술이 덜 깨셨나 봅니다."

긍정을 표하는 답에, 남자는 자연스레 케일 헤니투스보다 더 큰 비중을 차지하는 이름이 떠올랐다.

"······비크로스."

"제 아들 말씀이십니까?"

"······주방장."

"네, 제 아들이 주방장이지요. 오늘 해장으로 부탁할 것이라도 있으십니까?"

남자는 순간 눈앞이 깜깜해지고 머리가 어지러워 고개를 숙이며 손으로 머리를 짚었다.

"도련님, 숙취가 덜 풀리셨습니까? 의원을 부를까요? 아님 바로 씻으시겠습니까?"

남자는 숙인 고개 사이로 흔들리는 붉은 머리칼의 끝자락을 눈에 담았다. 자신의 검은색 머리카락과는 아주 다른 선명한 붉은색이었다.

케일 헤니투스. 비크로스. 비크로스의 아버지인 론.

어젯밤 읽다가 잠들었던 소설 '영웅의 탄생' 속 초반부 등장인물이었다.

그는 고개를 번쩍 들어 주위를 둘러보았다. 한국과는 전혀 다른, 유럽의 오래된 저택을 떠올리게 하는 침실의 모습. 하나같이 호화롭고 멋있게 치장되어 있었다.

"도련님?"

남자는 다정한 척, 인자한 척 연기하는 노인 론에게 말했다.

"찬물."

"예?"

그는 정신이 번쩍 들 무언가가 필요했다. 노인 론을 바라보자, 다시 그의 어깨 너머로 거울 속 케일 헤니투스가 보였다.

'아직은 멀쩡하네.'

아직은 주인공에게 얻어터지지 않았나 보다.

멀끔하게 잘생긴 얼굴이 시선을 사로잡았다.

남자는 눈 떠보니 케일 헤니투스가 되어 있었다.

'영웅의 탄생' 초반부에서 주인공에게 숨만 붙어 있을 정도로 얻어터졌던 그 망나니가 케일 헤니투스이자, 바로 그였다.

"도련님, 찬물로 목욕하시는 것은 아니실 테고. 마실 물을 말씀하시는 겁니까?"

케일은 시선을 돌려 론을 바라봤다. 인자한 척 연기하지만 실상은 잔인한 성격과 자신의 정체를 숨긴 자였다. 그는 론에게 부탁했다.

"마실 물 좀 부탁해."

일단 냉수 먹고 속 차려야 할 필요가 있었다.

"바로 준비하겠습니다."

"그래. 고마워."

순간 멈칫하며 론의 표정이 미묘해졌지만 이를 남자는 알아차리지 못했다.

침실에는 미지근한 물밖에 없어 론은 찬물을 가지러 침실 밖으로 나갔다. 혼자 남은 케일은 침대에서 벗어나 일단 욕실로 갔다. 소설 속이 맞다면 가장 큰 거울이 욕실에 있을 것이다.

예상대로 전신 거울이 욕실에 있었다. 외모와 몸매에 상당히 관심이 많았던 케일 헤니투스는 다른 이들과 달리 욕실에 전신 거울을 커다랗게 박아놓았다.

전신 거울에 비친 남자는 적발에 꽤 좋은 몸을 지니고 있었다. 옷태가 나는 몸이라고 해야 할까.

"케일이 맞네."

거울 속 남자는 딱 소설에 묘사된 케일 헤니투스였다. '영웅의 탄생'은 유독 얼굴 묘사를 자세히 했다. 그러니 거울을 보자마자 그 사람이 맞다고 생각할 수밖에 없었다.

워낙 놀라고 황당하면 사람은 담백해지는 것일까. 케일은, 아니, 김록수는 담담하게 어젯밤을 떠올렸다.

별다를 것 없는 휴일이었다. 오랜만에 휴대폰이 아닌 종이로 된 판타지가 읽고 싶어 대여점에 들러서 책을 빌렸다. 하루 내내 읽을 것이라 완결까지 다 빌렸다.

그 책의 제목은 '영웅의 탄생'. 그걸 한 5권까지 읽다가 잠이 들었다. 그런데 눈을 뜨니, 1권에서 주인공이 자잘하게 사이다 먹이는 대상 중 하나였던 케일 헤니투스가 되어 있었다.

'이거 너무 소설 속 진행 같은데?'

빙의인가. 황당함을 넘어서니 마음이 평온해졌다. 그러자 자연스레 초반부 내용이 떠올랐다.

'영웅의 탄생'.

이 책은 서대륙과 동대륙에 존재하는 영웅들의 탄생과 그들의 갈등, 그리고 성장에 대한 이야기였다. 물론 주인공은 한국인이다. 그것도 고1 때 차원 이동한 남학생이다. 더욱이 수명이 드래곤만큼 늘어나서 늙지도 않는 인간이었다.

"……큰일인데?"

그런 인간에게 맞게 생겼다. 하지만 중요한 것은 아직은 맞지 않았다는 사실이다. 케일은 거울에서 시선을 떼고 따뜻한 물이 채워져 있는 욕조에 몸을 담갔다. 그는 욕조에 머리를 기대고서 천장을 바라봤다. 천장은 그 비싸다는 대리석으로 채워져 있었다. 물론 이 케일이 사는 영지에는 널리고 널린 게 대리석이지만.

케일은 천장을 보며 툭 내뱉었다.

"딱히 미련은 없으니까."

김록수로서의 삶. 딱히 미련을 가질 만한 것이 없었다. 고아에, 돈도 없고. 그렇다고 죽을 듯이 사랑하는 사람도, 목숨을 내놓을 만한 친구도 없다. 그냥 못 죽어서 살았을 뿐.

그래, 못 죽는다.

자신은 죽는 걸 아주 싫어한다. 아픈 것도 싫다.

그는 어릴 적 교통사고로 부모님은 돌아가시고 홀로 살아남았다. 아픈 것도 죽는 것도 싫다. 뭐든, 개똥밭을 굴러도 이승이 낫다.

'그런 의미에서 일단 안 맞고 살아야지.'

지금이 어느 때인지 케일은 알지 못한다. 하지만 확실한 것은 아직 주인공을 만나지 않았다는 것이다. 이유는 간단했다.

'옆구리에 흉터가 없네.'

헤니투스 백작가의 망나니 케일 헤니투스. 그는 주인공을 만나기 전 술 먹고 저 혼자 행패를 부리며 다 집어 던지다가, 부러진 책상 다리에 옆구리를 찔려 얇은 흉터를 가지게 된다.

참 웃긴 놈이다. 다른 놈들이랑 시비 붙은 것도 아니고 저 혼자 술이 맛없다고 성질이 나서 때려 부수다가 흉터를 가진 것이다. 그 뒤 상처가 낫고 나서 주인공을 만난다. 그렇게 몇 번 만나다가 마침내 사이다 장면으로써 얻어터진다.

"음."

케일은 팔짱을 끼며 생각에 잠겼다.

1권의 사이다 장면 뒤 케일이 어떻게 되는지 그는 알지 못한다. 다만 주인공 최한은 여러 기연을 만나고 어려움을 극복하며 동료들과 함께 전형적인 영웅으로 성장한다.

그리고 그 영웅적인 면모를 펼칠 만한 시대가 곧 다가온다. 현재 케일이 살고 있는 로운 왕국, 이곳을 비롯해 동대륙과 서대륙 곳곳에서 전쟁이 펼쳐진다. 그야말로 영웅들이 활개를 치는 시대가 도래

한다.

케일은 미간을 찌푸렸다. 케일이 된 김록수. 그의 인생 모토는 간단했다.

가늘고 길게. 아프지 않고. 소소한 즐거움을 위해.

마음 편히 살자.

"……일단 내가 안 맞고. 그것 빼고 그대로 이야기를 진행시키면 나머지는 알아서 주인공이 할 테니까."

초반부 내용은 굳이 머리를 쓰지 않아도 외모 묘사 하나하나까지 다 잊히지 않고 떠올랐다. 타인이 알면 이상하다 싶을 정도로. 케일은 뜨거운 물에 피로를 풀며 동시에 반비례로 맑아진 머리로 결론 내렸다.

"해볼 만하네."

일단 대륙의 전쟁을 피해 소소하게 살아남는 것은 해볼 만했다. 이 망나니의 배경은 김록수일 때보다 훨씬 좋았으니까. 위치도 서대륙 구석으로 전쟁 하나 피하기는 아주 좋았다. 실제로 소설 속에선 전쟁의 여파가 미치지 않은 영지들도 꽤 많았다.

"도련님, 욕실에 계십니까?"

문밖에서 론의 목소리가 들렸다. 케일은 그의 정체를 떠올렸다. 배를 타고 동대륙에서 건너온 전직 암살자. 인자한 척 연기하지만 속내는 음험한 노인네였다.

"그래. 곧 나가지."

자연스럽게 노인에게 반말이 흘러나왔다. 케일은 이 사실을 새삼 깨달으며 앞으로 어떻게 할지 마음을 다졌다.

일단 저 노인네를 주인공에게 떠넘기고 내쫓아야 했다.

저 노인은 케일을 한 방에 죽일 수 있지만 안쓰러워서 놔두는 강아지쯤으로 취급했다. 인자한 척 웃고 있지만 케일에 대한 정은 없었다. 주인공 최한에게 케일이 얻어맞은 뒤, 제 아들인 비크로스, 최한과 함께 떠나는 사람이었다.

케일은 목욕 가운을 몸에 걸치며 곧바로 욕실을 빠져나왔다. 그러자 인자한 얼굴의 론이 물컵이 놓인 쟁반을 조심스럽게 내밀었다.

"여기 있습니다, 도련님."

케일은 컵을 집어 들며 노인을 지나쳤다. 저런 무서운 노인네와 마주 보기 싫었다.

"그래, 고마워."

론의 표정이 다시 미묘해졌지만, 케일은 이미 그를 지나친 이후였다. 케일은 냉수를 들이마시며 생각했다.

'여긴 곳곳에 강한 놈들이 너무 많아.'

많아도 너무 많았다. 주인공이 가는 데마다 강하거나 무언가 비밀을 가진 인간과 인간 외 종족이 있었다.

'일단 내 몸 하나 지킬 힘은 있어야지.'

곧 곳곳에 전쟁이 펼쳐질 대륙에서 안 아프고 오래 살려면 어느 정도는 강해야 했다. 물론 너무 강하면 안 된다. 그러면 꼭 더 아플 일이 생긴다.

케일은 초반에 등장한 무수한 기연들을 떠올렸다. 주인공과 그의 동료들을 강하게 하는 힘. 그중 안 아프고 편하게 얻을 수 있는 것을 떠올렸다. 그러자 몇 가지가 떠올랐다. 그중에 하나를 고르면 될 것이다.

"도련님, 의복 시중을 들겠습니다."

"아, 그래. 고마워."

곧 문을 열고 시종들이 들어와 론과 함께 의복 시중을 도왔다. 케일은 론이 평소와 달리 무표정한 것도 모른 채 시종이 들고 오는 옷을 보며 말했다.

"아, 이번엔 간단한 걸로."

치렁치렁한 옷은 사절이었다. 뭐든 편하게 쉴 수 있는 간편한 옷이 좋았다.

"네, 공자님."

의복 담당 시종은 얼른 간편한 옷을 몇 개 꺼내 들었고 케일은 그중 가장 심플한 옷으로 갈아입었다. 그는 옷을 모두 갈아입은 뒤 살짝 미간을 찌푸렸다. 간편하다고 가져온 옷이 여전히 화려했고 썩 마음에 들지 않았기 때문이다. 하지만 거울에 비친 모습은 꽤 멋있었다.

'역시 얼굴이 잘나고 옷발이 서는 몸이라니까.'

역시 패션의 완성은 얼굴이었다. 그는 거울을 보며 옷매무새를 정돈한 후, 론을 바라봤다. 여전히 인자한 척 웃고 있었다.

"론, 가지."

"네, 도련님."

케일은 론의 뒤를 따라 걸었다. 딱히 저택 내의 지도를 몰라도 론을 따라다니면 될 것 같았다. 케일과 시선이 마주친 시종과 시녀들은 모두 몸을 움츠러뜨리며 공손히 인사한 후 도망치듯이 사라졌다.

'그래도 케일이 사람을 때리지는 않았는데.'

다만 술을 많이 마시고 놀기를 좋아할 뿐. 그리고 가끔씩 술에 취하면 물건들을 부쉈다. 하긴 그게 망나니지. 덧붙여 자신이 좋아하는 몇 명을 빼고는 사람을 사람으로 대하지 않았다고 한다.

'뭐, 아무도 안 건들면 좋지.'

케일은 속 편하게 생각했다. 사실 모범적인 사람 몸에 들어갔으면 더 힘들었을 것이다. 망나니니 오히려 구속 없이 편하게 행동할 수 있었다.

"문 열겠습니다."

"그래."

케일은 론에게 고개를 끄덕여 보였다. 책 속에서 케일은 어릴 적부터 친할아버지처럼 자신을 키워준 론을 자신의 아버지만큼 친절하게 대했다고 한다. 론에게는 꼬박꼬박 대답도 했고, 사람답게 대했다. 물론 론의 속마음은 정반대였지만 말이다. 그러니 케일은 론이 대하기 편했다. 꼬박꼬박 대답하고 사람처럼 대하면 되는 일이니까.

"맛있는 아침 식사 되시길 바랍니다."

"그래. 론, 너도 챙겨 먹어."

케일은 미련 없이 론을 지나쳐 식당 안으로 들어섰다.

아버지인 현 헤니투스 백작가의 가주 데르트, 케일에게 새어머니인 백작 부인, 그리고 그 백작 부인의 아들과 딸. 총 네 사람이 케일을 바라봤다.

"오늘도 늦었구나."

케일의 시선이 방금 말을 건넨 가주 데르트에게로 향했다. '영웅의 탄생' 책에선 아버지를 향한 케일의 마음을 이리 표현했다.

케일은 유일하게 아버지의 말은 따랐다. 망나니가 그나마 영지 밖으로 안 나가

고 안에서 목줄이 채워질 수 있었던 것은 아버지인 데르트 헤니투스 백작 덕분이었다.

그러나 아쉽게도 케일의 아버지는 이 소설 속 무수히 강한 다른 아버지들과 달리, 특출한 힘도 권력도 없었다. 그냥 조금 돈이 많았을 뿐. 물론 케일은 그 점이 마음에 들었다. 적당하게 살기에 딱 좋은 가정환경이었다.

케일이 자신을 싫어한다 생각하고 피하는 새어머니.

나이 차이가 꽤 나는 형을 어려워하는, 형보다 더 똑똑한 차남.

오빠를 피해 다니는 귀여운 막냇동생.

그렇다고 이들이 케일을 괴롭히는 건 아니었고, 케일도 그들을 괴롭히거나 하지 않았다. 그저 남처럼 지냈다.

홀로 조용히 삶을 즐기기에 이 얼마나 좋은 환경인가.

"앉거라."

"네, 아버지."

케일은 아침 식사라는 말과 달리 화려한 식탁 위를 보며 자리에 앉았다. 그러다가 이상한 기분이 들어 고개를 들었다.

"하실 말씀 있으십니까?"

"……아니, 없다."

데르트가 빤히 케일을 바라보고 있었다. 다른 가족들도 마찬가지였다. 케일은 그런 가족들과 한 명씩 시선을 마주했다. 그러자 그들은 저마다 시선을 황급히 돌려 식사를 이어갔다.

'어지간히도 내가 불편한가 보네.'

케일도 식탁으로 시선을 돌렸다. 홀로 살아오며 대충 끼니만 때우던 아침 식사와는 너무나도 다른 화려한 식탁에, 케일은 절로 입가에 미소가 맺혔다. 그는 일단 소시지부터 나이프로 반을 갈랐다.

'육즙부터 다르네.'

수제 소시지인지 아니면 잘 구운 덕인지 나이프로 자르는 순간 육즙이 흘러나왔고, 잘 구워진 빛깔이 식욕을 자극했다.

챙그랑.

그때 무언가 떨어지는 소리가 들렸다. 케일은 남동생 바센과 눈이 마주쳤다. 곧 그의 손에 들린 포크가 떨어진 것을 볼 수 있었다.

"죄송합니다."

바센은 책에 서술된 성격처럼 차분하게 죄송하다고 말했고, 그사이에 식사 담당 시종이 재빨리 다가와 새 포크를 건네며 떨어진 포크를 주워 갔다. 그 모습에 케일은 새삼 귀족은 편한 자리라 여기면서 다시 식사에 집중했다.

케일은 책 속으로 들어와 첫 번째로 좋은 점을 하나 찾았다. 아침 식사가 풍족하다 못해 위장을 기쁘게 만들 정도로 훌륭했다.

그의 입가에서 미소가 떠날 줄을 몰랐다.

"……허."

그래서 그는 동생 바센의 탄식을 듣지 못했다.

케일은 자신의 앞에 놓인 접시들 위를 하나하나 살폈다. 그중 이름 모를 과일들로 만들어진 샐러드 쪽으로 포크를 뻗었다. 고기와 수프, 빵으로 배를 채웠으니 새로운 것이 끌렸다.

오렌지와 비슷한 모양이지만 색깔은 청포도와 비슷한 과일을 입에 넣어 살짝 깨물었다.

"음."

그 순간 달콤한 과즙이 그의 입안을 채웠다. 신 과일은 딱 질색이었는데, 그야말로 달콤함의 끝을 나타내는 맛에 케일은 저도 모르게 침음을 흘렸다.

그때, 케일은 자신을 바라보는 아버지 데르트와 눈이 딱 마주쳤다.

"케일."

그는 케일의 이름을 부르고도 망설이며 뭐라 말을 하지 못했다. 다만 미간을 찌푸리며 입술만 달싹일 뿐이었다. 케일은 그 미묘한 분위기가 껄끄러워 툭 돌멩이를 던지듯 감상을 전했다.

"맛있네요."

"그래, 맛이 쓰레기 같— 음? 맛있다고?"

"네. 다 맛있네요."

케일은 이번에는 다른 과일을 집어 먹으며 다시 입안에 퍼지는 달콤함에 미소를 그렸다. 어차피 귀족의 예절 따위는 모르는 망나니 케일이었다.

아버지, 그것도 가주와의 대화 중 이런 행동은 하면 안 되는 것이겠지만. 뭐 어떤가. 망나니인데.

'역시 망나니가 최고네.'

막살아도 다들 그러려니 하니까. 주인공한테 맞지만 않으면 참 좋은 인생이다.

케일의 예상대로 아무도 그의 버릇없음을 탓하지 않았다. 오히려 데르트는 어색한 미소를 지으며 연신 고개를 끄덕였다.

"그래, 맛있지. 맛있게 먹는 모습을 보니 참 좋구나."

역시 유일하게 케일을 아끼는 아버지다운 모습이었다. 버릇없음도 감싸 안는 모습이란. 사실 애정한다면 그 성격부터 고쳐줘야 할 건데. 하지만 케일은 자신이 진짜 케일도 아니기에 그런 생각은 무의미하다 여겼다.

"네, 아버지도 많이 드세요."

차남 바센은 다시 '허' 하며 탄식을 흘렸고, 이번에는 이를 들은 케일이 시선을 다시 슬쩍 접시 위로 돌렸다. 15살 바센. 자신이 빙의한 케일의 3살 아래 동생 바센은 여러모로 껄끄러운 존재였다.

바센은 망나니인 케일과 달리 똑똑하고 진중하고 책임감 깊은 성격으로, 가문의 사람들이 차기 가주로 미는 이였다. 그리고 케일이 된 김록수는 그 판단이 옳다고 생각했다.

'괜히 영지를 맡아서 골 아프게 살 바에는, 영주의 형으로 어디 한적한 영지 구석에서 빈둥대며 사는 게 나아.'

케일은 괜히 바센에게 날을 세우지 않았다. 형을 보며 탄식하는, 한심해하는 저 소리가 들려왔지만 어쩌겠는가.

나중에 바센이 영주가 되면 그의 성정상 케일을 죽이진 않겠지만, 그래도 케일이 안 다치고 조용히 시골에 내려가 살려면 바센의 성질은 건드리지 말아야 했다.

'정 안 되면 그 전에 한몫 챙겨서 전쟁 안 날 만한 데로 가면 되겠지.'

케일은 바센의 탄식을 못 들은 체하며 식사를 이어갔다. 그리고 모든 식사가 끝났을 때, 아버지 데르트가 가장 먼저 자리에서 일어섰다. 그는 아침이 만족스러웠는지 입가에 미소가 가득했다.

'하긴 아주 맛있었지.'

이런 식사가 아침이라면 앞으로 잠을 포기하고서라도 매일 내려와 먹어야 할 것 같았다.

데르트는 자신을 따라 자리에서 일어선 가족들을 보다가 마지막으로 첫째 아들 케일과 시선을 마주했다.

"케일, 뭐 필요한 건 없느냐?"

케일은 데르트의 갑작스러운 호의가 의아했지만 일단 솔직하게 말했다.

"돈 좀 주십시오."

"그래. 많이 주마."

칼같이 바로 답이 들려왔다.

역시 있는 집안.

대리석을 캐고 포도주를 주로 생산하는 영지인 만큼, 전쟁 전 가장 물자가 풍부한 요즘 돈을 아주 박박 긁어모으고 있었다.

"네, 최대한 많이 주십시오."

케일은 빤히 바라보는 두 동생의 시선이 느껴졌지만, 창피할 것도 없었다. 술 먹고 행패 부리는 것보다야 돈 달라는 건 애교 수준 아니겠는가.

그리고 돈이 있어야 앞으로의 계획이 수월했다. 아프진 않지만 그래도 꽤 강한 힘을 얻을 기연. 그 기연을 얻으려면 돈이 조금 필요했다.

"그래. 최대한 많이 주마."

케일은 아버지의 확답에 만족의 미소를 그렸다. 하지만 그는 곧 자신의 침실로 돌아와 부집사 한스가 건넨 수표를 보고 말을 잃었다. 왕국의 재무부와 마법부가 합작하여 발행하는 수표가 케일의 심장을 뛰게 만들었다.

'뭘 이렇게 많이?'

이 집안은 돈이 좀 있는 게 아니라 아주 많은 건가?

케일의 용돈이 많다고 책에 적혀 있긴 했지만, 실제 그 금액은 몰랐다. 하지만 수표에 적힌 숫자를 보자 용돈이 많다는 것이 실감 났다.

'1천만 젤론.'

한국의 천만 원이라고 생각하면 되었다. 이렇게 되면 계획이 달라진다. 케일의 머릿속이 바삐 움직이기 시작했다.

"공자님, 그럼 나가보겠습니다."

부집사가 수표를 전달하고 인사했지만 케일은 답인사 한 번 하지 않았다. 부집사 한스는 그러려니 하는 표정으로 문으로 향했다. 하지만 그는 곧 걸음을 멈췄다. 케일이 자리에서 일어났기 때문이다.

"론, 서재로 가지."

그리고 한스는 케일이 꺼낸 말에 당황했다. 론도 마찬가지였다.

"······서, 서재 말씀이십니까?"

케일은 의아했다. 드물게 이 음험한 노인네가 당황한 목소리로 되물었다. 서재에 가면 안 되는 일이라도 있나?

"그래."

서재에 가서 계획을 세워야 하지 않겠는가. 침실에는 제대로 된 책상도, 종이도 없었다. 진귀해 보이는 술병은 참 많았지만 말이다.

"저, 공자님."

"왜 그러지?"

케일은 난감해하는 부집사를 바라봤다.

"그, 서재 아침 청소를 아직 하지 못했습니다."

"그래? 뭐, 하루쯤 청소 안 해도 상관없는데."

"아닙니다. 그럴 순 없습니다."

부집사는 이상하게 격렬했다. 그는 활짝 웃으며 손가락을 하나 펴

보였다.

"한 시간만 기다려 주십시오! 제 모든 사명을 다해 서재를 깨끗하게, 마치 십 년 전 한 번 쓰고 내버려 둔 서재가 아니라 어제 들어갔다 나온 서재처럼 해놓겠습니다!"

"아니, 뭐. 그러든가."

한 시간 정도야 기다릴 수 있었다.

"네, 그럼 이 일은 영주님께 보고하겠습니다."

"아니, 뭐 그럴 것까지는 없지만. 그러고 싶으면 그러든가."

"네, 공자님. 가보겠습니다."

"뭐, 그래."

제대로 배운 부집사답게 소리 없이 문을 닫고 사라지는 그의 뒷모습은 어딘가 비장했다. 집사 자리를 놓고 현재 부집사 셋이 겨룬다고 들었는데, 그래서 열정적인 듯했다.

"론."

"네?"

"뭐야. 왜 그리 넋을 놓고 있어."

"죄송합니다."

"죄송할 것까지야."

론이 다시 묘한 표정을 지었지만, 케일은 귀한 수표를 안주머니에 소중히 넣었다. 그러고 보니 정신이 없어서 오늘 날짜를 묻지 않았다.

"오늘이 며칠이지?"

다른 이라면 이상하게 느낄 질문이었지만 시종 론은 인자한 목소리로 답했다.

"펠리스력 781년 3월 29일입니다."

"음, 조금 큰일이네."

"네?"

"아니."

케일은 안주머니에 있는 1천만 겔론을 다시 손안에 소중히 쥐었다. 믿을 건 돈뿐이었다.

오늘 말고 어제. 펠리스력 781년 3월 28일.

주인공 최한이 어둠의 숲에서 빠져나와 다시 인간의 정을 느끼고, 가족과 친구라고 불릴 만한 존재를 만들었던 해리스 마을. 그 마을 사람들이 어제 알 수 없는 단체에 의해 몰살당했다.

이는 초반 5권까지 본 케일도 정체를 알지 못하는 비밀 단체가 벌인 일이었다.

누군가는 이 상황을 보며 말할지도 모른다.

'엄청 센 줄 알았더니. 몰살당할 동안 최한은 뭐 했대?'

그래, 그렇게 생각할 수도 있었다.

하지만 이 '영웅의 탄생'은 제목이 영웅의 힘, 영웅들의 전쟁이 아니고 '영웅의 탄생'인 이유가 있었다.

탄생.

그 뜻 그대로, 한 사람이 온갖 고생길을 넘고 넘어 과거의 아픔을 딛고 영웅이 되는 이야기였다. 그 과정에서 우정과 사랑이 나오며 적과 아군이 생겼다.

이럴 때 빠질 수 없는 것이 바로 '각성'이다. 폭발적인 재능을 지녔지만, 어둠의 숲에서 최소 수십 년을 살아왔지만, 그럼에도 아직 인간을 죽일 수 없는 순수하고 착한 인간 최한. 괴물은 잘 죽였지만 인간에게만큼은 나약한 이가 최한이었다.

그런 그를 영웅으로 만들기 위해 책은 한 가지 무리수를 두었다. 자신을 아들처럼 챙겨주었던 아주머니의 병을 고치기 위해 어둠의 숲에 들어가 귀한 약초를 찾던 최한.

어둠의 숲 깊은 곳까지 들어간 그가 결국 약초를 찾아 돌아왔을 때 마을에 남아 있던 것은 몰살당한 마을 사람들의 시체와 불타는 집들, 그리고 떠나려는 학살자들뿐이었다.

최한은 이때 눈이 돌아갔고, 처음으로 살인을 저지른다. 물론 그 대상은 비밀 단체인데, 이 비밀 단체는 이후에도 가끔씩 책에 나오며 최한과 부딪친다.

최한은 비밀 단체를 모두 죽이고 나서야 제정신을 차리고는, 그들에게서 어떠한 정보도 얻지 못한 채 깊은 절망에 빠진다. 그때 최한은 마을 사람들의 시신을 묻어주며 다짐한다.

'다 죽인다. 이렇게 만든 사람들을 다 죽인다.'

이때 최한은 최초의 살인과 죽음의 슬픔을 깨달았고, 정신이 피폐해진다. 물론 뒤에 동료들을 만나고 다시 인간에 대한 애정과 여러 감정들을 느끼며 진정한 영웅으로 성장한다.

"……론."

"네, 도련님."

"나 냉수 한 잔 부탁해."

"……알겠습니다."

론이 침실을 나가며 혼자 남게 된 케일은 두 손으로 얼굴을 가렸다.

문제는 이렇게 피폐해진 최한이 처음으로 해리스 마을을 벗어나 도착한 도시가 이 헤니투스 영지의 중심 도시 웨스턴이라는 것이다.

거기서 우연히 최한과 엮이게 된 케일이 그의 성질을 건드리다가 처맞고, 최한은 첫 번째 수하이자 동료라고 할 수 있는 든든한 주방장 비크로스를 얻게 된다.

'……미리 해리스 마을에 가서 도와주려고 했는데.'

얻어맞지 않을 수 있는 가장 좋은 시나리오는 물 건너갔다. 사실 맞지 않는 것보다 최한을 보듬어주던 그 마을 사람들을 살리고 싶은 마음이 조금 있었지만 어쩌겠는가.

이제 남은 것은 분노에 가득 차서 미친 속도로 이동해 내일 웨스턴시에 도착할 최한에게 얻어맞지 않도록 행동하는 것뿐이었다.

'주인공을 피하는 것도 좋지 않은 방법이야.'

자신이 최한과 엮여야 비크로스, 론과 최한이 엮이고, 그렇게 셋이 영지를 떠나야 본격적인 여정이 시작된다. 그러면 답은 하나다.

'엮어주고 빠진다.'

될 수 있으면 좋은 첫인상으로.

"도련님."

"아, 고마워. 론."

케일은 다가온 론이 건네는 잔을 바로 한 모금 머금었다. 케일의 미간이 찌푸려졌다.

"냉수가 아니네?"

"레모네이드입니다."

역시 음험한 노인네. 김록수처럼 본래의 케일도 신 것을 싫어하는 걸 알면서 굳이 냉수보다 손이 더 가는 레모네이드를 들고 왔다. 케일은 신맛에 화를 내고 싶었지만 저 암살자 노인네가 무서워 아무 말도 못 하고 레모네이드를 꾹꾹 마셨다.

"아주, 잘 마셨어."

"아닙니다, 도련님. 곧 서재로 이동하시면 될 것 같습니다."

"그래."

저 인자하게 웃고 있는 미소가 소름이 돋아 케일은 품 안의 1천만 겔론짜리 수표를 소중히 손에 쥐었다. 역시 믿을 건 돈뿐이었다.

2장

만났다

2장
만났다

음식을 눈앞에 두고 다른 생각을 할 수는 없었다. 입 밖으로 저절로 탄성이 흘러나왔다.

"하, 너무 맛있는데."

케일의 입에서 흘러나온 목소리에 부집사 한스가 멈칫했다. 식탁에는 케일이 홀로 앉아 있었고 그 곁에 한스가 시립해 있었다.

헤니투스 백작가는 아침 식사를 제외하고 나머지 끼니는 자유롭게 해결하는 편이었다. 사실 각자의 일정 때문에 그럴 수밖에 없었다.

누가 귀족이 편한 직업이라고 했던가.

특히 행정이나 정치 쪽에 진출해 직무라도 하나 내려받으면 꽉 짜인 일정에 따라 움직여야 했다.

백작 데르트는 영주로서 업무를 봐야 했기에 함께 식사하기 힘들었고, 동생들은 공부 일정에 맞춰 식사를 해결했다. 백작 부인은 영지 내 유력 가문과의 교류, 혹은 문화 사업 일로 바빴다.

'그러고 보니.'

문득 떠오른 생각에 케일은 손에 들린 포크를 내려놓았다. 지켜보던 한스가 그러면 그렇지, 라는 표정으로 긴장하기 시작했다. 언제저 포크가 자신의 얼굴로 날아올지 몰랐기 때문이다.

케일은 한스가 긴장하든 말든 시선 한 번 주지 않은 채 생각에 잠겼다.

'예술가와 장인 중에 숨은 고수들이 많았지.'

로운 왕국은 예술과 건축이 꽤 발달한 편이었다. 특히 예술은 조각쪽이 발달했다. 로운 왕국 자체에 대리석이 많았기 때문이다. 그 덕에 헤니투스 영지는 다섯 번째 대리석 생산지로서 꽤 부를 축적했다.

또한 산지가 영지의 대부분을 차지했다. 더불어 왕국의 동북부에위치하고 있음에도 일조량이 좋아, 산 중간중간을 경작하여 포도밭을 일궜다. 여기서 생산한 와인은 생산량은 적었지만 최상품의 대우를 받았다.

하지만 케일의 머릿속은 그런 정보들보다 '강한 자'에 대한 생각으로 가득 찼다. 점심까지 거르며 서재에서 내내 그 생각만 했다.

'이 땅덩어리에는 뭐 이렇게 고수가 많아. 무림도 아니고.'

마치 무림처럼 은둔고수가 참으로 많았다. 그래서 케일은 한 가지결심을 했다.

'아무나 건드리지 말자.'

평범하게 생긴 요리사가 극독 전문가이기도 했으며, 수선집에서일하던 사람은 철사를 뿌리며 가장 잔인하게 사람을 죽이기도 했다. 이 땅이 그런 곳이었다.

"하아."

깊은 한숨이 케일의 입에서 흘러나왔다. 겨우 어떠한 상황에서도 죽지 않고 계속 살 수 있는 계획을 세운 참이었는데.

"공자님."

다시 한숨을 내쉬고 싶었던 케일은 아주 조심스러운 목소리에 시선을 돌렸다. 부집사 한스였다.

"왜?"

"다시, 식사를 준비해 드릴까요?"

"뭐?"

한스는 케일이 미간을 찌푸리며 눈을 크게 뜨는 모습에 탄식을 속으로 삼켰다.

'이제 식탁을 엎겠네.'

한스는 왜 하필 백작님이 자신을 케일의 담당으로 배정했는지에 대해 치밀어 오르는 설움을 참으며 케일의 반응을 기다렸다.

그리고 케일은 반응했다.

"이 맛있는 걸 왜 다시 해?"

"……네?"

케일은 다시 나이프를 들어 고기를 썰었다. 저녁은 아침보다 더 화려한 정찬이었다. 김록수였을 때 이런 걸 먹어본 적이 없어서 맛있는 게 아니었다. 케일의 입맛에도 맞는 화려한 맛이었다.

케일 이 자식은 어떻게 살아왔는지 뭐든 고급이 아니면 불편해했다. 그 사실이 꽤 마음에 들었다. 다들 알아서 고급품 이상으로 구해 왔기 때문이다.

케일은 겉은 잘 익었지만 써는 순간 육즙이 탐스럽게 흘러내리는 스테이크 한 조각을 입안에서 우물거리며 한스에게 물었다. 예의 따위는 개나 주라는 태도였다.

"한스, 이 음식들을 한 이가 누구지?"

"아, 비크로스 2주방장입니다."

……입맛이 뚝 떨어졌다.

비크로스. 아주 깔끔하게 생겼으며, 시종 론의 아들로 제 아버지와 달리 암살보다는 검에 특화된 이였다. 먼지에 대한 강박증을 가진 그는 피 한 방울 묻히지 않은 칼을 매일 닦고 갈며 마주한 적들의 목을 뎅강뎅강 잘라 버렸다.

'……고문에 특화된 놈인데.'

그런 놈이 케일을 패는 최한의 검술에 감탄해 그를 따라다닌다. 아버지인 론은 최한과 계약을 하고 그를 돕기 위해, 그리고 아들을 위해 따라나선다. 보기와 달리 론은 아들만큼은 끔찍하게 아꼈다.

케일은 미디움 레어로 익혀 붉은 기가 맴도는 스테이크를 바라보며 침을 몇 번이나 삼켰다.

'저 붉은 핏기가 내 피가 되면 안 되겠지?'

그는 스테이크를 다시 크게 한 조각 썰어 입안에 머금으며, 자신을 바라보는 한스에게 말했다.

"아주 맛있네. 론의 아들이지? 비크로스가 이렇게 훌륭한 요리사일 줄은 몰랐네."

"……비크로스 주방장에게 말씀 전해 드리겠습니다. 케일 공자님이 칭찬하셨다는 말씀을 전하면 아주 좋아할 겁니다."

"아, 그래? 아주 맛있는 음식으로 입이 호강했다고 전해주게."

"……네."

한스가 떨떠름한 얼굴로 케일을 바라봤지만 케일은 속으로 다짐했다. 비크로스는 건들지 말자. 잘 보이자.

케일은 다시 편안해진 마음으로 음식을 즐겼다. 비크로스를 최한과 엮어주고 영지 밖으로 내보내면 다 해결될 일이었으니까. 나름대로 이를 위한 계획도 세운 케일이었다.

그는 저녁도 아침때처럼 모두 깨끗이 접시를 비웠다. 케일은 만족스러운 미소를 머금으며 자리에서 일어나 그를 따라나서는 한스에게 시선을 두었다.

"한스, 갑자기 왜 내 전담이 된 거야?"

한스는 저녁 식사 때가 되자, 아버지 데르트가 보냈다며 앞으로 케일의 전담이 되었다고 말했다. 최한이 떠난 이후 헤니투스 백작가의 상황은 모르는 케일이었지만, 한스는 부집사들 중에서 집사가 될 확률이 가장 높은 유능한 이였다.

한스는 살짝 고개를 숙이며 그의 물음에 답했다.

"백작님께서 케일 공자님이 끼니까지 거르며 서재에서 지낸다는 이야기를 들으시고 끼니는 꼭 챙기라고 하셔서, 제가 식사와 관련한 일만 모시게 되었습니다."

정확히 말해 식사 담당이 된 한스였다.

"그래? 아버지도 괜한 일을 하셨군. 알아서 잘 먹을 텐데. 하긴 한스가 와서 챙겨주지 않았으면 서재에서 저녁때인 줄도 모르고 끼니를 놓쳤겠어."

초반 5권에 나오는 기연이란 기연은 모조리 한글로 종이에 옮겨 적느라 바빴던 케일이었다.

케일은 식당을 나서며 한스에게 씩 웃어주었다.

"한스, 앞으로 잘 부탁해."

"아, 아닙니다. 저야말로 앞으로 열심히 하겠습니다."

한스가 살짝 말을 더듬으며 답했지만 케일은 그러려니 넘겼다. 그는 문을 열자마자 대기하고 있던 시종 론의 모습에 미간을 찌푸렸다.

"론, 밥 먹으러 가라고 했을 텐데?"

이 노인네 얼굴 보기 싫어서 좀 가라고 했더니. 어디 가지를 않고 계속 곁에 맴돌았다. 서재에 있을 때는 문밖에서 대기했지만, 그것조차 어찌나 꺼림칙하던지.

"도련님을 제가 모셔야지요."

케일은 인자하게 미소 짓는 론을 보며 혀를 찼다. 그리고 짜증을 냈다.

"됐어. 필요 없으니까, 밥이나 먹으러 가. 왜 밥을 먹으라고 해도 안 가는 거야? 따라오지 마. 따라오면, 내 성질 알지?"

케일은 따라오지 말라고 한 번 더 눈빛으로 협박을 하고는 론을 내버려 두고 서재로 향했다. 힐끗 뒤돌아보니 론이 굳은 얼굴로, 그리고 한스가 탄식을 흘리며 자신을 바라보고 있었다.

'괜히 짜증 냈나?'

암살자 노인의 굳은 얼굴이 무서워, 케일은 얼른 고개를 돌리고는 아주 빠른 걸음으로 서재에 들어섰다. 책상 위는 텅 비어 있었다.

그가 저녁 식사 전까지 열심히 한글로 썼던 문서는 이미 불에 타 사라졌다. 여기에는 한글을 아는 이가 없지만 혹시 모르기 때문이었다. 케일은 자신이 허락하기 전까지는 누구도 서재에 들어오지 말라 미리 말해둔 상태이기도 했다.

'어차피 다 기억하고.'

예전부터 김록수는 자신이 재밌어하는 분야에 대한 기억력은 좋았다. 만화책, 소설책 등 몇 년이 지나도 그 소설 속 인물들 이름과 외모는 기억했다. 물론 싫어하는 것은 지독하게도 기억을 못 했다. 노력하면 달랐겠지만.

케일은 의자에 등을 기댄 채 앞으로 할 일을 떠올렸다.

'일단 내일 최한을 만나고 그다음에는.'

입꼬리가 슬금슬금 위로 올라갔다.

'방패 하나 주워야지.'

죽지 않고 오래 살기. 싸울 생각은 없다.

이를 위해서 필요한 첫 번째는 방어력이요, 두 번째는 치유력이요, 세 번째는 누구보다도 빠른 발이요, 네 번째는 자신은 아프지 않고 남을 죽일 힘이었다.

물론 최우선은 전쟁터는 물론이거니와 피가 튈 것 같은 곳은 모두 피하는 것이다.

케일은 계획이라기엔 엉성한 계획을 하나씩 다듬으며 밀려오는 포만감에 눈을 천천히 감았다. 그는 잠에 빠져들면서도 생각했다.

'일단 맞을 순간이 와도 맞지 않을 테니까.'

부서지지 않는 방패. 그는 자신이 첫 번째로 가질 그 무형의 힘을 떠올리며 잠이 들었다. 올라간 입꼬리가 내려올 줄을 몰랐다. 기연은 주인이 없다. 먼저 가지는 놈이 임자다.

중요한 날. 긴장을 풀기 위해, 그리고 잘 해내기 위해 필요한 것은 무엇일까. 케일은 일단 아침을 든든히 먹는 것이라 생각했다.

어째 이 세상에 와서 계속 먹기만 한다는 생각이 들었지만, 내일부터는 아침 먹을 시간도 부족할 테니 오늘까지만 즐기자 마음먹었다.

"크흠, 큼. 어제 서재에서 잠이 들었다고 들었다."

"어쩌다 보니 그렇게 됐습니다."

그는 아버지 데르트의 질문에 대충 답하며 식사에만 집중했다. 아버지에게 눈길 한 번 안 주는 모습이 건방져 보이겠지만, 망나니로선 적당했다.

케일은 먼저 식사를 끝내고 자리에서 일어섰다. 끼익, 의자가 밀리는 소리에 시선이 그에게로 집중됐다.

"먼저 가보겠습니다."

예법에 맞지 않는 행동이었지만, 케일의 아버지인 데르트는 아들이 마냥 좋은 듯싶었다. 그는 깨끗하게 비워진 접시와 케일을 번갈아 보더니 이윽고 미소를 지었다.

"그래. 나가보거라."

"네."

일정이 바빠 얼른 나가야 했다. 그런 케일의 발목을 데르트가 잠시 붙들었다.

"오늘은 용돈 필요하지 않니?"

"……필요합니다."

역시 돈 하나는 많은 집안이었다. 케일은 한스를 통해 용돈을 준다는 말에 나오려는 미소를 꾹 참으며 고맙다는 말도 없이 식당을 나섰다. 동생 바센과 잠시 시선이 부딪쳤지만, 케일은 그 시선을 무시하고 식당 문밖으로 향했다.

그는 따라오려는 시종 론에게 손을 휘휘 저어 보였다.

"론, 나 나간다. 찾지 마."

찾지 마.

망나니 케일이 영주성 뒤편에 위치한 백작가를 벗어나 웨스턴시에 술 마시러 나간다는 신호였다. 이럴 때마다 론은 인자한 미소를 짓고는 잘 갔다 오라며 배웅했다.

"오늘은 서재에 안 가시는 겁니까?"

그런데 오늘은 드물게 론이 질문을 던졌다. 케일은 인상을 팍 찡그렸다.

"론, 네가 궁금해할 일이 아닌 것 같은데?"

"……알겠습니다, 도련님. 기다리고 있겠습니다."

기다린다는 말에 케일의 미간이 더 깊은 주름을 만들어냈다.

"기다리지 마."

케일은 백작 저택 본관 정문에 서 있는 하인 중 한 명에게 손가락을 까딱하곤 그와 함께 정문 밖을 나섰다. 케일은 여전히 화가 난 얼굴이었고, 그 얼굴에 하인은 아무 말도 못 하고 뒤따라왔다.

케일은 본관 정문을 벗어났고, 정원과 함께 저 멀리 백작가 입구를 볼 수 있었다. 그제야 그는 한숨을 내쉬며 뒤를 힐끗 보았다. 닫히는 본관 문 사이로 굳은 표정의 론이 보였다.

'떨궈서 다행이야.'

론이 따라오지 않아 다행이었다. 하지만 저 굳은 얼굴이 무서웠다. 암살자이지 않은가.

케일은 다음부터는 좀 더 론에게 친절하게 대하고 그의 성질을 덜

건드려야겠다 마음먹으며 백작가를 벗어났다. 물론 마차를 타고서.

얼마 시간이 지나지 않아 목적지에 도착했다.

"공자님, 이곳이 맞습니까?"

마부는 마차 문을 열며 조심스럽게 질문을 건넸다. 그는 연신 조심스럽게 눈앞의 가게를 힐끗거렸다. 그의 얼굴에는 혼란이 가득했다.

"어, 맞아."

케일은 남들이 보기에는 화려하지만 가진 것 중에는 제일 단출한 옷차림으로 마차 밖에 모습을 드러냈다. 이미 백작가의 문양이 찍힌 마차가 등장했을 때부터 근처에는 사람이 없었다.

케일은 고개를 들어 가게의 간판을 확인했다.

<시와 함께하는 차의 향기>

시집과 함께 차를 파는 찻집이었다. 총 3층짜리 건물로 꽤 깔끔한 것이 비싸 보였다. 그리고 이 건물 주인은 부자가 맞았다. 그것도 거대한 상단의 서자로 케일보다 더 부자였다. 물론 정체를 숨기고 살아가는 인물이었다.

'아마 3권쯤에 이 사람은 수도로 가고, 거기서 최한을 만나게 되지. 그리고 본인은 서자 출신이지만 상단의 주인이 되겠다고 했지?'

최한에게 상단의 주인이 되겠다고 울면서 맹세하던 인물. 초반부만 읽어 그가 결국 상단의 주인이 되는지는 모르겠지만 주인공의 조력자니 아마 주인이 될 것이다.

　케일은 식은땀을 흘리며 멀뚱멀뚱 자신을 바라보는 마부에게 명령했다.

　"가봐."

　"네?"

　"두 번 말하게 할래?"

　"아니, 그, 안 모셔도 되겠습니까?"

　케일은 대충 답하며 찻집 문을 열었다.

　"어, 오래 있다가 갈 거야."

　헉. 뒤에서 숨 삼키는 소리가 들려왔지만 그보다는 맑고 은은한 소리가 케일의 귀를 사로잡았다.

　딸랑.

　시끄럽지 않고 청량한 종소리가 찻집에 케일의 등장을 알렸다.

　케일은 입구에 서서 찻집을 쭉 둘러보았다. 아직 이른 시간이라 사람이 몇 없었다. 다들 케일을 보자 흠칫 놀라는 기색이 느껴졌다.

　하긴 이 영지에서 케일을 모르는 이는 없다고 했다. 워낙 가게 물건들을 다 때려 부순다고 상가 주인들의 기피 대상 1호였다.

　"어서 오세요."

　하지만 여기 주인은 상냥하게 인사를 건넸다. 케일은 카운터에 서서 인사하는, 아기 돼지를 닮은 남자를 물끄러미 바라봤다.

　'저 사람이 주인이군.'

　돈 많은 서자, 빌로스. 책에 서술된 대로 동글동글한 얼굴과 체형에, 아기 돼지를 닮아 있었다. 해맑게 웃어 보이는 게 참으로 호감형이었다.

'저금통같이 생겼네.'

케일은 대충 금화 하나를 꺼내 들어 카운터에 올리며 주문했다.

"오늘 3층에 하루 종일 있을 예정이다."

빌로스는 미소 띤 얼굴로 케일을 응시했다. 케일은 그 시선을 대충 넘기며 책장을 가리켰다.

"차 신 거 말고 아무거나. 그리고 시집 말고 소설은 있나?"

달칵. 누군가 찻잔을 놓는 소리가 아주 크게 울려 퍼졌다. 케일은 누가 찻잔을 세게 내려놓았나 생각하며 빌로스를 쳐다봤다. 시집보다는 소설이 취향이었다.

"그럼요. 소설도 많습니다, 공자님."

"그래? 그럼 가장 흥미진진한 책 한 권이랑 차 한 잔이랑 해서 올려 보내도록."

"네, 알겠습니다."

빌로스의 통통한 손 위로 케일의 금화가 툭 떨어졌다. 잔돈을 챙기려는 빌로스에게서 케일은 몸을 돌렸다.

"나중에 차 더 마실 거니까, 넣어둬."

"······그래도 너무 많습니다."

금화 하나. 백만 겔론. 한국 돈으로 백만 원 하는 그 돈을 두고, 케일은 실로 해보고 싶었던 행동을 했다.

"나 돈 많아. 팁이야."

돈지랄. 빌로스가 자신보다 더 돈이 많았지만 뭐 어떤가. 그리고 돈을 벌 기연도 많았다.

케일은 쿨하게 1층 테이블 쪽을 턱짓했다.

"뭐, 너무 많으면 여기 사람들한테 차라도 한 잔씩 돌리든가."

골든 벨. 한 번쯤 해보고 싶었다. 오늘은 용돈이 조금 필요하다는 말에 금화 세 개인 삼백만 겔론을 받았다.

"공자님, 그래도."

"아, 시끄러워. 차나 내와."

역시 망나니. 케일은 거리낌 없이 예의 없는 손님처럼 행동하며 3층으로 향했다.

뒤에서 수군거리는 소리가 들려왔지만 망나니에 대한 소문은 많으니 신경 쓸 필요도 없었다.

"역시."

이른 아침이라 3층에는 사람이 없었다. 케일은 3층 가장 안쪽, 구석 자리에 앉았다. 그리고 창밖을 내려다봤다.

'여기가 맞네.'

웨스턴시의 정문이 가장 잘 보이는 자리. 케일은 오늘 이 자리에서 최한을 지켜볼 작정이었다.

'이른 아침에 성문에서 한 번 쫓겨나지?'

최한은 정들었던 마을 사람들을 모두 묻어주고 난 후, 마을 사람에게 들어 기억하고 있던 방향으로 이동한다. 그 방향은 웨스턴시.

최한은 고1 때 어둠의 숲으로 넘어와 수십 년 이상을 그곳에서 살아왔다. 물론 대부분의 시간이 어둠의 숲에서 살아남기 위해 버틴 생존의 시간이었는지라 조금 이상한 방향으로 철이 들었지만, 여하튼 그는 생각보다 이성적이었다.

'영주성에 보고하러 오지.'

외딴 마을. 하지만 해리스 마을은 헤니투스 백작가의 영지였다. 그래서 최한은 작은 장례식이라도 치러주고 싶어 웨스턴시부터 찾았다.

또한, 잠시 이성을 잃어버리는 바람에 아무것도 묻지 못하고 다 죽여 버린 그자들에 대한 정보도 찾을 작정이었다. 그러나 복수보다 망자의 넋을 기리는 게 먼저였다.

'참, 어떻게 보면 정이 많은 놈인데.'

하지만 몇십 년 만에 생긴 소중한 이들을 한 번에 잃었으니, 잠시 마음 상태가 비틀어질 수밖에 없었다. 그때 케일이 한두 번을 시작 으로 최한에게 몇 번이고 시비를 걸다가, 한 번 크게 최한의 역린을 건들고 만다.

그는 책 속의 케일이 했던 말을 떠올렸다.

"그깟 버러지 같은 것들 수십 죽어도 그게 우리 영지 일이랑 무슨 상관인데? 내 가 마시는 술 한 잔이 너네 버러지들 목숨값보다 비싸."

그 말에 최한은 웃으며 말한다.

"재밌는 생각이네. 그 생각이 변할지 변하지 않을지 아주 궁금해."

"실험해 볼까?"

그 실험이 케일을 죽지 않을 정도로, 죽을 만큼 패는 것이었다. 케일 도 대단한 것이 그렇게 처맞으면서도 끝까지 생각이 변하지 않았다.

"아, 소름."

케일은 팔에 우수수 소름이 돋아난 것을 보며 자신의 팔을 쓰다듬고는, 빌로스가 놓고 간 차를 얼른 한 모금 마셨다. 그리고 창밖을 본 순간, 다시 한번 소름이 돋았다.

'저놈이야.'

이른 아침 막 성문을 개방한 순간, 여기저기 불에 탄 것처럼 새까만 자국이 가득한 옷을 입고 한 소년이 들어서고 있었다. 최한이었다.

케일은 바로 자리에서 일어서지 않고 최한을 관찰했다.

보통 마차로 일주일이 걸릴 거리를 미친 듯이 달려온 속도가 경이로웠지만, 그 때문에 최한의 꼴은 말이 아니었다. 물론 마을에서 겪은 일로 엉망인 탓도 있었다.

고개를 숙인 채 힘없이 들어선 최한은 경비병들에게 가로막혔다. 무슨 말인지 알 수 없지만 그는 경비병의 말에 고개를 가로저었다.

'신분증패가 있는지 묻는 것이겠지.'

웨스턴시의 경비병들은 대체로 온순했다. 하지만 규칙은 철저히 지켰다. 영주인 데르트 백작의 성격이 그대로 드러나는 것이다.

"쫓겨나네."

예상대로 최한은 순순히 다시 성문 밖으로 나갔다. 최한은 반항하지 않았다. 하루 종일 달려온 덕에 살아난 실낱같은 이성이 그에게 죄 없는 이를 죽이지 말라고 했기 때문이었다.

'최한은 이대로 밤까지 기다렸다가, 밤이 되면 성벽을 넘어서 몰래 들어올 거야.'

그러다가 밤에 술 처먹고 노는 케일과 마주치게 된다.

끼이익. 케일 혼자뿐이라 그가 일어서며 의자 밀리는 소리가 꽤 크게 울렸다.

그는 아래로 내려가 카운터의 빌로스에게 일러두었다.

"잠시 나갔다가 다시 올 거야. 내 자리 치우지 마."

"네, 공자님. 나중에 뵙겠습니다."

케일은 통통한 볼살과 함께 지어 보이는 빌로스의 해맑은 미소를 무시한 채 찻집을 나섰다.

"아무것도 부수지 않았다니!"

찻집 안에서 누군가의 목소리가 들려왔지만 케일이 신경 쓸 바는 아니었다. 오늘 그는 부서지지 않는 방패를 얻기 위한 밑밥을 깔아야 했다.

부서지지 않는 방패.

물건을 뜻하는 것은 아니다. 굳이 가까운 것을 꼽자면 마법사의 실드와 비슷한 무형의 방패였다. 하지만 마법사의 실드와는 내용물이 아주 달랐다. 마력보다는 초능력과 비슷한 힘이었다.

그리고 그 힘을 만들었지만 죽어버리고 만 인간은 우습게도 신을 모시다 파문된 이였다.

'이상한 게 아주 잡다하게 섞였지.'

모든 판타지의 역사가 그러하듯이 이 세상에도 고대의 역사가 존재했다. 그 고대에는 마법도 발달하지 않았고, 검술이나 창술이 극도로 발달한 시대도 아니었다.

오히려 초자연적으로 우연히 얻거나, 학습해서 얻을 수 없는 선천적인 재능이 힘을 발휘하는 사회였다. 그 사회에서 가장 큰 힘은 초능력과 신성력, 자연의 힘과 같은 것이었다. 원시적이라 할 수 있었다.

그 힘들 중 몇몇은 어떠한 장소나 물건 속에 남겨진 채 오랫동안 대륙 곳곳에 존재해 왔다. 몇 가지의 조건만 해결하면 얻을 수 있는 힘이었다.

고대의 힘.

보통 영웅들이 이 힘들을 가져갔고, 그들의 주력이 되기보다는 가끔씩 써먹는 곁다리 정도로 쓰였다.

그것이 케일이 얻고자 하는 힘이었다.

'물론 신성력은 제외.'

신이니 천사니 악마니 하는 것들과는 얽히고 싶지 않았다.

결국 케일이 얻고자 하는 힘은 선천적이고 자연적인 힘이었다.

'그래야 노력을 안 해도 되거든.'

그게 그가 원하는 힘에도 딱 알맞았다. 검술이나 마법은 결국 노력해야 하지 않는가. 그런 것은 싫었다.

다른 책과 달리 이 '영웅의 탄생' 속에서 표현된 고대 문명은 그렇게 강하지 않았다.

인류가 발전하며 자연을 이용하는 마법과 규칙을 정립한 정령술에 비해, 고대의 원시 문명이 남긴 자연의 힘은 보잘것없었다. 초능력도 마찬가지였다. 어쭙잖은 초능력은 오러 한 방에 가볍게 날아갔다.

괜히 영웅들이 깔짝깔짝 곁다리로 사용하는 것이 아니었다.

'그리고 그 어쭙잖은 것들을 모아서 적당히 강해지는 거지.'

흡족한 목표였다.

또한 케일은 어쭙잖은 힘들을 강화시키는 고대의 힘도 알고 있었다.

케일은 그 목표를 이루기 위해 웨스턴시에 묻힌 고대의 힘을 찾기 시작했다. 그는 어떻게 그 힘을 얻는지 알고 있었다.

"고, 공자님, 어서 오십시오."

케일은 땅에 머리라도 닿을 듯 허리를 숙이는 빵집 주인에게 고개만 까딱이며 인사를 받아주었다.

헉. 빵집 주인이 숨 들이켜는 소리를 냈지만, 케일은 망나니인 자신 때문에 벌벌 떠는 빵집 주인이 안쓰러워 애써 모른 척하며 할 일부터 했다.

"빵 줘."

"네?"

케일은 빵집 진열대의 빵들을 모두 가리키며 단호하게 말했다.

"여기서부터, 저기까지."

땡그랑.

케일이 꺼낸 금화 하나가 카운터 위를 빙글빙글 돌았다.

"포장해."

굳어버린 빵집 주인에게 케일은 덧붙였다.

"참고로 금화 두세 개 더 주면 일주일치 빵값 되겠지?"

금화를 보고 있던 빵집 주인의 눈동자가 케일에게로 향했다. 차고도 넘치는 빵값이었다. 케일은 흔들리는 눈동자를 향해서 무뚝뚝하게 말했다.

"싫으면 다른 데 가고."

"아, 아닙니다! 공자님! 최대한 빨리 하겠습니다!"

빵집 주인은 이전과 다른 의미로 매우 공손하게, 그리고 아주 빠르게 움직였다. 케일은 이내 포장된 빵들이 담긴 포대 자루를 어깨에 짊어지고서 빵집을 나왔다.

빵이라도 꽤 무게가 나갔다. 그 무게에 케일이 얼굴을 한껏 찡그렸다. 그는 배웅 나오는 빵집 주인을 무시하며 거리로 나섰다.

케일은 자신과 눈이 마주친 이들이 흠칫하며 시선을 피하고, 대부분의 이들은 그와 눈도 마주치지 않기 위해 구석으로 향하는 것을 보며 여유롭게 거리를 거닐었다.

'확실히 한국과 다르네. 역시 판타지 세상.'

케일은 전형적인 판타지 느낌을 풍기는 시장을 거닐며 주위를 둘러보았다.

"음."

"읍."

그럴 때마다 눈이 마주친 상인들이 흠칫 놀라며 그의 시선을 피했다.

'쯧쯧, 어지간히도 망나니짓을 했나 보네.'

케일은 케일 자신을 욕하며 시장을 벗어나 웨스턴시 서쪽으로 향했다.

서쪽으로 가면 빈민가가 있었다. 아무리 부유한 영지라도 빈민은 있는 법이다.

보통 이럴 경우 사람들은 생각할 것이다.

아, 불쌍한 사람들에게 먹을 것을 나눠주면 얻을 수 있는 기연이구나?

그러나 아쉽게도 아니었다.

케일은 빈민가로 들어서자마자 자신을 힐끗거리는 시선들을 볼 수 있었다. 어쩌면 가장 나태하게, 어쩌면 가장 치열하게 사는 사람들이 공존하는 공간이었다.

영주 얼굴은 몰라도 케일의 얼굴은 아무리 빈민이라도 알았다. 시장이건 주점이건 광장이건 어디서든 깽판을 치는 놈은 없는 사람들이 더 잘 알아야 했다.

"쯧."

그러나 케일에게서 풍겨져 오는 고소한 향 때문일까. 망나니임에도 따라붙는 시선이 몇 있었다. 케일은 이를 깡그리 무시한 채 걸음을 재촉했다.

그의 비싼 가죽 구두코가 구정물에 조금씩 더러워져 갔다. 알 수 없는 구린내가 케일의 코끝에 맴돌자 그의 얼굴이 자연스레 구겨졌다. 그의 걸음이 더욱더 빨라졌다.

작은 언덕의 한 면을 타고서 낡은 집들이 옹기종기 빈민가를 이루고 있었다. 그는 그 언덕의 꼭대기로 향했다. 그러자 따라붙는 시선도, 걸음도 점점 줄어들어 갔다. 케일의 날카로운 시선 탓도 있었다.

'여긴 좀 낫네.'

한결 구린내에서 해방된 그는 언덕 꼭대기에서 잠시 뒤돌아 웨스턴시를 내려다봤다. 웃긴 게, 영주성 높이보다는 작은 언덕이었다. 하긴 빈민가를 영주성보다 높이 둘 리 없었다.

케일은 괜한 감상에서 빠져나와 꽤 높은 원형 담 안에 자리한 나무로 다가갔다. 케일의 허리 높이 정도로 동그랗게 쌓인 담이었다. 담 안으로 들어설 수 있는 나무 문이 썩어 케일의 손에 부서졌다.

족히 몇백 년은 산 듯한 커다란 나무였다. 빈민가에 위치한 나무는 보통 땔감이 되거나 나무껍질을 벗겨 형편없이 만들게 마련인데, 그 나무는 그렇지 못했다.

이유는 간단했다. 그 이유의 답이 케일의 귓가에 들려왔다. 아까 빈민가 아래에서부터 그를 따라다니던 시선 중 유일하게 끝까지 따라온 시선이었다.

"그, 그 나무는 다가가면 안 돼요!"

케일은 그 목소리를 무시했다. 그러자 다시 한번 여린 목소리가 들려왔다.

"안 되는데! 사람 먹는 나문데!"

사람 먹는 나무.

이 나무에 목을 매달아 죽은 이들은 모두 하룻밤 사이에 미라가 되었다. 이 나무에 피가 닿으면 피가 순식간에 사라졌다.

그리고 이 나무 근처에는 흙만 날릴 뿐, 풀이나 야생화 한 포기도 없었다.

케일이 찾던 그 나무였다.

아주 오래전, 고대. 신을 모시는 자임에도 식탐으로 그 자리에서 쫓겨날 만큼 먹는 것에 집착하던 사람. 그 사람은 굶다가 죽었다.

그 위에 자라난 것이 이 나무였다. 이 나무에는 그 사람의 한과 힘이 깃들어 있었다. 케일이 찾던 부서지지 않는 방패의 힘이.

이 얼마나 원시적이고 토속적이며 미스터리한가. 고대의 힘은 대개 이렇게 미스터리했다.

케일은 포대에서 빵을 꺼내, 나무 밑둥에 있는 성인 어른 머리만 한 구멍을 유심히 관찰했다. 하지만 일단 저 목소리의 주인부터 내쫓고 작업을 시작해야 할 것 같았다.

그러나 그가 목소리의 주인을 내쫓기 전, 쭈그린 케일이 담 밖에서 보이지 않게 되자 더 커진 목소리가 터져 나왔다. 목소리가 바들바들 떨리고 있었다.

"죽는데! 안 되는데!"

케일은 손가락으로 미간을 꾹 눌렀다.

"어휴."

언덕 꼭대기의 사람 잡는 나무로 향할수록 따라오는 이들은 줄어

들었건만. 저 목소리의 주인공은 계속해서 따라붙었다.

'꼭 어딜 가든 오지랖 넓은 것들이 있다니까.'

케일은 잔뜩 얼굴을 구긴 채 고개를 돌렸다. 그러자 10살쯤 되어 보이는 여자아이가 남동생의 손을 잡은 채 케일을 바라보고 있었다. 그 눈동자엔 안절부절못하는 초조함이 가득했다.

케일이 잔뜩 인상을 찡그린 채 빤히 바라보자, 여자아이는 우물쭈물하며 웅얼거렸다.

"사람 잡는 나문데. 주, 죽는데."

"안 죽어."

그는 포대에서 빵을 두 개 꺼내 여자아이 근처로 던졌다. 포장이 된 빵이라 땅바닥에 굴러도 상관없었다.

"가지고 꺼져라."

남자아이는 덥석 빵을 주웠지만 여자아이는 여전히 우물쭈물거렸다. 결국 케일은 그 모습에 자신이 가진 장점을 써야 했다. 그는 벌떡 일어나 담 밖으로 얼굴을 들이밀었다.

"너네 망나니 케일 모르냐?"

여자아이의 얼굴이 하얗게 질렸다. 남동생은 물끄러미 케일을 바라보다가 누나 몫의 빵을 주워 들더니 여자아이를 끌어당겼다.

"누나."

"으응."

여자아이는 끌려가면서도 나무와 케일을 번갈아 바라봤다.

"죽으면 안 되는데."

끝까지 저런 말을 하는 여자아이를 보며 케일은 한 번 혀를 차다가, 아무도 근처에 없음을 확인하고는 나무 밑에 털썩 주저앉았다.

담 밖의 사람들은 이제 담까지 다가오지 않는 이상 그가 무엇을 하는지 볼 수 없었다.

"시작해 볼까."

그는 일단 실험 삼아 포장을 뜯고 빵을 하나 나무 밑동 구멍에 넣었다. 손은 곧 나무 안 어둠 속으로 사라졌고, 케일은 서늘한 기운과 함께 빵이 사라지는 것을 느꼈다.

손까지 빨려들어 갈 것 같은 기분이 들자 그는 얼른 손을 뺐다.

나무 밑동 구멍 속 어둠은 그대로였다.

"역시 억울하게 죽으면 한을 풀어줘야지."

사람 먹는 나무는 사람을 먹는 나무가 아니라 뭐든 먹는 나무다. 못 먹고 죽은 이가 유일하게 남겨둔 힘의 여파였다.

이런 게 고대의 힘이라니. 우습지만 오히려 토속적인 것이 믿음직스러웠다.

'저 검은색이 없어질 때까지 먹여야 한다고 했는데.'

나무 밑동 구멍 속의 어둠은 그늘이 만든 어둠이 아니었다. 한이 만든 어둠이었다.

한 사람이, 다른 이와 함께하는 것도 안 되고, 반드시 한 사람이 일정량 이상의 음식을 제공할수록 어둠은 점차 사라져 간다. 그리고 그 끝에 마침내 어둠 속에 숨겨져 있던 빛이 나타난다고 했다.

그 빛을 먹으면 '부서지지 않는 방패'의 힘이 케일의 것이 된다.

"왕창 먹어라."

케일은 포대의 입구를 아예 나무 구멍에 대고는 빵을 탈탈 털어 넣어버렸다. 만약 보통의 상황이라면 그리 크지 않은 나무의 구멍이 빵으로 가득 차야 하겠지만, 포대를 치우자 여전히 어둠만이 공허히 자리해 있었다.

"한 열 포대 정도 더 넣으면 되겠네."

아까 전보다 구멍의 어둠이 희미해졌다.

열 포대. 삼백만 겔론이 용돈인 케일이라서 가벼이 할 수 있는 말이었다.

우우웅-

기이한 울음소리가 나무에서 울려 퍼졌다. 배고프다고 더 달라는 소리 같았다. 어둠이 꼭 그를 잡아당길 것 같았다.

"……조금 무서운데."

케일은 얼른 자리에서 일어섰다. 오래 있으면 안 될 것 같았다.

"그놈의 한이 뭐라고."

식탐이란 무서운 것이었다.

"내일 또 올게."

우우웅거리는 나무에게 사람 대하듯 인사를 건넨 케일은 원형 담 밖으로 나왔다. 그는 담 밖의 빈민가로 들어서자마자 입구에서 빵을 먹는 남매를 볼 수 있었다.

언제는 사람 먹는 나무라고 안 된다고 하더니 빵은 아주 잘 먹고 있었다. 맛있는지 여자애도, 남자애도 아주 얼굴이 좋았다.

"어이구."

케일은 그 모습에 콧방귀를 뀌고는 빤히 바라보는 두 남매의 시선을 무시했다. 저 시선은 자신보다 빵이 있던, 하지만 지금은 빈 포대로 향해 있었다. 아마 궁금할 것이다.

하지만 저들이 어떻게 하겠는가? 뭘 할 수 있겠는가?

어차피 겁나서 사람 먹는 나무 근처에도 못 갈 애들이다.

하지만 조금의 방비는 해주면 좋을 터였다. 괜히 애들이 다가가 구멍에 머리를 집어넣었다가 먹히기라도 하면 큰일이었다. 물론 내가 아니라 저 애들에게.

빈민가의 아이들은 겁이 없다. 그 아이들은 날아오는 검보다 쌀 한 톨이 더 귀했기 때문이다. 그리고 언제나 죽음을 가까이한다. 그래서 죽음이 두렵지 않다. 오히려 배고픈 게 두려울 뿐.

'영웅의 탄생'에 나오는 구절이었다.

그래서 케일은 두 남매에게 말했다.

"내일도 빵 먹고 싶으면 입 닫고 있어."

두 남매는 아무런 말도 하지 않았다. 벌써부터 입을 닫고 있었다. 아까 우물쭈물하던 게 누구냐는 듯 여자아이는 남동생의 입을 꾹 틀어막고는 케일을 못 본 척했다. 꽤 영리하단 생각에 케일은 슬그머니 미소를 지어 보이곤 가볍게 빈민가를 빠져나왔다.

케일이 꼭대기에 갔다 왔음을 아는 빈민가 사람들은 또 무슨 미친 짓을 하냐는 눈빛으로 그를 바라봤지만, 케일은 그 시선이 좋았다.

마찬가지로 빈민가 밖의 사람들도 케일을 이상하게 바라봤지만 케일은 신경 쓰지 않았다.

"다녀오셨습니까?"

다시 찾은 찻집에 들어서자, 빌로스가 꽤 반갑게 케일을 맞이했다.

"응. 차 한 잔 새로. 이번엔 시원한 거로."

케일은 다시 3층 자신의 자리로 돌아와 앉았다. 붐빌 시간이었지만 3층에는 사람 한 명 없었다. 다들 망나니를 피한 것이리라.

케일은 여유를 만끽했다.

"여기 차 내왔습니다. 디저트도 몇 개 내왔습니다."

"아, 그래. 고마워."

케일은 창밖으로 보이는 성문에 시선을 고정한 채 시원한 차를 들이켰다. 빌로스는 묘한 눈빛으로 고맙다고 말한 케일의 얼굴을 관찰하다가 조용히 3층을 떠났다.

그 뒤 케일은 몇 번이나 차와 디저트를 주문하며 창밖을 지켜보다가, 하늘이 서서히 주홍빛으로 물든 후 이내 밤이 찾아와 어두워졌을 때 자리에서 일어섰다.

이제 성 밖에서 들어올 무서운 놈을 건들러 갈 시간이다.

사람이 더 화가 날 때는 언제인가.

스트레이트 훅을 강하게 한 대 얻어맞았을 때일까. 깔짝깔짝 잽을 다섯 번 얻어맞았을 때일까.

당연히 후자다.

케일은 최한에게 다섯 번 잽을 날리다 처맞는다. 고로 한 번의 잽은 괜찮다는 소리다.

"가십니까?"

"어."

찻집은 이제 사람이 거의 없었다.

밤 9시가 넘은 시각, 지금은 찻집보다는 술집에 사람이 많았다. 특히 채석장에서 일하는 이들이 술 한잔 마시러 가는 시각인지라 사람들은 그곳에 바글바글할 것이다.

"다음에 또 뵙기를 기대하겠습니다."

케일은 빌로스의 인사에 고개를 끄덕였다.

"차도 훌륭하고."

그는 자신을 보는 빌로스에게 자신의 감상을 전달했다.

"책도 반밖에 못 봤지만 아주 재밌었어. 특히 능력을 인정받고 성장하는 주인공이 마음에 들었어."

순간 빌로스의 눈썹 끝이 살짝 찡그려졌다가 펴졌다. 그의 눈동자가 이채를 띠며 케일을 탐색했다.

하지만 케일은 최한 때문에 집중하지 못하고 중간중간 간을 졸이며 읽었던 책 내용을 지금에 와서야 음미하느라, 그 반응을 보지 못했다.

긴박한 상황에서 책을 읽는 맛도 꽤 좋았다. 빙의로 인한 자동 보정인지 케일은 이 세계의 문자를 모두 알고 있었고, 책 내용도 거부감 없이 즐거웠다.

케일의 입가에 미소가 맺혔다. 그는 멍하니 서 있는 빌로스에게 다음을 기약했다.

"책 다른 사람 못 읽게 해. 내가 오면 바로 읽게."

역시 남의 물건도 독점하려는 철없는 백작의 아들. 부유한 상단의 서자인 빌로스가 탐탁지 않아 하겠지만 어쩌겠는가. 백작 아들 말인데.

"네! 이 책은 오로지 케일 공자님만을 위해 두겠습니다!"

그런데 빌로스의 반응이 케일의 생각과 조금 달랐다. 그는 환하게 웃으며 거듭 케일에게 재방문을 청했다.

"꼭, 다음에 꼭 한 번 더 와주십시오. 기다리겠습니다!"

"뭐, 그래."

케일은 떨떠름해졌지만 일단 최한을 보러 가야 했기에 찻집을 나섰다.

딸랑. 다시 한번 종소리가 들리고, 왠지 찻집 안이 시끌시끌해지는 것 같았다.

하지만 찻집 안보다 밖이 더 시끄러웠다. 수도와 거리가 먼 구석 영지라도, 예술가와 특산품이 많은 만큼 퇴보한 곳은 아니었다. 또한 채석장에서 고단한 하루를 보낸 이들이 퇴근길에 한잔하기 위해 거리로 모여들고 있었다.

케일은 그 거리를 홀로 걸었다.

'생각해 보면 참 특이한 놈이긴 해.'

보통 판타지나 무협을 보면 좋은 집안의 망나니는 그 동네의 양아치나 왈패들과 어울리지 않던가. 술 마시고 여자 좋아하고. 그리고 그들과 함께 거리나 가게에서 행패를 부리고.

그런데 웃긴 게, 케일 이놈은 양아치를 혐오했다. 건달도 혐오했다.

'버러지라고 생각했으니까.'

버러지 중에서도 더 버러지 같은 것들. 차라리 가망이 없지만 열심히 사는 평민들을 더 유익한 버러지라고 여겼다.

그래서 술에 취하면, 사람을 패지는 않았지만 눈에 보이는 양아치들에게 물건 하나는 기가 막히게 던져댔다. 그러나 명중률이 엉망이었다.

그래서일까.

"아이고, 공자님 오셨어요?"

술집 주인은 케일을 아주 무서워했다. 당연했다. 케일이 술 마신 자리 근처의 물건들은 모조리 다 부서졌으니까. 아마 웨스턴시 내 모든 술집 블랙리스트 1호가 케일일 것이다.

그는 주인의 인사에 답도 하지 않고, 주인에게 금화 하나를 던졌다.

"내가 늘 먹던 거 한 병 내봐. 아, 구운 닭가슴살이랑. 소금은 치지 말고."

"네? 그, 자리부터 안 잡으시고요?"

케일의 미간이 찌푸려졌다. 그러자 주인은 바로 손을 휘휘 내저으며 고개를 꾸벅 숙였다.

"당장! 술 가지고 오겠습니다!"

술집 주인은 재빨리 움직였지만 모습은 사뭇 즐거워 보였다. 케일이 자리에 앉지 않을 것 같았기 때문이다. 케일은 자신이 들어서자 조용해지는 술집 내부를 쓰윽 훑어보았다.

모두 그의 눈을 피해 고개를 숙였다. 하고많은 술집 중 오늘은 왜 여기를 왔나 싶을 것이다. 특히 양아치와 건달들은 더 깊이 고개를 숙였다.

"쯧."

조용한 공간에 케일의 혀 차는 소리만이 울려 퍼졌다.

"공자님, 여기 술 나왔습니다."

"그래."

케일은 술병과 구운 닭가슴살을 받았다. 그가 자주 마시는 술. 이 술집에서 그나마 가장 비싼 술일 것이다. 그는 미련 없이 술병을 받아 들고 술집을 나섰다.

케일은 거리로 나서자마자 곧장 술병을 따서 반 정도를 한꺼번에 들이켰다.

"오."

술맛이 꽤 좋았다. 케일은 주량이 상당했기에 한 번에 반병을 마셔도 끄떡도 하지 않았다. 다만 얼굴이 붉어져 남들이 보기에는 술이 약해 보였다.

케일은 술병을 든 채 빠르게 왔던 길을 되돌아갔다.

오늘 하루 종일 머물던 찻집을 지나치고 조금 더 가니, 성문의 경비병들이 자신을 보고 굳어버리는 것이 보였다. 그 얼굴을 보자 성문 밖으로 나가 버리고 싶었지만 아쉽게도 목적지는 그곳이 아니었다.

"아, 속이 후끈거리네."

케일은 술이 들어가자 점점 부글부글거리는 속을 느끼며, 마침내 성문에서 조금 떨어진 성벽 앞에 도착했다. 성문에서부터 이어진 높은 성벽이 여러 건물의 지붕들 위로 솟아오른 채 외부의 침입을 막고 있었다.

'물론 그것도 사람에 따라 다르게 적용되지.'

케일은 책 속의 내용을 떠올렸다.

'성문에서 성벽을 따라 백 걸음 떨어진 곳.'

최한이 성벽을 넘는 위치였다.

케일은 술병을 손에 꼭 쥔 채 빠르게 성벽으로 다가갔다. 주택가여서 거리에는 사람이 별로 없었다.

케일은 마침내 계산했던 위치에 도달하자 깊이 숨을 들이마셨다.

성문에서 딱 백 걸음 떨어진 성벽. 주택가의 외곽이라 오로지 성벽 위에 달아둔 횃불과 여러 집의 창에서 흘러나오는 빛만이 존재했다.

그러나 그 정도의 빛이면 충분했다. 케일은 어둠에 익숙해진 눈으로 천천히 목적지에 다가갔다.

'예상대로네.'

성벽 밑에 웅크린 존재들이 보였다. 하나가 아니었다.

바들바들 떠는 가련한 모양새. 케일은 거침없이 그곳으로 다가갔다. 그러자 귓가에 웅크린 존재들의 소리가 들려왔다.

냐옹.

냐아옹.

고양이 두 마리가 칭얼거리듯 울며 성벽 바로 밑에 몸을 웅크리고 있었다. 케일의 입꼬리가 올라갔다.

'여기다.'

제대로 찾았다.

최한이 성벽을 넘는 순간, 그가 내려앉을 위치에 한 새끼 고양이가 영역 우두머리 고양이의 몸통 박치기에 당해 성벽 밑 그 위치로 날아가듯 굴러간다. 그 바람에 최한은 급하게 몸을 튼다. 우연이 판을 치는 세계였다.

'역시 착한 놈이야.'

새끼 고양이를 다치게 할 수 없어 몸을 급하게 튼 최한은 실수로 발목을 접질린다. 평소라면 그 정도 방향 전환에 다칠 최한이 아니었다.

그러나 처음으로 수십 명을 살인한 후 수많은 시체를 묻고 미친 듯이 달려온 최한이다. 한계에 달했고, 그래서 저지른 실수였다.

냐아옹 냐아옹.

케일은 몸을 웅크린 채 부들부들 떠는 새끼 고양이와, 형제인 듯 옆에서 그 고양이를 핥아대는 또 다른 새끼 고양이를 물끄러미 바라보다가 시선을 돌렸다.

그의 시선이 향한 곳은 그가 온 방향과 반대 방향의 골목이었다.

'찾았다.'

성내 어디서든 볼 수 있는 노숙자처럼, 거지처럼 엉망인 모습으로 웅크려 있는 남자. 엉망이 된 검은 머리와 낡아빠지고 탄 옷.

원래라면 케일과 최한은 내일 만난다. 오늘 밤 케일은 술을 처벅다가 옆구리에 상처를 입는다. 벌써부터 책 속과 이야기가 달라졌다. 물론 소소하지만.

케일은 고양이를 보느라 숙였던 몸을 일으켜 세웠다. 그의 시선을 느낀 것인지 최한이 슬그머니 고개를 들어, 헝클어진 머리카락 사이로 검은 눈동자를 케일 쪽으로 향했다.

'아, 떨려.'

케일은 심장이 쿵쾅거렸다.

어둠 속이라 잘 보이지도 않건만. 머리카락 사이로 드러난 눈동자는 서늘하다 못해 섬뜩했다.

술을 마시기 잘했다는 생각이 들었다. 케일은 자신의 판단을 칭찬하며 최대한 몸의 긴장을 풀었다. 잽. 잽을 날려야 한다. 그리고 첫인상도 좋게 남겨야 한다.

그는 침을 삼키며 자신을 빤히 보는 최한에게 말을 걸었다.

"배가 고픈 얼굴인데."

쯧쯧. 케일은 혀를 차며 닭가슴살을 꺼내 들었다. 그리고 최대한 상냥한 손길로, 최한이 아닌 두 고양이에게 구운 닭가슴살을 줬다.

"불쌍한 것들. 먹어라."

그는 이 정도로 작은 새끼 고양이인 줄은 몰랐던 터라 이 고양이들이 닭가슴살을 먹을 수 있을지 없을지 몰랐다.

쯧. 다시 혀를 찬 케일은 새끼 고양이들이 잘 씹을 수 있도록 닭가슴살을 잘게 쪼갰다. 쪼그리고 앉아 무슨 짓을 하고 있는 건가 싶었다.

사실 그는 고양이를 좋아하지 않았다. 그러나 최한은 작은 동물들을 아꼈다.

으르릉. 크르릉.

다친 새끼 고양이가 그런 케일의 마음을 아는지 이를 드러내며 크르릉거렸지만, 케일은 대충 은색 털에 금안을 가진 고양이의 머리를 쓰다듬으며 다정히 말했다. 어지간히도 케일의 손길이 싫은지, 은색 고양이는 피하려고만 했다.

"이거 먹고 얼른 나아라. 불쌍한 녀석들."

그는 최한을 보지도 않고 물었다. 그가 자신을 보고 있을 것이라 생각했기 때문이다.

"너 갈 데는 있어?"

답은 들려오지 않았다. 하지만 케일은 말을 이었다. 곧 경비병들이 이곳으로 순찰을 올 것이고, 최한이 그 경비병들을 피해 절뚝이며 도망가기 전까지 움직여야 했다.

"잘 데는 있고?"

케일은 크르릉거리는 은색 털의 금안 고양이를 쓰다듬고, 반대로 자신에게 치대는 붉은 고양이를 툭툭 밀어내면서 물었다. 붉은 고양이는 이상하게 자꾸 케일에게 치댔다. 제 형제를 닮은 금안이 어둠 속에서 유독 반짝였다.

그러나 케일은 최한에게 집중해야 했다.

"또 배는 안 고프고?"

여전히 답이 없었다. 그럴 줄 알았다.

최한은 지금 그를 탐색 중일 것이다. 하지만 쉬고 싶을 것이다.

한계에 다다른 몸과 정신력, 그리고 하루 만에 겪은 큰 충격. 그 작은 마을을 빼고, 수십 년간 사람과 섞이지 못한 채 홀로 살아온 최한에게 웨스턴시는 진정한 밖이라 할 수 있었다. 수십 년 이상을 살았지만 그는 아직 어렸다.

"대답 안 할 건가?"

"……배고파."

마침내 최한은 케일을 약하다고 판단한 듯했다.

한계에 다다른 자신의 힘으로도 손쉽게 죽일 수 있을 만큼 약한 사람. 그래서 의도를 알 수 없지만 호의가 담긴 듯한 그 선의를 받아도 될 것 같은 사람.

케일은 자리에서 일어서서 최한에게 다가갔다. 곧 경비병이 이곳을 순찰하리라.

"야."

가까이 다가가자 최한의 꼴이 더 잘 보였다. 엉망이었다. 하지만 주인공이라 그런지 눈동자가 선명했다. 한국인임을 뜻하는 검은 머리와 검은 눈동자가 조금 반가웠다. 그래서 케일은 미소를 지으며 그에게 툭 던지듯 말했다.

"따라와. 밥 줄게."

가장 좋은 첫인상은 맛있는 걸 주는 놈이다.

벽에 기대앉아 있던 최한이 천천히 몸을 일으켰다.

그는 오른쪽 발목이 불편한지 약간 몸이 기울어져 있었지만, 케일은 부축하지도 그에게 말을 붙이지도 않았다. 더 이상의 호의를 그에게 베풀 필요가 없었다.

케일은 최한에게 따라오라 말한 후 백작가 쪽으로 방향을 잡았다. 하지만 그 걸음을 한 존재가 방해했다.

냐아아옹.

붉은 털의 금안 고양이가 케일에게 뛰어와 신발에 볼을 비벼댔다. 케일의 미간이 찌푸려졌다. 분명 고양이를 싫어하는데 그 행동이 꽤 귀여웠다. 하지만 그는 곧 갑자기 온몸에 소름이 돋는 기분에 고개를 돌렸다. 최한이 빤히 바라보고 있었다.

'제길.'

케일은 어색하게 고양이를 쓰다듬었다.

"내가 좋나 봐? 그런데 가봐야 해. 다음에 봐."

동물에게 말 거는 행동을 이해하지 못하던 케일이었다. 하지만 그 이해 못 할 사람이 되어버린 케일은 재빨리 일어나 고양이에게서 멀어졌다.

크르릉.

은색 털의 금안 고양이가 붉은 털 고양이에게 어서 오라는 듯, 동시에 케일에게 꺼지라는 듯 으르렁거렸다.

붉은 털 고양이는 은색 고양이에게 가면서도 미련이 뚝뚝 흘러나오는 모습으로 몇 번이나 케일을 뒤돌아봤지만, 케일은 그를 애써 외면했다.

야옹, 냐아옹.

고양이들의 구슬픈 울음소리가 멀어졌다. 그는 슬쩍 뒤돌아봤다. 최한이 절뚝이며 잘 따라오고 있었다.

순간 다시 눈이 마주쳤다. 케일은 섬뜩한 느낌이 들어 빨리 고개를 돌렸다. 그리고 최한의 속도에 맞춰 걸음을 늦췄다.

먼저 주택가를 지났다.

케일은 다시 술 한 모금을 마셨다.

술집 거리, 시장, 광장을 지나 부유한 자들이 사는 주택가. 마침내 케일의 걸음은 영주성 뒤편의 백작가를 향했다.

"뭐 해?"

케일은 걸음을 멈춘 최한을 바라봤다. 최한은 영주성을 지나며 영지의 병사들이 케일을 보면서 인사하는 모습을, 그리고 그를 피하는 영지민들을 보았을 것이다.

최한은 다시 한번 케일이 죽이기 쉬운 상대인지 생각하고 있을 터였다.

케일이 한 번 더 물었다.

"안 올 건가?"

역시 케일의 생각대로 최한은 뒤따라왔다. 아마도 이번에는 해리스 마을 사람들 장례식과 관련 정보를 알아보기 위해 따라오는 것이리라.

"고, 공자님?"

케일이 정문에 서자마자, 경비병과 기사들이 말을 더듬으며 그를 맞이했다.

'하, 저놈의 고, 공자님 좀 안 했으면 좋겠는데.'

망나니 몸에 들어왔으니 최대한 그 틀을 벗어나지 않으려 했다. 그리고 올바른 공자보다 망나니가 편했다. 하지만 매번 더듬는 걸 듣는 것도 기분이 미묘했다.

'편히 움직이려고 했는데.'

케일이 영 마뜩잖은 표정으로 미간을 찌푸리자, 말을 더듬던 기사는 재빨리 문을 열었다.

"들어가십시오."

케일은 다시 최한에게로 시선을 돌렸다. 다른 이들도 최한을 바라봤다. 공자를 따라온 거지꼴의 이가 누군지 궁금하리라. 기사들은 경계 가득한 눈빛으로 그를 관찰했다.

"따라와."

최한은 이쯤 되면 케일의 위치를 알았을 것이다. 그는 절뚝이며 케일에게 다가왔다. 케일은 바로 자신의 뒤에 선 최한을 보며 아무렇지도 않게 뒤돌아 정문 안으로 들어섰다.

하지만 심장이 떨렸다.

'분명 나중에 위험한 일이 생기면 나를 인질로 삼을 생각이겠지. 그래서 바로 뒤에 섰겠지.'

물론 최한은 자신을 죽이지 않을 것이다. 다만 인질이 되는 건 심적 고통이 상당했기에, 케일은 인상을 쓴 채 따라오는 기사 둘을 노려보았다.

'따라오지 마.'

명백한 의미가 담긴 눈빛에 기사들이 주춤했다. 그들은 케일과 최한을 번갈아 보다가, 이내 한 명이 굳은 표정으로 다가왔다.

기사들은 무엇보다도 원칙을 중시했다. 데르트가 아끼는 기사들다웠다.

'뭐, 이래야 기사답기는 하지.'

케일은 아무리 거지꼴에 어려 보이더라도, 외부인을 대하는 기사들의 대응이 꽤 흡족해 따라오는 기사 한 명을 그냥 두었다. 그렇게 케일은 최한을 이끌고 백작가 본관으로 향했다.

"오셨습니까?"

"……그래, 론."

이 무서운 노인네. 론이 본관 현관문 앞에서 케일을 기다리고 있었다. 정말로 기다리고 있었을 줄이야. 케일은 무서웠지만 일단 잘됐다 싶었다.

론의 시선이 최한에게로 향한 후 그의 인자한 미소가 굳어버렸기 때문이다.

'론은 최한의 실력을 어림짐작할 수준은 되지.'

최한도 론을 빤히 바라봤다. 케일은 둘이 눈빛으로 무슨 공격을 하든 말든 신경 끄고 제 할 일을 했다. 아직 그의 일은 끝나지 않았다.

"따라와."

케일은 다시 최한을 부르며 걸음을 옮겼다. 시종 론이 빠르게 케일을 따라왔다.

"공자님, 무슨 일이십니까? 말씀하시면 이분은 제가 모시겠습니다."

"됐어."

걸음을 옮기던 케일에게 한 사람이 더 다가왔다.

"공자님, 오늘은 술을 마시고도 집에 들어오셨군요."

부집사 한스였다.

'아, 얘가 내 담당이지.'

케일은 혀를 차며 한스의 말을 깡그리 무시했다. 대신 그는 술병을 들어 한스 쪽을 가리켰다. 그때였다.

"어이쿠!"

한스가 두 팔로 얼굴을 가리며 몸을 웅크렸다. 주위가 조용해졌다.

"쯧."

케일은 혀를 찼고, 고개를 든 한스는 벌게진 얼굴로 멀뚱히 케일을 바라봤다.

"치워."

"네."

한스는 케일이 건넨 술병을 멍하니 받아 들었다.

"다음에는 던져주지."

케일이 건넨 말에 한스의 얼굴이 하얗게 질려갔다. 케일은 이를 조금도 신경 쓰지 않고 걸음을 내디뎠다. 이제 그를 따르는 이가 한스까지 네 명이 되었다.

케일은 그들이 잘 따라오는지 힐끔힐끔 확인하며 마침내 목적지에 도착했다.

제2주방.

케일은 팻말을 보자마자 문을 힘껏 열어젖혔다.

"공자님?"

뒤에서 의아해하는 한스의 목소리가 들렸다. 하지만 케일의 입가에는 짙은 미소가 맺혔다. 끝이 머지않았다.

이제 비크로스와 최한이 만난다. 심장이 쿵쿵거렸다. 문이 거침없이 열렸다. 그러나 문을 열자 펼쳐진 광경에 케일의 얼굴은 굳어졌다.

사악. 사악.

제2주방장, 비크로스가 실실 웃으며 칼을 갈고 있었다. 단정한 모습으로 홀로 제2주방에서 칼을 가는 그는 즐거워 보였다. 하지만 케일을 본 순간 그 미소가 사라졌다.

그래서 케일은 무서웠다. 미친놈을 건드는 게 제일 무서운 법이다. 미친놈은 어디서 미치는 줄 알 수 없기 때문이다.

케일은 비크로스가 무슨 반응을 하기 전에 먼저 움직였다. 그는 최한의 어깨 위에 손을 올리며 최한을 가리켰다.

"얘 밥 좀 줘라."

"네?"

굳은 얼굴의 비크로스가 되물었다. 그의 손에 들린 날카로운 식칼이 빛을 받아 반짝였다. 케일은 떨리는 마음을 진정시키며 한 번 더 말했다.

"밥 주라고. 배고프대."

허. 뒤에서 기사의 탄식이 흘러나왔지만 케일은 이에 조금도 신경쓸 틈이 없었다.

그는 떨리는 마음으로 비크로스의 답을 기다렸다. 마침내 비크로스는 굳은 얼굴로 답했다.

"알겠습니다, 공자님."

됐다.

비크로스와 최한, 그리고 기대하지 않았던 론까지. 세 사람이 엮였다.

케일의 입가에 환한 미소가 걸렸다. 그는 그제야 긴장이 풀렸고, 한 톤 올라간 목소리로 비크로스에게 다른 명을 내렸다.

"내 것도 준비해. 배고프니까."

최한은 케일을 쳐다봤다. 하지만 케일은 그 시선을 느끼지 못한 채 비크로스에게 주문을 더했다.

"물론 모두 최고급으로."

케일은 어제저녁 먹었던 스테이크를 떠올렸다.

"어제 자네가 만든 스테이크 맛이 최고더군. 훌륭한 요리사 같아."

비크로스의 칼끝이 미세하게 살짝 떨렸다.

"그 스테이크 정도면 아주 맛있는 식사가 될 것 같군. 빨리 준비하 도록."

케일은 비크로스의 대답을 듣지 않고 뒤돌아섰다. 그리고 주방을 빠져나와 침실로 향했다. 기사와 한스가 옆에 따라붙었고, 곧이어 한스가 물었다.

"저분은 어떻게 할까요?"

"일단 내 손님이긴 한데. 알아서 해."

엮어줬으니, 오늘은 더 이상 귀찮았다.

비크로스와 론은 최한의 실력을 알 수 있을 것이다. 소설 속 비크 로스는 최한의 실력에 충성을 맹세한 것이었으니 이번에도 그의 실 력을 알면 충성을 맹세할 터. 물론 이번에 당장 실력을 파악하지 못 한다면 다른 방책도 있다.

케일 자신이 아닌 다른 물건이든 뭐든 무언가를 최한이 '패게' 만 들고, 이를 비크로스가 보면 될 일 아닌가?

허술해도 나름대로 여러 가지를 생각해 둔 케일이었다.

"한스, 귀찮으니까 식사 준비되면 침실로 가져와."

역시나 론은 자신을 따라오지 않았다.

케일은 흡족한 마음에 기사와 한스를 문밖에 세워둔 채 침실 문을 닫고 침대에 누웠다. 그리고 피곤함과 술기운에, 저도 모르게 식사가 오기도 전 잠이 들어버렸다.

그렇기에 그는 비크로스의 식칼이 최한의 목을 향해, 론의 날카로운 단도가 최한의 심장을 향해 날아갔다가 모두 실패하고 만 사실을 알지 못했다.

물론 당사자 셋을 뺀 다른 이들도 알지 못하는 소소한 사건이었다.

3장

주웠다

3장
주웠다

늦은 밤. 부집사 한스는 백작 데르트 앞에 서야 했다. 그가 보고를 시작하자, 데르트는 내용이 끝날 때까지 가만히 들었다.

"그리고 현재 주무시고 계십니다."

마침내 모든 보고가 끝났을 때, 데르트는 입을 열었다.

"플린 상단 서자의 찻집에 갔다는 마부의 보고. 그리고 오늘 신원 확인이 불가한 소년을 한 명 데리고 왔고. 술은 평소와 달리 정신이 멀쩡한 정도로 마셨다."

한스의 보고는 짧았지만 데르트는 그 짧은 내용을 음미했다.

"사람을 붙일까요?"

그는 한스의 물음에 손을 휘휘 저으며 반대했다. 굳이 사람을 붙여 아들이 밖에서 무엇을 하고 돌아다니는지까지 알고 싶지는 않았다.

"됐어. 어차피 영지 안이면 무슨 짓을 하든 내 범위 안이야."

데르트는 젊은 부집사들 중 한스를 아꼈다. 시키는 일을 잘하고 사람다웠기 때문이다.

"지금처럼 자네가 저택 안에서 케일을 지켜보고 이에 대한 보고만 하도록."

"알겠습니다."

한스는 데르트의 말에 어떠한 토도 달지 않고 고개를 숙였다.

데르트. 특출한 능력도 없고 튼튼한 권력의 줄 하나 잡지 못한 사람이다. 하지만 그는 전대 영주가 그러했듯 헤니투스 영지를 다스리며 대리석과 와인으로 부를 축적한 인물이었다. 자신만의 영역은 잘 지키는 사람이었다.

그 데르트가 자신의 아들에 대해 생각했다.

'케일이 변했어.'

케일이 평소와 같은 듯 달라졌다. 갑자기 똑똑해진 것도 아니고 강해진 것도 아니지만, 행동거지가 이전과 달랐다.

"아, 한스. 그리고 말이야."

"네, 백작님."

"플린의 서자에 대한 정보 좀 가져와."

찻집 주인 빌로스. 데르트는 플린 상단의 서자인 그의 정체를 이미 알고 있었다. 영지에서 생산하는 와인의 가장 큰 거래 상대가 플린 상단이기 때문이었다.

"가보겠습니다."

"그래."

데르트는 집무실 밖으로 한스가 사라지는 것을 보며, 혼자 남은 공간 속에서 생각에 잠겼다. 케일 말고도 생각할 것이 많았다.

'요즘 대륙의 분위기가 심상치 않아.'

마치 터지기 직전의 화산과 같았다. 왕국 구석에 자리했음에도 데르트는 이를 명백하게 느끼고 있었다. 끊임없이 주시했기 때문이다. 그리고 데르트는 오늘 왕실로부터 도착한 전서에서 더욱더 그런 분위기를 확신했다.

대대로 부를 지키고 이를 조금씩 넓히며 살아온 헤니투스 백작가. 그들은 대대로 가주에게 한 가지 말을 전했다.

'역사에 기록될 필요는 없다. 대신 행복과 평온을 위해 살아라.'

"성벽을 보수해야겠군."

싸워서 쟁취할 줄은 몰라도, 부족한 머리지만 지키는 방법에 대해서는 끊임없이 생각하는 데르트였다.

몸이 정신을 이기는 때가 있다.

"도련님, 곤히 주무시길래 깨우지 않았습니다."

케일은 늦잠을 잤다. 거기다가 아침부터 냉수 대신 레모네이드를 건네는 시종 론 때문에 속이 더부룩했다. 하지만 아무 말도 할 수 없었다.

시종 론의 목에 붕대가 감겨 있었기 때문이다.

"다친 건가?"

"……걱정해 주시는 겁니까?"

"아니, 뭐. 눈에 거슬려서."

"별것 아닙니다. 발톱을 세운 고양이에게 조금 긁혔습니다."

발톱을 세운 고양이는 또 어느 죄 없는 인간이란 말인가.

케일은 분명 어젯밤 누군가 운명을 달리했을 것이라 확신했다. 그는 미소를 지으면서 지그시 바라보는 론의 시선을 피하며 침실 문으로 향했다. 늦잠을 자는 바람에 더 바삐 움직여야 했다.

"바로 나가시는 겁니까?"

"어, 끼니나 이런 건 밖에서 다 알아서 할 거야."

"네. 그런데 도련님."

론의 부름에 케일은 잡고 있던 문고리를 놓고 뒤돌아 그를 바라봤다. 론은 의뭉스러운 미소를 띠고 있었다.

"레모네이드가 어떻습니까?"

"맛있어. 아주 맛있어."

론의 목소리가 한층 낮아졌다.

"……그렇습니까?"

"어."

뭔 시답잖은 물음이야.

무시할 수도 없는 인간이라, 케일은 대충 답하고 바로 문고리를 돌렸다. 문이 활짝 열렸다.

쾅!

그리고 바로 닫았다.

"……론."

그의 부름에 론이 케일의 옆에 서서 인자한 미소와 함께 속삭였다.

"도련님, 놀라셨습니까? 어제 오신 손님께서 문밖에서 기다리고 계셨습니다."

놀래라. 케일은 문을 열자마자 자신을 빤히 바라보는 최한의 눈동자에 순간 심장이 덜컹거려 문을 닫아버렸다. 그의 손이 상의 안주머니 위로 향했다. 그 안에 있는 1천만 겔론이 그의 마음을 안정시켜 주었다.

론은 케일을 빤히 보며 말을 이었다.

"바로 문을 여시길래 미처 말씀드리지 못했습니다. 손님께 편히 방에서 기다리시라고 해도, 도련님을 꼭 뵈어야 한다며 가지 않으시더군요."

미처 말하지 못하기는. 말할 기회가 충분히 많았으면서도 말하지 않은 이 고약한 심보의 노인에게 케일은 뭐라 하지 못했다. 케일은 슬그머니 론에게서 한 발짝 떨어지며 문을 열었다.

"무슨 일이지?"

케일은 언제 면전에서 문을 닫았냐는 듯 최한과 마주했다. 그는 무덤덤하게 물으면서도 최한의 행색을 훑어보았다.

확실히 씻고 머리를 정돈하고 옷도 새로운 것을 입으니 선하고 깨끗한 분위기가 그에게서 풍겨 나왔다. 하지만 눈동자를 보면 그런 생각을 하기 힘들었다.

지금은 비틀어져 있는 상태. 그래서 최한의 눈동자를 보면 섬뜩한 기분이 들었다.

최한도 역시 케일을 빤히 보다가 입을 열었다.

"밥값."

"어?"

"밥값 할 겁니다."

어제와 달리 최한의 입에서는 존댓말이 흘러나왔다. 하지만 케일은 그것보다 '밥값'이라는 단어에 눈가를 찡그렸다.

밥값이라니. 누구 심장에 소름 돋게 할 일 있나. 미쳤다고 최한의 노동력을 사용하겠는가. 그는 그냥 최한이 얼른 이 영지를 떠나는 게 유일한 바람이었다.

물론 최한은 케일이 밥값을 들먹이며 부탁을 하면 들어줄 것이다. 그는 그런 사람이었다. 그러나 케일에겐 그럴 일 자체가 애초에 없었다.

"됐어. 필요 없어. 그것 빼면 용건이 없는 건가?"

그는 황급히 밥값 제안을 거절하며 다른 용건을 물었다. 최한은 더욱더 뚫어질 듯 케일을 응시했다. 그 시선에 케일은 왠지 자신이 맞는 장면이 그려졌고, 팔에 서서히 닭살이 돋으려 했다. 그때 최한의 입이 열렸다.

"부탁드릴 것이 있습니다."

부탁이라는 단어에 케일은 눈을 감았다. 엮이면 안 되는데. 최한이 부탁할 것이라는 게 해리스 마을에 관련된 일밖에 더 있겠는가.

책 속의 케일은 해리스 마을 사람들을 버러지라고 칭했다. 그 때문에 얻어맞은 것을 떠올리며, 케일은 입을 열었다.

"네 부탁은 한스에게 말하도록. 그가 다 알아서 처리할 거야."

다시 눈을 뜬 케일은 입을 꾹 다문 채 석상처럼 서 있는 최한과 시선을 마주했다.

"유능한 부집사다. 웬만한 부탁은 그가 다 해결해 줄 수 있어."

케일은 옆에 선 론의 어깨에 손을 올렸다. 론의 어깨가 흠칫하는 것이 느껴졌지만 케일은 일단 둘 다 눈앞에서 치워 버리기로 했다.

"여기 론 역시도 유능한 이다. 네 부탁을 잘 도와줄 거야. 론, 내 손님이니 최대한 그의 뜻이 이루어질 수 있도록 해.”

케일은 론에게도 지시를 내린 후, 그의 어깨에서 손을 뗐다. 최한의 목소리가 케일의 귓가에 들려왔다.

“제가 누군지 모르지 않습니까?”

케일은 시선을 돌렸다. 여전히 자신을 응시하는 최한의 눈동자가 보였다. 몇 번 보아서인지 섬뜩한 분위기는 사라졌고, 삐뚤어져도 감출 수 없는 선함이 느껴졌다.

“내가 왜 너를 알아야 하지? 나보다 못한 이를 도와주는데 이유가 필요한가?”

케일의 말에 최한의 눈가가 살짝 일그러졌다. 아주 찰나였지만 최한을 주시하던 케일의 눈동자에 그 광경이 고스란히 포착되었다. 저보다 못하다는 말에 기분이 나쁜 건가. 케일은 다시 급히 말을 이었다.

“네 꼴에 어려운 일을 부탁할 것 같지도 않은데. 뭐, 어려운 부탁이면 한스가 알아서 자르겠지.”

그는 론을 최한 쪽으로 밀고는 두 사람에게서 등을 돌렸다.

“그럼 난 이만 바빠서.”

케일은 바삐 아버지 데르트의 집무실로 향했다. 오늘 용돈을 조금 많이 받아야 했기 때문이다. 그의 등 뒤로 론의 목소리가 들려왔다.

“도련님, 말씀하신 바를 열심히 완수하겠습니다.”

그러든가 말든가. 지지고 볶고 하는 건 케일이 아닌 주인공과 그 동료들이 알아서 할 일이었다. 자신 덕분에 예정보다 4일 일찍 만났으니 정도 더 빨리 들지 않을까.

론은 멀어지는 케일을 바라보다가 자신의 손에 들린 빈 잔을 바라봤다.

"흥미롭군."

저 겁 없는 강아지는 신 것을 싫어한다. 지금도 싫어한다. 그런데 지금은 마신다.

론은 자신의 목을 매만졌다. 오랜만에 상처를 입었건만 상처보다 더 흥미로운 상대가 자꾸 신경을 건드렸다.

겁 없는 강아지가 자신에게 겁을 먹는다. 무얼 알고 있는 것일까?

"안내해."

론은 옆에서 들려오는 목소리에 시선을 돌렸다. 짙은 혐오감이 담긴 최한의 눈빛이 보였다. 이놈은 자신이 사람 죽이는 인간이라는 것을 어제의 짧은 공방으로 알아차린 듯했다.

"그러지."

제 놈도 사람 피 냄새를 한껏 뿌리고 다니는 주제에, 깨끗한 척을 한다. 비틀어져도 꽤 많이 비틀어진 놈이 론은 우스웠다.

어젯밤 마주한 저 녀석에게서 어둠의 숲, 그곳의 지독하고 난폭한 악취를 맡았다. 론은 맡을 수 있는 냄새였다. 물론 본인의 악취가 아닌 다른 누군가에게서 묻혀온 악취였고, 지금은 씻고 난 후라 그 악취가 나지 않았다.

'하긴 그들이 넘어올 리 없지.'

어젯밤의 일을 떠올리며, 론은 사연 많아 보이는 녀석에게 말했다.

"따라오게."

론은 우리 강아지 도련님의 명을 따르기 위해 걸음을 내디뎠고, 최한이 그 뒤를 따랐다. 최한의 시선이 잠시 사라진 케일의 방향으로 향했다가 이내 앞으로 돌아갔다.

어제보다 두 배 더 큰 빵 포대를 들고 빈민가 꼭대기로 간 케일을 맞이한 이는 어제 마주친 남매였다.

아이들은 입을 꾹 닫고 케일을 쳐다봤다. 케일은 피식 웃으며 작은 봉투 두 개를 꺼내 아이들 앞으로 들이밀며 흔들어 보였다.

"가져가."

그 행동에 여자아이가 천천히 다가왔다. 회색빛의 칙칙한 머리칼을 지닌 아이가 다가오는 모습에 케일의 미간이 찌푸려졌다. 아이는 옆구리에 손을 댄 채 절뚝이며 다가왔다.

"야."

그는 남자아이에게 봉투 두 개를 내밀었다.

"네가 와서 가져가."

남자아이는 쪼르르 다가와 봉투를 냅다 품에 안고는 멀찍이 떨어졌다. 밝고 선명한 케일의 붉은 머리와 달리 칙칙한 붉은색의 머리칼이 남자아이의 몸짓에 따라 흔들렸다.

케일은 미련 없이 뒤돌아 사람 먹는 나무로 다가갔다.

"와."

"빵 아닌데. 고기랑 케이큰데."

남매의 목소리가 들렸지만 케일이 신경 쓸 바는 아니었다. 곧 그는 사람 먹는 나무의 영역에 도달했다.

우우웅―

"……좀 무서운데."

이파리도 없는 시꺼먼 나무가 왠지 케일을 반기는 듯 가지를 움직이는 것 같았다. 으스스한 기분에 케일은 꺼림칙한 표정으로 빵 포대를 나무 밑동에 들이부었다.

여지없이 빵들이 사라졌다.

그때였다.

–더, 더 줘.

'……미치겠네.'

책 속에서 읽었던 반응이 나왔다. 가냘픈 소녀의 목소리였다. 굶어 죽은 이는 신을 모시던 신녀. 지금의 신전이나 교단의 성녀와는 다른 고대 주술사였다. 고대의 주술사는 대개 초능력자, 혹은 자연의 힘을 이어받은 이라 보면 되었다.

케일은 재빨리 포대를 챙겨 들고 움직였다.

'케일, 오늘은 밤에 내 서재로 오거라.'

용돈을 받으러 갔을 때 아버지 데르트가 케일에게 건넨 말이었다. 그 때문에 늦어도 저녁 전에는 여기서 벗어나야 했다.

'절반.'

오늘 절반은 해치울 작정으로 왔다. 그는 다시 빵을 가지러 꼭대기에서 내려갔다. 빵가루와 케이크 크림을 입가에 묻히고 멀뚱멀뚱 쳐다보는 남매가 보였다.

"쯧."

그는 인상을 팍 구긴 채 혀를 차며 남매를 지나쳤다.

케일은 빵집들이 밀집한 시장 거리로 들어섰다. 이미 어제 간 곳은 한 번 털었기에 다시 준비하려면 시간이 걸려서 다른 곳을 물색

해야 하는 상황이었다.

"고, 공자님."

그때, 웬 여자의 목소리에 케일은 시선을 돌렸다. 중년의 아줌마가 어색하게 미소를 지으며 두 손으로 자신의 가게를 가리켰다. 손끝이 떨리고 두려움이 가득했지만 당당했다.

"빵 많습니다."

케일의 입가에 미소가 맺혔다. 이 아줌마, 장사를 할 줄 아는 사람이었다. 시장 사람들이 힐끗거리며 그 광경을 쳐다보고 있었다.

케일은 금화를 하나 던졌고, 아줌마는 날렵하게 그 금화를 받아 챙겼다.

"있는 거 다 줘. 빨리 포장해."

그 순간 중년 여성의 입꼬리에 미소가 짙어졌다. 그녀는 곧장 가게 안으로 가더니 커다란 포대를 바로 들고 나왔다. 이미 포장을 해 둔 것이다.

"여기 있습니다."

이야, 진짜 일 잘하는 사람인데. 한몫을 챙길 줄 아는 사람이었다.

"더 준비할 수도 있습니다."

더욱더 마음에 드는 아줌마였다. 그때, 또 다른 목소리가 들려왔다.

"공자님! 저희는 더 많이 할 수 있습니다."

한 블록 건너편의 노인이 번쩍 손을 들며 다가왔다. 그는 제빵사 옷을 입고 있었다. 그 절절한 모습에 케일은 금화를 던져 노인에게 건네며 말했다.

"다음은 자네 가게에서 하지. 한 포대 준비해 놔."

"감사합니다!"

케일은 감탄했다. 망나니라고 피할 때는 언제고, 돈을 벌어야 할 때는 서슴없이 다가왔다. 아마 케일이 양아치를 제외한 사람은 때리지 않음을 알기 때문이겠지만, 헤니투스 영지가 부유한 이유를 알 것 같았다.

어제 케일이 빵 한 포대를 사면서 금화 하나를 던지고 간 일은 빵집 거리에 소문이 다 났다. 백만 겔론. 일주일 매출과 맞먹는 그 양에 사람들은 기겁했으며, 케일의 기이한 행태에 눈을 빛냈다.

'내일은 저렇게 세 군데에서 돌아가면서 빵을 받으면 되겠네.'

금화 하나씩 던져주었으니 내일은 하나씩 포대를 받으면 될 것이다. 케일은 일이 막히지 않고 풀리는 것 같아 기분이 좋았다.

하지만 그 모습을 지켜보는 이가 있었다.

"흠."

주방장 비크로스였다. 그는 제 아버지처럼 목에 붕대를 감은 채 한구석에서 케일을 지켜봤다. 그는 케일이 빵 포대와 함께 약초를 몇 개 사서 빈민가로 가는 모습을 물끄러미 지켜봤다.

"……미친 건가?"

어제부터 아무래도 케일이 미친 것 같았다.

아버지가 재밌는 놈이라고 했을 때 관심을 두지 않았는데, 보면 볼수록 재밌는 놈 같다. 검은 머리 녀석만큼 지켜보는 재미가 있을 것 같아, 비크로스의 눈빛에 이채가 감돌았다.

그 시각, 영지에서 가장 높은 층수를 가진 찻집을 운영하는 빌로스는 수하의 보고를 들으며 차를 홀짝였다.

"케일 공자님이 빈민가를 드나드신다고요?"

"네, 빌로스 님."

"그렇군요."

"그리고 수도에서 연락이 왔습니다."

"그래요?"

살에 파묻혔지만 동글동글한 눈동자가 번뜩였다. 수하는 잠시 멈 칫했지만 보고를 이어갔다.

"네, 곧 왕실에서 사람들을 모을 거라고 합니다. 그래서 빌로스 님 도 신속히 복귀해 업무를 맡으라고 하십니다."

탁. 그는 찻잔을 차탁에 놓으며 수하에게 턱짓했다.

"나가보세요."

수하는 소리 없이 그림자 속으로 스며들며 방 안에서 사라졌다. 빌로스는 수하가 있던 자리를 물끄러미 바라보다가 입꼬리 한쪽을 비틀어 올렸다.

"내가 또다시 집 지키는 개새끼 노릇을 할 줄 아는 건가?"

그의 시선이 창밖으로 향했다. 그 시선은 저 멀리 수도에라도 닿 을 것처럼 먼 곳을 바라보고 있었다.

"이, 이건 빵 아닌데. 아닌데."

"그래서?"

약초를 손에 쥔 채 계속 '아닌데'만 웅얼거리는 여자아이에게 케일은 코웃음을 쳐 보이며 사람 먹는 나무로 향했다. 하지만 그 걸음을 남자아이가 막아섰다.

"죽으면 안 되는데."

이번에는 동생이 나섰다. 케일은 이제 미간도 찌푸리지 않고 남자아이를 지나쳐 갔다.

케일, 아니, 김록수.

고아에 특출한 것 없는 인간. 그래서 불쌍한 자신을 동정하는 이들이 많았다.

'불쌍한 이를 동정하는 데 이유가 필요한가?'

그가 아주 어렸을 때 들은 말이었다. 어린 거지. 불쌍한 고아. 동정에는 이유가 없다. 이를 삐딱하게 받아들였던 때도 있었지만 어느 정도 큰 후 그 말의 의미를 제대로 알아들었다.

마음이 가는 일에는 이성적인 이유가 없다. 이유는 필요 없다.

"짜증 나네."

케일은 어린애가 아픈 것은 딱 질색이었다. 그렇다고 간호해 주거나 보듬어줄 생각도 없다. 그는 주춤주춤 절뚝이며 다가오는 여자아이와 그 옆에서 따라오는 남자아이에게 인상을 구기며 말했다.

"안 죽어."

그 말에, 그제야 남매는 따라오지 않았다. 케일은 자신이 제일 싫어하는 짓을 했다는 생각에 영 기분이 좋지 않았다. 오지랖 부리는 것들을 제일 싫어하건만 오늘 그 오지랖을 부렸다.

우우우웅—

—더, 더 줘.

"그래. 많이 처먹어라."

케일은 거친 손길로 사람 먹는 나무에 빵을 쏟아부어 버렸다. 이쯤 되자 그다지 무섭지도 않았다. 빵은 순식간에 어둠 속으로 사라졌다. 이제는 어둠이라고 하기에도 애매했다. 회색빛의 공간이 그의 눈에 들어왔다. 그의 눈에만 회색빛으로 보일 것이다.

'역시 돈 쓴 값을 하네.'

케일은 그렇게 한 번 더 빵을 쏟아부은 후 백작가로 향했다. 세 번째부터는 남매가 보이지 않았지만 케일은 오히려 그것이 더 속 편했다.

하지만 그는 백작가로 향하는 길목에서 낑낑거리는 두 고양이를 본 순간 흠칫하고야 말았다.

'어제 그 고양이들인데. 설마 나를 기억하겠어?'

은색의 금안, 적색의 금안. 두 고양이가 울지도 않고 빤히 케일을 바라봤다. 케일은 괜한 일을 일으키기 싫어서 고양이들을 외면하며 빠르게 백작가로 향했다.

그리고 아버지 데르트로부터 경악할 만한 이야기를 들어야 했다.

"……다시 한번만 더 말씀 부탁드립니다."

"그래, 케일."

케일의 옆에는 바센도 있었다. 책 속에서는 서술되지 않았던 헤니투스 백작가의 이야기가 케일의 앞에 펼쳐졌다.

"네가 우리 가문의 대표로 왕실에 다녀오거라."

순간 머리가 띵해져 왔다.

"원래는 바센이 가기로 했으나, 우리 가문의 맏이는 네가 아니더냐."

부드럽게 미소를 그리는 데르트 백작을 보며 케일은 입을 열었다가 닫았다가를 반복했다.

이 시기에 왕실이라니. 케일은 '영웅의 탄생' 책 내용을 황급히 떠올렸다. 그 와중에 데르트는 말을 이었다.

"왕실에서 이번에 큰 행사를 여는데, 그중 하루 일정으로 각 영지를 맡은 귀족가의 자제들을 초청했어. 왕실은 처음이지만, 이것과 비슷한 자리는 재작년부터 바센이 갔었지. 하지만 이번에는 네가 갔으면 하는구나."

왕실의 큰 행사. 그 단어에 케일은 한 가지 사건을 떠올릴 수 있었다.

광장 테러 사건.

수도의 수많은 왕국민들이 모인 자리. 그곳에서 비밀 단체가 테러를 벌인다. 그때 이를 반 정도 막는 이가 우리의 영웅 최한이었다. 비밀 단체와 최한이 네 번째로 엮이는 순간이었다.

그 결과로 최한은 광장에 있던 수많은 왕국민을 구했고, 왕실과 엮이며 왕세자와 만나 그와 우정을 나눈다.

소름이 돋았다.

그때 최한 중심으로 이야기가 펼쳐졌는지라 귀족가 자제들이 모이는 이야기는 책 속에서 언급되지 않았다. 그 사건 전후로 최한 주위에 동료가 생기고 그에게 든든한 권력 배경이 생기는 것만 나왔다.

'그 테러 현장을 가야 한다니.'

물론 귀족가 자제들이 그 광장에 모이는지 안 모이는지는 모른다. 케일은 '영웅의 탄생'에 나왔던 내용을 떠올렸다.

광장에는 수많은 이들이 모였다. 상석은 비어 있었다. 곧 나타날 왕족을 위한 자리였다. 그 외에도 꽤 높아 보이는 이들이 최한의 눈에 들어왔다. 하지만 그보다 수많은 왕국민들이 남녀노소 할 것 없이 자리하고 있었다. 최한의 심장이 긴박감으로 뛰었다.

다시는 죄 없는 사람들이 단체로 죽는 모습을 보고 싶지 않았다.

'높아 보이는 이들'에 귀족가의 자제가 들어갈까?

케일은 아버지가 말하는 와중에도 시선을 돌려 바센을 바라봤다. 바센은 무뚝뚝한 표정으로 형에게 눈길 한 번 주지 않은 채 아버지만 바라봤다.

'원래 이런 행사는 이 녀석이 가는 거라고 했으니까. 이 녀석보고 가라고 할까?'

케일의 입이 열렸다 닫혔다가를 반복했다. 위험한 곳에 가기 싫었다. 그렇다고 차마 바센의 이름이 입 밖으로 나오지도 않았다.

좋지도 나쁘지도 않은 사이. 남. 딱 그게 본래 케일과 바센의 사이였다. 바센은 케일을 어려워했지만 그게 끝이었다.

케일의 머릿속이 복잡해졌다.

본래도 케일이 갔을까? 망나니를 수도에 보낼 리 없지 않은가. 도대체 왜 나를 보내려고 하는 것일까. 내가 무언가를 잘못해 상황이 이리된 걸까?

"5일 뒤에 출발하면 된다."

5일 뒤. 그는 데르트의 입에서 흘러나온 단어에, 본래 이야기 흐름이 어떻든 간에 원래의 케일이 수도에 가지 못했음을 확신할 수 있었다.

정확히 4일 뒤 케일은 최한에게 얻어맞아 백작가로 실려 온다. 그 상태로 수도에 갈 수 있을 리가 없었다.

"케일, 바센이 하기 전에는 네가 이런 행사에 다 참석했지. 그러니 그때를 떠올려 편히 갔다 오거라.”

“아버지.”

데르트는 케일의 부름에 그를 바라봤다. 바센도 슬쩍 시선을 돌려 제 형을 바라봤다.

“갑작스러운 이야기라 당황스럽습니다. 재작년부터는 제가 가지 않았는데, 왜 갑자기 제가 가야 하는지 그 이유도 모르겠고요. 일단 생각은 해 보겠습니다.”

데르트는 알겠다고 답하며 두 사람에게 나가봐도 좋다고 말했다. 형제는 서재를 빠져나왔다.

케일의 머릿속이 여러 갈래로 갈라졌다가 합쳤다를 반복하며 여러 생각을 떠올렸다. 아마 데르트는 케일이 난리를 피우며 가기 싫다고 하면 바센을 보낼 것이다. 그런데 그게 찝찝했다.

“형님이.”

그 순간, 케일의 동생인 바센의 목소리가 들려왔다. 케일은 고개를 돌렸다. 바센은 그를 불러놓고 정작 그를 바라보지 않은 채 무뚝뚝한 얼굴로 정면만 바라보고 있었다. 15살의 소년 바센은 늘 그랬듯 앞만 본 채 말했다.

“형님이 가지 못할 이유는 없습니다.”

하. 케일의 입에서 탄식이 흘러나왔다.

바센은 그런 그에게 눈길 한 번 주지 않고 서재 앞을 떠나 제 방으로 향했다. 케일은 그 모습을 한참 동안 바라봤다.

“……이러면 안 되는데.”

가문 후계자 자리에서 밀려난 케일. 재작년부터 동생 바센이 가문의 후계인 것처럼 번듯이 행동해도 망나니짓을 그만두지 못했던 케일 헤니투스. 그는 비웃음거리였다.

그런 그가 가문의 대표로 왕실을 가지 못할 이유는 많다. 그런데 바센은 없다고 말했다. 케일이 가문의 대표로 나설 이유가 충분하다고 한다.

'이렇게 되면 정말 곤란한데.'

케일의 미간이 일그러졌다. 이런 상황이 탐탁지 않았다.

그런데 또 문제는.

'해볼 만한데.'

앞으로 펼쳐질 일 또한 해볼 만하다는 것이다.

케일이 죽지 않고, 다치지 않고 무사히 돌아올 수 있는 이유가, 가능성이 무수히 많았다.

'그리고 바센이 영주 자리에 오르지 않고 죽으면 내가 곤란해.'

케일의 편안한 삶을 위해 바센은 살아야 할 명확한 이유가 있었다. 막내인 릴리도 있었지만 아직 많이 어렸다. 또한 케일은 웨스턴 시의 고대 힘을 얻은 후 영지 밖에 있을 고대의 힘을 얻으러 나가야 할 일이 있었다.

마음의 추가 기운다.

그는 자신에게로 다가오는 부집사 한스를 빤히 바라봤다. 한스의 표정은 진중했지만 어둡지는 않았다. 씁쓸해하는 표정이었지만 눈동자는 또렷했다.

"공자님, 오늘 공자님 손님께서 부탁하신 일로-"

"한스."

케일은 그의 말을 끊으며 다른 말을 건넸다.

"그 손님 좀 불러와."

"네?"

수도에 가기로 마음먹었지만, 그렇다고 호구는 사절이다. 이왕 움직여야 한다면, 최대한 내가 편하게. 그리고 무조건 나에게 이득이 되게 움직여야 한다.

"아, 혹시 안 오면 이렇게 말해."

케일은 한스의 표정으로 보아 최한의 일이 어느 정도 잘 해결됐을 것이라 확신했다. 데르트 백작은 책 속에서 최한이 케일을 팼음에도 영주로서 해리스 마을의 장례를 치러주고 뒤처리를 담당했다. 이는 지금도 마찬가지일 것이다.

"밥값."

"네?"

"밥값 할 일 생겼다고 오라고 해."

부집사 한스는 곧바로 다른 시종에게 최한을 불러오라 시켰다.

"지금 그 녀석은 어디에 있지?"

"아, 시종 론 씨와 함께 비크로스 주방장의 주방에 있다고 알고 있습니다."

서재로 들어서던 케일은 괜히 심장이 덜컹거렸다. 역시 셋이 친해지고 있는 건가?

"들어보니 비크로스 주방장에게 간단한 요리를 배우고 있다더군요."

"요리?"

"네."

케일의 한쪽 입꼬리가 올라갔다. 요리는 무슨. 요리라고 하고, 고문법에 대해서 배우거나 아니면 최한의 검술에 비크로스와 론이 감탄 중일 것이다. 안 봐도 뻔했다.

케일은 자연스럽게 걸어가 자신의 책상 앞에 앉았다. 그는 멀뚱히 서 있는 한스에게 툭 던지듯 물었다.

"그 녀석이 부탁한 일은 뭐던가?"

"아."

한스는 갑작스러운 케일의 말에 탄식을 흘리더니 이내 진지한 얼굴로 보고를 시작했다. 당연히 케일이 아는 내용이었다.

한스는 해리스 마을의 비극에 대해 전하며 슬픔과 안타까움을 감추지 못했고, 최한과 함께 그가 들고 온 마을 촌장 패를 영주님께 전달했다고 말했다.

"아버지와 그 녀석이 만났다고?"

"네, 백작님이 곧바로 영주성에 지시를 내려 장례식과 함께 진상 조사를 위한 조사원과 기사, 병사를 파견하신다고 하더군요."

음. 그는 잠시 말을 멈추더니 망설이다가 입을 열었다.

"하지만 그 손님분은 함께 가지 않겠다고 하시더군요."

한스는 영주에게 사건에 대해 말하던 최한의 모습을 떠올렸다.

그는 담담하게 말했지만 손끝이 떨리고 있었다. 들어보니 17살이라고 했다. 홀로 약초를 캐느라 늦게 마을에 도착하는 바람에 목숨은 구했지만, 함께 살아온 이웃과 친구들이 모두 죽어 있는 광경을 봤으니 그 어린 나이에 얼마나 충격을 받았을까.

"그래도 될까요?"

그래서 한스는 케일에게 물었다. 마지막 인사를 못 하게 해도 될까?

"본인 선택이야."

케일은 한스의 물음을 일축하며 화제를 돌렸다. 그는 최한이 왜 그러했는지 알고 있다. 최한은 이미 시신들을 묻으며 마지막 인사를 했고, 그에게 남은 것은 미래를 빼앗긴 마을 사람들을 위한 복수였다.

"시종 론이 그를 계속 챙기던가?"

"네. 끼니마다 챙기고, 꽤 다정히 대하더군요."

역시 세 사람은 잘 어울리는 듯했다.

"아."

한스는 무언가 떠오른 듯 케일에게 말을 이었다.

"론 씨가 오후에 일을 하다가 또 다치신 것 같습니다. 손목에 붕대를 감고 계시더군요."

"그래? 약 챙겨줘."

또 누구 죽였던 거겠지. 케일은 심드렁하게 답했다. 한스의 목소리가 들렸다.

"……도련님의 그 말씀과 마음을 제가 꼭 론 씨에게 전하겠습니다."

"뭐, 그러던가."

무심한 케일의 모습에 한스가 무언가 더 말할 듯 입을 열었지만, 그보다 먼저 다른 소리가 서재 안에 울려 퍼졌다.

똑똑똑.

최한이 왔다는 소리였다. 한스가 문을 열었고, 케일은 문 앞에 선 최한을 볼 수 있었다. 케일이 한스에게 나가보라 손짓하자 한스는 고개를 숙이며 조용히 서재를 빠져나갔다. 남은 사람은 최한과 케일뿐이었다.

케일은 책상을 사이에 두고 자신의 건너편에 있는 의자를 가리켰다.

"와서 앉아."

최한은 천천히 서재를 둘러보며 맞은편 의자에 앉았다. 케일은 그가 충분히 서재를 둘러볼 수 있도록 시간을 제공했다.

선하면서 똑똑한 영웅답게 최한은 책을 좋아했다. 그래서 최한은 어둠의 숲을 나와 해리스 마을에 들어서자마자 촌장에게 글을 배웠다. 한참을 둘러보던 최한의 시선이 마지막으로 케일에게 향했다.

"밥값이 뭡니까?"

훅 치고 들어오네. 케일은 본론부터 꺼내는 최한의 모습에 미소를 그렸다.

밥값. 최한은 본인이 진 빚에 대해서는 철저했다.

케일은, 김록수는 자신이 '영웅의 탄생' 초반부 내용을 틀었고, 그로 인한 변수가 조금씩 발생할 것을 알아챘다. 그래서 최대한 비틀지 않고 나아가려고 했지만.

자신은 수도에 가야 한다. 그러면 변수는 더 커질 것이다.

케일은 종이 한 장을 책상 위에 올려두며 최한을 응시했다.

"밥값을 할 일이 생겼지만. 네가 할 수 있을지 없을지부터 판단해야겠어. 쉽게 말해 면접이지."

"말씀하십시오."

자격을 따진다는 말에 최한은 흔쾌히 응했다. 그래서 케일은 물었다.

"너 사람 지키는 일 할 줄 알아?"

"……무슨 말이십니까?"

최한이 처음으로 멈칫하며 반박자 쉰 뒤 답했다. 그의 시선이 케일을 조금 날카로이 바라보기 시작했다. 케일은 최한 대신 책상 위의 종이를 들여다보고 있었다.

급하게 변경한 계획이지만 어쩌면 이득이 더 많을 것 같다. 최한 일행이 고대의 힘을 가지지 못하도록 만들고, 그사이에 필요한 것들을 자신이 가지면 참 좋을 것 같았다. 어차피 저들에게는 곁다리, 있으나 마나 한 힘 아니던가.

케일은 종이에 시선을 둔 채 무심히 말을 이었다.

"무슨 말이긴. 사람 죽이는 일 말고, 사람 지키는 일. 할 수 있냐고."

침묵이 내려앉았다. 최한에게서 답이 들려오지 않았다. 케일은 종이에서 시선을 떼어 맞은편에 앉은 이를 바라봤다. 최한은 고개를 숙이고 있다 한참 만에 답했다.

"모르겠습니다."

쯧. 케일은 혀를 찼다. 이래서 지금의 최한은 참 건들기 애매했다.

"사람 죽일 수는 있고?"

이번에는 쉽게 답했다.

"있습니다."

"그럼 지키는 것도 하겠네."

최한의 눈동자가 순간 흔들렸다.

"그건 어렵습니다."

"어렵다고 못 할 일은 아니잖아?"

어렵다고 피할 수 있는 일은 세상에 별로 없었다. 케일이 살아온 삶은 그러했다. 그래서 막 살 수 있는 망나니 케일의 몸을 얼마나 반겼던가. 그런데 빌어먹게도 편안한 미래를 위해 넘어야 할 산이 하나 생겼다.

케일은 자신을 업고서 대신 산을 넘어다 줄 사람을 응시했다.

최한은 픽, 바람 빠지는 웃음을 흘렸다.

"그렇긴 하군요."

"그래. 그럼 마지막 면접 질문이다."

"네, 말씀하십시오."

또렷한 눈동자를 보며 케일은 마지막 질문을 던졌다.

"네 이름이 뭐지?"

"모르십니까?"

알지. 나를 때릴 예정이던 남잔데.

"남한테서 들었거든. 나는 너한테 네 이름을 직접 듣고 싶은데."

"최한."

최한이 손을 내밀었다.

"최한입니다."

케일은 그 손을 잡았다.

"그래. 나는 케일 헤니투스다."

면접이라고 할 짧은 대화는 금방 끝이 났고, 당연히 합격이었다. 케일은 책상 위에 올려두었던 종이를 최한 쪽으로 들이밀었다.

"네가 밥값 할 일은 간단해."

종이 위에는 두 사람의 이름이 적혀 있었다. 그리고 만나야 할 장소도 적혀 있었다.

"이 사람들과 함께 수도로 가."

최한이 수도로 가며 만나게 될 동료였다. '영웅의 탄생' 5권까지 비크로스와 이 두 사람은 최한의 동료가 되어 성장하며 강해진다.

로잘린. 라크.

한 명은 암살의 위험에서 살아남아 자신의 나라로 돌아가고 있던 이웃 왕국의 왕녀였고, 마지막 한 명은 다친 아이였나. 물론 그 아이는 늑대왕의 후계다. 늑대로 변신이 가능하단 소리다.

또한 이웃 왕국 왕녀 로잘린은 강했으며 냉철했다. 최한 다음으로 강한 파괴력을 지녔으며 이를 이성적으로 이용하는 사람이었다. 그녀는 왕위에 전혀 관심이 없었다. 대신 대륙 최고의 마탑을 하나 세우는 것이 목표였는데, 후에 그 꿈에 다가가며 영웅으로 성장하는 사람이었다.

'암살을 시도했던 그 왕국 대공은 나중에 비크로스에게 고문을 당하지.'

그 고문 장면이 책에 얼마나 상세하게 묘사되어 있던지 케일은 심장이 떨려왔다. 살면서 요즘 들어 심장이 가장 자주, 많이 떨리는 것 같다.

"로잘린. 라크."

최한의 목소리에 케일은 고개를 끄덕였다.

"그래. 그 두 사람. 글을 읽을 줄 아는군. 다행이야."

최한은 뚫어질 듯이 두 이름을 바라봤다. 그 시선을 따라 움직인 케일의 시선이 '라크'라고 쓰인 글자에 닿았다.

이 세계는 엘프, 드워프, 수인들이 존재했다. 하지만 그중에서도 가장 비밀스러운 존재들이 수인이었다.

수인. 여기서는 포유류뿐만 아니라 조류와 파충류도 포함했다. 수인은 몬스터와 달랐다. 이성이 존재했기 때문이다.

'라크는 늑대족에서 가장 혈통이 뛰어난 이지.'

늑대를 지배하는 피를 이어받은 라크. 수인은 순혈일수록 동물화했을 때나 인간화했을 때 약하고 평범해 보였다. 하지만 광폭화하면 누구보다도 잔인하고 난폭했다. 그리고 라크는 푸른 늑대족의 유일한 생존자였다.

케일은 서랍에서 지도를 꺼내 이를 책상 위에 펼쳐 들었다.

"처음에는 나와 함께 간다."

그의 손가락이 한 곳을 가리켰다.

"중간 지점부터는 헤어진다. 너는 내가 종이에 적어둔 대로 가."

최한은 그 말에 어떠한 의문도 보이지 않고 묵묵히 들었다. 케일은 그 모습을 잠시 쳐다봤다.

중간까지 최한과 함께 가야 하는 이유가 있었다.

'미친 드래곤은 피해야 해.'

'영웅의 탄생' 에피소드 초반부. 거기에는 늘 그렇듯 케일 다음으로 등장하는 악역이 존재했다. 하지만 그 악역은 한낱 스쳐 지나가는 사이다 먹이가 아니었다.

그 악역은 귀족으로 한 파벌을 이끄는 후작이었다. 그는 사사건건 왕세자와 최한을 괴롭혔다. 물론 2권쯤 망하는데, 여기서 처음 최한과 후작이 엮이는 일이 발생한다.

'그 자식이 미친 용을 키워냈지.'

말 그대로 광룡.

아직 성체가 아닌 작은 용이었지만, 그 검은 용은 현재 후작가 후계자가 비밀리에 만든 우리 속에서 학대를 받으며 후작의 말에 순종하도록 길들여지고 있었다.

'미쳤네. 드래곤은 세계관 최강자 아냐? 드래곤을 길들인다니 그게 말이 돼?'

어. 된다.

후작은 비밀 단체를 통해 드래곤 알을 구한 후, 태어나자마자 사지에 족쇄를 채우고 마나 제어구까지 목에 걸어서 사육한다. 드래곤

알을 구할 정도라니, 도대체 여기 비밀 단체는 그 힘이 어느 정도인지 감이 안 잡혔다.

하지만 괜히 용이 세계관 최강자겠는가?

태어난 지 5년이 안 된, 아주 작은 그 검은 용도 드래곤이었다. 용은 결국 미쳐서 폭주한다.

어린 몸이지만 마나 제어구를 벗길 만큼의 마나를 폭발시킨다. 그 마나는 자신의 생명을 깎아서 폭발시킨 마나였다.

동굴에서 빛 한 번 보지 못하고 사육되던 어린 용은 마지막 자유를 위해 자신의 목숨을 버린다. 그렇게 탈출한 용은 결국 이성을 잃고 폭주한다.

그 폭주로 인해 최한이 머물던 마을에 위험이 뻗칠 상황이 되었고, 최한은 검은 용과 맞서게 된다.

최한은 1m도 되지 않을 작은 용을 바라봤다. 저 작은 몸으로 인해 산이 하나 날아갔으며 마을 사람들은 죽을 위기에 처했다. 그러나 최한은 함부로 용을 공격할 수 없었다. 이성을 잃은 눈이 괴로워하며 슬퍼하고 있었다. 하지만 검은 용의 입은 웃고 있었다. 그것이 몹시도 슬펐다.

최한은 검은 용을 죽이고 그에게 마침내 죽음이라는 자유를 선물한다.

케일은 그 마을로 가야 했다.

'최한이 처리하든가. 아니면 용이 미쳐 날뛰기 전에 그걸 막고 풀어주든가.'

그 상황을 피하고 싶어도, 가는 길이라 어쩔 수가 없었다. 그 마을을 지나지 않으면 빙 둘러가야 하는데, 그리되면 시간이 오래 걸리고 이야기 흐름이 틀어진다. 수도 도착 시간이 늦어질 것이다.

'광룡이라는 이름에 걸맞지 않게 굉장히 귀엽다던데.'

검은색의 팔다리가 짧고 귀여운 용이라 적혀 있었다. 그런 존재가 미쳐서 날뛰니 더 겁난다는 표현도 있었다. 케일은 일단 드래곤에 대한 생각은 접고, 최한에게 마저 지시를 전했다.

"그리고 이름의 주인들과 함께 수도로 와. 그게 네 밥값이야."

최한은 질문을 던졌다.

"……이들을 지키면 되는 겁니까?"

"네 마음대로."

굳이 지킬 필요 없이 강할 텐데. 특히 왕녀 로잘린은 부서지지 않는 방패를 든 케일이 한 트럭 덤벼도 꿈쩍도 안 할 것이다.

"네 마음대로 해. 대신 너는 무조건 수도로 와야 돼. 그리고 멀쩡한 얼굴로 나를 만나야 되고. 네 자신을 지키는 일은 할 수 있겠지?"

그 후로 더 이상 케일과 최한이 만날 일은 없을 것이다. 라크와 얽히며 한 번 더 비밀 단체와 최한의 갈등이 생기기 때문이었다. 그와의 만남으로, 최한은 알아서 책 내용처럼 수도의 위험을 막을 것이다.

"왜 답이 없어? 할 수 있어?"

최한의 눈빛이 좀 더 선명해졌다.

"네, 할 수 있습니다."

말투가 전보다 더 높임말을 쓰는 것 같았지만, 케일은 그러려니 넘겼다. 그는 최한이 종이를 품에 챙기는 것을 보며 몸의 긴장이 풀렸다.

술이라도 한잔하면서 할 걸. 케일의 몸으로 최한과 마주하는 것은 굉장히 피곤한 일이었다.

"나가봐."

대충 손을 휘휘 저으며 보내는 축객령에 최한은 문으로 향했다. 케일은 비딱하게 의자 등받이에 몸을 기대고서 그 모습을 지켜보다가, 최한이 문을 열기 전 말했다.

"참고로 오늘 이건 다 비밀인 거, 알지?"

최한은 뒤돌아보지도 않고 문고리를 돌리며 답했다.

"압니다."

왠지 그 목소리에 웃음기가 담긴 듯했지만 케일이 알 바는 아니었다. 그는 홀로 남게 되자 펜과 종이를 꺼내 한글로 글자를 적기 시작했다. 한참 동안 써 내려가던 그는 서재를 나와 아버지의 집무실로 갔다.

"아버지."

"그래."

"돈이 필요합니다."

"그래, 알았다. 총관에게 말해놓으마."

돈이 많이 필요했다. 케일이 천만 겔론짜리 수표를 하나 더 품에 안고서 침대에 누웠을 때, 시종 론이 다가와 그의 탁자 위에 물병을 놓으며 말했다.

"따뜻한 레몬 꿀차입니다. 저희 아들이 특별히 도련님을 위해 만들었습니다. 도련님, 편안한 밤 되십시오. 제가 늘 도련님 곁에 있습니다."

케일은 잠이 확 달아났다.

어찌 되었든 저것들부터 최한과 함께 보내 버려야겠다.

다음 날, 케일 헤니투스는 눈을 뜨자마자 빈민가로 향했다.

'도련님, 한스 부집사에게 오늘 아침에 소식 다 전해 들었습니다. 수도에서 빛나실 수 있도록 이 론이 부족하나마 최선을 다해 준비해 놓겠습니다.'

백작가 밖으로 나온 케일의 어깨가 부르르 떨렸다. 그는 오늘 아침 일어나자마자 론과 했던 대화를 떠올렸다. 사실 떠올릴 필요도 없이 자동으로 재생되었다.

'수도는 처음이시지요? 제가 토끼 사냥을 참 잘합니다. 야영 때 제가 토끼를 사냥해 드리겠습니다.'

론의 중후하고 인자한 목소리가 케일의 귓가를 맴돌았다. 저 멀리 안개 속에서 환청처럼 그의 목소리가 들려오는 것 같았다.

이른 아침부터 토끼를 어떻게 사냥해야 하는지에 대해 설명하던 론의 모습이 케일은 공포스러웠다.

'토끼같이 겁 많고 작은 동물을 다룰 때는 조심해야 합니다. 언제 어떻게 도망갈지 모르니, 주의 깊게 관찰하며 어느 순간 죽여야지요. 아, 다 잡은 후에는 내장을 빼내야 합니다. 제가 그걸 또 잘합니다.'

케일은 손으로 스윽스윽 배를 가르는 시늉을 하는 론을 외면해야 했다. 론은 들떠 있었다. 케일은 왠지 모르게 자신이 론에게 놀림을 받고 있는 것 같은, 말도 안 되는 기분이 들었지만, 그보다 론이 선뜻 먼저 수도로 따라나서는 것에 안심했다.

'비크로스는 내 개인 주방장으로 따라붙으면 되겠어.'

론, 비크로스. 두 부자를 데려오기 위해 케일은 저택 밖을 나설 때 미리 한스에게 말해두었다. 물론 옆에 론도 있었다.

'한스, 이번 여행에 내 개인 셰프로 비크로스를 데려가고 싶은데.'

'이유를 여쭤봐도 되겠습니까? 그는 제2주방을 이끌어야 해서 시간이 많이 부족한데.'

'몰라. 아무튼 나는 비크로스가 만든 거 아니면 못 먹어. 그냥 데리고 갈 거니까, 그렇게 알아.'

한스가 황당해했고 론은 아들이 함께 가서 기쁜지 웃고 있었다.

'도련님, 제 아들이 참 기뻐할 것 같습니다. 안 그래도 함께 수도에 가야 할 일이 있었는데. 도련님의 말씀을 그대로 꼭 전하겠습니다.'

론의 말에 케일은 안심했다. 싫다고 하면 어쩌나 했는데 비크로스도 영지를 벗어나 수도로 가는 것을 좋아할 것 같았다.

케일은 아침 안개로 자욱한 웨스턴시를 거닐며 앞으로 수도에 함께 데리고 갈 인원을 생각했다. 이야기 흐름과는 조금 달랐지만 그렇다고 자신의 이득을 포기할 수는 없는 노릇 아닌가?

"공자님, 오늘은 빨리 오셨군요."

몇 번 봤다고 이제는 제법 편하게 자신을 맞이하는 빵집 주인에게 케일은 퉁명스럽게 물었다.

"그래서 빵은?"

빵집 주인은 씩 웃으며 빵을 내밀었다.

"당연히 있습니다. 그런데 정말 오늘이 마지막입니까?"

"왜? 돈이 더 욕심 나?"

"네, 욕심납니다."

케일의 입꼬리가 히죽 올라갔다. 이런 솔직한 답이 좋았다. 케일은 자신에 대해 파악한 빵집 주인의 어깨를 툭툭 두드리며 빈민가로 향했다.

"다음에 먹고 싶으면 또 올게."

빵집 주인은 안개 속으로 사라지는 케일의 모습을 아련히 바라보며 기도했다. 부디 케일이 다시 와서 돈을 왕창 쓰길.

그 아련한 기도를 모른 채, 케일은 오늘도 역시나 자신을 기다리고 있는 남매를 보며 미간을 찌푸렸다.

'얘들은 집이 없는 건가?'

평소보다 훨씬 일찍 온 케일이었다. 그런 그를, 마치 어젯밤 내내 빈민가 꼭대기에서 기다린 것처럼 둘이 붙어 웅크리고 있었다. 남동생은 누나의 품에 거의 기대다시피 하고 있었다.

남매는 입을 꾹 닫은 채 케일을 올려다보고 있었다. 안개 낀 새벽을 보낸 탓인지 머리카락과 옷이 축축해 보였다.

물론 케일은 모른 척했다.

"자, 받아라."

남자아이가 제 누나 몫까지 먹을 것을 받아갔다. 케일은 아이가 받는 걸 본 후 뒤돌아 사람 먹는 나무가 있을 담으로 향했다.

'안개가 껴서 다행이야.'

안개 덕분에 시야 확보가 어려웠다. 특히 웨스틴시에서 영주성 다음으로 높은 곳인 빈민가 언덕 꼭대기이다 보니 안개가 더 짙었다. 남들은 케일이 무엇을 하는지, 뭘 얻는지 보이지 않을 것이다.

−더, 더 줘. 제발.

케일은 오늘도 어김없이 한 많은 영혼의 소름 돋는 소리를 들으며, 빵 포대를 나무 밑동에 쏟아부어 버렸다. 구멍 속 어둠은 점점 회색에서 하얀색으로 변해갔다. 괜히 개고생한 것은 아닌 것 같아 케일의 입가에 살짝 미소가 어렸다.

그때였다.

−더, 더, 더!

뭐야.

케일은 한층 목소리 톤이 올라가 찢어진 듯한 비명 소리에 주춤 뒤로 물러섰다. 이런 얘기는 책에 없었는데?

−더, 더! 더 가져오면 내가 선물 줄게. 선물.

선물. 그 단어에 케일의 눈빛이 번뜩였다. 끝이 머지않았다. 물론 이렇게 나무에 깃든 목소리가 미쳐 날뛸 줄은 몰랐지만.

"기다려."

그의 말을 반기듯 마르고 검은 나뭇가지가 흔들렸다. 공포 영화의 한 장면 같았다. 케일은 몸서리를 치며 안개 속에서 바삐 움직였다. 이른 아침이 지나 오전이 되었건만, 해도 뜨지 않아 우중충한 구름 밑에서 안개는 더 심해져 갔다.

곧 비가 올 것 같았다.

남매가 어디로 간 건지 보이지 않았지만, 케일은 곧 비가 올 것 같으니 피하러 갔겠지 생각하며 세 번째 빵 포대를 사람 먹는 나무 앞에 놓았다.

이제 마지막이다.

케일을 감싼 안개처럼 나무 구멍 속 빛은 하얀색과 비슷해졌다.

이제 이것만 넣으면 투명해지리라. 그는 한껏 기대감을 안고 마지막 빵을 나무에게 주었다.

그리고 마침내.

우우우웅–

이전과는 차원이 다른 강도의 울림이 나무에서 케일에게로 쏟아졌다. 오로지 케일에게만 향하는 그 울림보다 케일의 시선을 사로잡은 것은 점점 투명해지는 나무 구멍이었다. 구멍 안이라 그늘이 져야 하건만, 그런 당연한 자연적 사실이 통하지 않았다.

그것이 고대의 힘이었다.

그때, 케일에게 빵을 더 달라고 그렇게나 말해대던 목소리가 다시 들려왔다.

–너무, 너무 맛있었어!

그 목소리는 방정맞았다.

–그 부드러운 식감 하며, 특히 세 번째 빵 포대가 좋았어. 역시 세월이 지나면서 먹거리도 발전하나 봐! 우리 때는 빵이란 이름도 없었는데! 여하튼 세 번째, 거기에 있는 빵이 참 맛있더라. 밀부터 토양이 다른 곳보다 좋은 곳에서 자라난 것 같아. 밀도 다 같은 밀은 아니지.

……목소리는 맛 평론을 하고 있었다. 목소리의 폭풍이 케일을 후려쳤다.

'이런 것까진 책에 나오지 않았는데?'

한 많은 영혼은 미식의 끝인 평론을 하며 한을 풀고 있었다. 케일의 미간이 점점 찌푸려져 갔다. 그는 '영웅의 탄생'에서 나왔던 고대의 힘 중 유일하게 아무도 가지지 않고 서술만 되었던 이 '부서지지 않는 방패'에 대해 생각했다.

'이러니 아무도 안 가지게 했겠지.'

아무도 안 가질 걸 굳이 왜 서술했을까? 문득 그런 생각이 들었지만 그러기에는 이 방정맞은 목소리가 너무 말이 많았다.

―……그래서 배부르고 너무 맛있었어!

조잘조잘. 식탐이 한이 아니고 말 못 한 게 한인가.

장장 몇 분 동안 맛 평가를 다 들은 케일은 고개를 끄덕이며 말을 끊으려 했다.

―고대에는 이런 맛들이 없었거든. 신을 모시는 자들이라면서 어둠의 숲 놈들이 나한테 준 건 늘 맛없는 거였어.

하지만 고대의 이야기가 입 밖으로 나온 순간 케일은 조금 더 기다렸다.

―물론 난 그곳에서 쫓겨났지. 식탐이 많다고. 웃기지도 않은 개소리야. 난 그때 동료들과 함께 나왔어. 우린 세상을 바로잡을 생각이었거든.

고대의 힘이 필요한 그에게 고대의 이야기는 들어둘 필요가 있었다. 하지만 고대의 이야기는 곧 끝나고 다시 빵과 비만의 연관 관계에 대한 이야기가 나오자, 케일은 말을 끊었다.

―난 살이 쪄도 이 맛을 포기 못 할 것 같아. 흙 파먹고 죽은 게 너무 억울해!

"그래, 훌륭하고 전문적인 맛 평론이었어. 조금 시끄―"

케일의 말을 자르고, 기쁜 듯한 외침이 들려왔다.

―내 평론을 이해한다니, 넌 정말 좋은 녀석이구나! 고마워!

……대화가 안 통하는 듯 통한다.

케일은 도통 이 상황을 종잡을 수가 없었다. 여하튼 고맙다는 말 뒤로 더 이상 목소리가 들리지 않았다. 케일은 눈앞의 나무를 바라 봤다.

"진귀하군."

사람 먹는 나무가, 검은 나무가 하얗게 변해갔다. 조금씩 초록색 나뭇잎이 돋아나기 시작했다. 안개 속이라 그 광경이 더욱더 신비했다.

우우우웅—

음습함 대신 묵직함이 담긴 울림이었다. 케일은 한쪽 무릎을 꿇고 서 나무 밑동 앞에 앉았다. 구멍에서 새하얀 빛이 쏟아져 나오고 있 었다.

케일은 그 빛 속으로 손을 집어넣고 눈을 감았다.

'이거군.'

손을 감싸는 따뜻하고 든든한 힘. 케일의 입가에 미소가 맺혔고, 그 순간 마지막으로 목소리가 들려왔다. 청아하면서도 따뜻한 목소 리였다.

—너를 지켜줄 거야.

파아아앗.

아주 짧은 순간 환한 빛이 케일을 감쌌다. 은색의 빛들이 그의 몸 으로 스며들었다. 스며든 빛은 그의 심장으로 모였다.

"후우."

그는 깊은숨을 내쉬며 눈을 떴다. 아프지 않다. 오히려 따뜻하 고 청아한 힘에 기분이 좋아졌다.

케일은 곧바로 입고 있던 상의를 들어 올렸다.

'됐어.'

심장이 있는 자리. 그 피부 위에 은빛의 작은 방패가 새겨졌다. 문신과는 달랐다. 마치 물감으로 그린 듯한 아름답고 화려한 방패가 그의 가슴 위에 표식을 남겼다.

방패는 주인의 목숨을 최우선으로 지킬 것이다. 그 맹세의 장소는 바로 심장이었다. 이 방패는 케일의 심장이 뜀박질을 멈출 때까지 함께할 것이다.

"좋은데?"

심장을 감싼 힘이 느껴졌다. 이질적이지 않았다. 오히려 심장을 든든하게 감싼 채로 힘차게 박동하는 것 같았다.

이렇게 고대의 힘은 각자의 특성에 따라 증표를 남겼다. 케일은 '영웅의 탄생' 책에서 읽었던 대로 고대의 힘을 사용했다.

파아앗.

'부서지지 않는 방패'가 케일의 눈앞에 나타났다.

케일의 상체를 가릴 정도의 투명한 은빛 방패. 은빛의 날개가 방패 양옆에 달려 있었고, 방패는 이 날개로 일정 거리까지 이동이 가능했다. 또한 방패의 크기도 조절이 가능했다.

그는 마치 한 몸처럼 익숙해진 힘의 크기를 가늠했다. 고대의 힘은 바로 익숙해진다는 점에서 유용했다. 그래서 영웅들이 곁다리라도 사용했던 것이다.

케일의 입가에 미소가 맺혔다.

'최소 두 번.'

현재 케일의 주변에서 가장 강한 최한을 기준으로 생각했다. 최한이 그의 검술을 사용했을 때, 초중반부 검식을 두 번 정도는 막을 수 있을 것 같았다.

'곁다리로 치기에는 생각 이상으로 방어력이 높아.'

'부서지지 않는 방패'는 그 이름과 달리 부서진다. 다만 사라지지 않는다.

일정 강도 이상의 공격을 받았을 때, 방패는 심장을 보호할 최소한의 막을 심장에 남겨두고 깨진다. 그리고 어느 정도 시간이 흐르면 힘이 복구되는데, 그 원리가 심장의 활력이었다.

뛰는 심장. 심장이 방패의 힘이었다. 방패와 심장은 서로가 서로에게 힘이 되어주었다. 그렇다면 만약, 그 심장이 강해진다면 어떻게 될까?

'더 단단해지지.'

고대의 힘을 강화시킬 방법은 무수히 많았다. 케일은 수도로 가는 길에 이 방패를 한차례 더 강화시킬 것이다. 그래서 최한 정도의 인간이 마음먹고 죽이려 해도 10분, 아니, 5분은 버틸 힘을, 방패를 만들 작정이다.

사람 먹는 나무처럼 고대의 힘은 '우연히 발견한' 게 아니면 얻기가 힘들다. 아마 그 우연을 5권까지 가장 많이 아는 이가 케일 헤니투스, 자신일 것이다.

케일의 입꼬리가 쓱 올라갔다. 그는 손을 뻗어 방패를 만져보았다. 감촉도 좋았다. 하지만 한 가지가 조금 마음에 들지 않았다.

"……너무 성스러워 보이는데?"

이렇게 완전히 힘을 다 드러내면 꼭 신화 속에 나오는 신의 기사들이 검과 함께 들었던, 그런 성스러운 방패 같아 보였다.

물론 이 방패의 전 주인인 신녀는 이제 신이라면 지긋지긋해하는 이였고, 현 주인인 케일은 그냥 신이 싫었다.

'뭐, 내가 쓸 일이 많겠어?'

싸우는 건 다 남 시킬 일이니. 수도에서 테러가 날 때, 그때 혹시 위험한 일이 생기면 가장 희미하고 작게 만들어서 사용해야 될 것 같았다.

케일은 방패의 힘을 다시 심장 쪽으로 되돌린 후, 하얗게 변해 버린 나무를 괜히 한 번 툭툭 두드리고 자리를 벗어났다. 안개 속에서 부슬부슬 내리는 비가 케일의 어깨를 적셨다.

안개는 좋았지만 비는 싫어했기에, 케일은 걸음을 빨리해 일단 백작가로 향했다. 마차가 필요하다고 느낀 그때.

냐아아옹.

야옹.

케일은 순간 목 뒤가 서늘해졌다. 백작가를 코앞으로 둔 길목. 금색의 동그란 두 쌍의 눈동자가 보였다. 케일의 얼굴이 구겨졌다.

비에 젖은, 아주아주 불쌍해 보이는 외견의 새끼 고양이 두 마리. 고양이 두 마리는 낑낑거리며 케일에게 다가왔다. 그리고 한 마리씩 그의 다리에 얼굴을 비비며 치댔다.

"하."

케일은 한숨을 내쉬고 걸어갔다. 두 새끼 고양이가 따라왔다. 작은 것들이 그 짧은 다리로 잘도 쫓아왔다.

"공자님, 무엇입니까?"

백작가에 도착한 케일을 맞이한 이는 부집사 한스였다. 한스는 눈을 동그랗게 뜨고 멍청한 표정을 그려 보였다. 일견 충격을 받은 표정이었다. 케일은 혀를 차며 양손에 들린 것을 내밀었다.

"쓸데없는 말 말고 받아."

한스의 눈동자가 흔들렸다.

"이, 이렇게 귀엽고 사랑스럽고 앙증맞은 새끼 고양이라니."

부집사는 역시 집사감인 듯했다. 케일의 손에 대롱대롱 잡혀온 두 고양이는 그들을 보며 어쩔 줄 몰라 하는 한스의 품에 얌전히 안겼다. 새끼 고양이 두 마리는 한스 품에 안겨서도 케일을 빤히 바라봤다.

"공자님, 이 사랑스러운 고양이님들을 제가 돌봐도 될까요?"

"마음대로."

한스는 입꼬리를 씰룩이며 좋아했다. 그 모습을 지켜보던 케일은 고양이 두 마리의 곁을 지나치며 덧붙였다.

"아, 참고로 먹을 거 주면 조용해지는 애들이야. 그리고 둘이 남매지."

두 새끼 고양이가 흠칫하며 몸을 떨었다. 금안이 동그래져서 케일에게로 향했다.

"네?"

한스가 멍하니 되물었을 때, 케일은 그에게로 다가갔다. 그리고 고개를 숙여 두 고양이의 머리를 쓰다듬었다.

설마설마하기는 했다. 그러나 이쯤 되면 알아야 했다.

가까이 다가온 은색 고양이의 몸에서 자신이 준 약초 향이 희미하게 난 순간.

두 고양이를 집어 들었을 때 비를 뚫고서 은은하게 난, 오늘 아침으로 준 소고기 스테이크 냄새와 베이컨 크림 파스타의 냄새를 맡은 순간.

그는 확신했다. 며칠간의 일들이 케일의 머릿속에서 정리되었다.

"내가 모를 줄 알았어?"

새끼 고양이 두 마리의 금안이 정처 없이 흔들렸다. 케일은 며칠간 밥을 줬던 남매를 보며 씩 입꼬리를 올렸다.

툭툭. 투박한 쓰다듬에도 새끼 고양이들은 굳어서 케일만을 응시했다. 케일은 최한을 처음 만났던 순간의 성벽 아래를 떠올렸다. 그때 은색 고양이는 다쳐서 으르릉거렸고, 옆에서 붉은 고양이가 낑낑거렸다.

'그러면 은색 고양이가 회색 머리칼의 누나일 테고, 남동생이 붉은 고양이인가 보네.'

케일의 입꼬리에 환한 미소가 맺혔다. 그는 고양이들을 보며 말했다.

"나중에 얘기하자고."

수인족 중 묘족으로 추정되는 남매는 시선을 회피했고 한스는 떨떠름하게 물었다.

"……저 말씀이십니까?"

"너 말고."

한스는 더욱더 떨떠름한 얼굴로 케일과 고양이 두 마리를 바라보다가 고양이들을 더 소중히 보듬었다. 위험한 인간을 피하려는 동작이었다. 하지만 그는 곧 다시 케일에게 다가가야 했다.

"다시 나가십니까?"

"어."

케일이 외투를 갈아입고 다시 외출 준비를 했기 때문이었다.

"어디로요?"

"약속을 지킬 일이 있어서 말이야. 그리고 만날 사람도 있고."

"……공자님이 약속을 지킨다는 말씀이십니까?"

한 번 더 충격받은 듯한 한스의 표정에 케일은 되물었다.

"너 점점 말이 막 나온다?"

"죄송합니다."

부집사의 사과는 아주 빨랐다.

쟤가 정말로 집사 후보들 중 가장 유능한 이가 맞을까. 최한의 일을 처리한 것을 보면 어느 정도 유능한 것 같은데. 케일은 고양이들을 쓰다듬으며 헤벌쭉 미소 짓는 한스가 영 미덥지 못했다.

'저 녀석도 수도에 데리고 갈 건데.'

한스는 꿈에도 모를 생각을, 아니, 꿈에서라도 알았다면 서러워할 생각을 하며, 케일은 아까부터 보이지 않았던 이에 대해 물었다.

"론은?"

그 질문에 한스의 입가로 흐뭇한 미소가 걸렸다.

"최한 님도 중간까지는 길이 같아서, 그때까지 공자님 호위 중 한 명으로 가신다면서요?"

한스는 오늘 백작가 기사단 단원과의 대련에서 승리했던 최한을 떠올렸다. 생각보다 뛰어난 실력이라 케일의 청대로 호위가 될 수 있었다.

물론 한스도, 기사단 사람들도 최한이 드러낸 것은 일부일 뿐, 진정한 실력을 숨겼다는 것을 아무도 알 수 없었다.

"론 씨는 최한 님도 함께 여행 가신다는 소리를 듣고, 최한 님과 같이 옷이나 여행 관련 물품을 구매하러 가셨습니다. 아, 비크로스 주방장도 함께 갔습니다."

"그렇군. 다행이야."

사이좋게 잘 지내나 보네. 드물게 케일의 얼굴에 환한 미소가 걸렸다. 화려한 적발과 어울리는 미소였다. 한스는 그 모습을 사뭇 장하다는 듯 바라보며 입을 열었다.

"론 씨도 최한 님도, 그리고 비크로스도 함께 도련님을 모실 생각으로 들뜨나 봅니다."

하지만 한스는 그 순간 떨떠름해지는 케일의 얼굴을 볼 수 있었다. 왜 갑자기 입맛이 뚝 떨어진 듯한 표정을 짓는 것일까. 덩달아 한스도 떨떠름해졌다.

떨떠름한 얼굴로 두 사람은 본관 현관문을 나섰다. 케일은 마차에 올라타며 배웅을 하는 한스에게 지나가듯이 물었다.

"아, 그런데 한스. 부집사들은 기본적인 호신술을 배우지 않던가?"

"그럼요."

"자네는 가장 강력한 집사 후보 아닌가?"

한스의 입꼬리가 씰룩였다. 데르트 백작은 시키는 일을 잘하고 가장 인간답다며 한스를 아꼈다.

"그렇죠. 체술, 단도술, 창술. 이 세 가지의 기본적인 것들은 할 줄 압니다."

가문에 위험한 일이 생겨 가문의 혈족들이 도망가야 하는 상황이 발생했을 때를 대비해, 유능한 집사는 기본적인 무술을 몇 가지 배워야 했다.

"대단한데?"

"제가 좀."

한스는 어깨를 으쓱이며 입꼬리를 씰룩이느라, 지켜보던 케일의 묘한 웃음을 잡아채지 못했다. 오히려 한스와 음흉하게 웃는 케일을 보며 고양이들이 고개를 도리도리 저을 뿐이었다.

"간다."

케일은 수도에서 자기 대신 귀찮은 잡일을 모두 맡길 사람으로 한스를 데려가기로 마음먹으며 마차 문을 닫았다. 그가 탄 마차는 이제 안개비를 넘어 점점 거세지는 빗속을 뚫고 목적지를 향해 나아갔다.

<시와 함께하는 차의 향기>

목적지의 간판을 힐끗 본 케일은 문을 열었다. 딸랑. 경쾌한 종소리와 함께 적막한 실내가 케일을 반겼다.

"비가 온다고 사람이 없네?"

"오셨습니까, 공자님."

빌로스. 플린 상단의 서자. 그는 오래된 사이인 것처럼 케일을 맞이했다. 케일은 카운터 앞에 서서 빌로스와 마주했다.

"다시 오기로 했으니까. 약속한 건 지켜야지."

"맞습니다. 지켜야지요. 저번에 보시던 책과 차, 준비할까요?"

"어. 차는 세 잔으로."

"무슨 차로 할까요?"

케일은 세 종류의 차를 주문하고 차를 가져올 시간도 정한 뒤, 곧바로 빌로스에게서 등을 돌리고 3층으로 향했다.

쏴아아아―

빗발이 더 거세졌다. 쯧. 케일은 혀를 차며 저번에 앉았던 3층 창가 자리에 앉아 창문 밖의 광경을 눈에 담았다.

"비가 거세지요?"

그런 그의 맞은편 자리로 빌로스가 앉으며 차를 한 잔 내밀었다. 케일은 그 모습을 빤히 관찰했다.

'최한, 비크로스, 론. 그리고 마지막으로 빌로스.'

1권에서부터 책 속 미래까지 계속 나오는 인물들의 이름이었다. 물론 빌로스는 1권에선 최한이 잠시 들르는 찻집의 주인으로 한두 줄 나온다. 그리고 3권에 가서야 제대로 모습을 드러내며 최한에게 충성을 맹세함과 동시에 야망을 드러낸다.

'드러낸다'. 그 표현이 중요했다.

'원래 욕심이 많은 놈이지.'

홍길동과는 달랐다. 아버지를 아버지라 부를 수 없고 형을 형이라 부를 수 없음을 슬퍼하지 않았다. 오히려 끝까지 쟁취하려 했다.

언젠가 그를 인정할 수밖에 없도록, 그를 아들로 소개하도록, 동생이라고 말할 수밖에 없는 상황을 만들고자 했다.

'피곤한 놈이야.'

케일이 보기엔 피곤하게 사는 사람이었다. 하지만 싫지 않았다. 오히려 그런 욕심 많은 모습이 인간다워 보였다.

가질 능력이 있는데, 속세를 떠나 은둔하며 신선처럼 '허허, 나는 다 포기하겠네. 어쩔 수 없지 않은가?' 하는 게 더 꼴 보기 싫었다. 누릴 수 있는 걸 왜 포기하는가. 다 누려야지.

어쨌든 1권 시간 안에 이 인간을 최한과 한 번은 만나게 해줘야 한다. 그것도 무조건 스치듯이.

생각에 잠겨 있던 케일에게 빌로스의 목소리가 들려왔다.

"공자님, 수도로 가신다는 말씀 들었습니다."

"계속 앉아 있을 건가. 안 가?"

명백히 귀찮아하는 표정에 빌로스는 웃음을 숨기지 않았다. 참으로, 참으로 재밌는 공자다. 하지만 빌로스가 보기에 눈앞의 이 공자는 생각의 뼈대는 그럭저럭 박힌 인간이었다.

"저도 수도에 갑니다. 공자님을 뒤따라갈 것 같군요."

"그래서?"

이미 케일이 아는 사실이었다. 3권에서 빌로스와 최한이 엮이려면 빌로스도 조만간 수도로 가야 했다.

빌로스는 무표정한 얼굴로 창밖을 보며 차를 마시는 케일을 향해 툭 던지듯 물었다.

"공자님이 달라지신 것 같습니다."

케일이 돌아보자, 빌로스의 입가에 다시 미소가 맺혔다. 케일은 더 말해보라는 듯 턱짓했다.

"별명과 같은 분이 아니신 것 같습니다."

"뭐? 망나니?"

빌로스는 케일의 입꼬리가 올라가는 것을 볼 수 있었다. 확실히 다르다. 자신이 아는 망나니가 아니었다. 그 망나니는 이런 표정을 지을 줄 몰랐다. 어딘가 씁쓸해 보이는 미소였다.

'……술 좀 마시고 와서 의자라도 하나 부술 걸 그랬나.'

빌로스는 케일의 생각을 알지 못했다.

"네, 맞습니다. 망나니요. 공자님은 원래 망나니이시지 않습니까?"

겁을 상실한 것일까. 케일은 백작 아들에게, 영주의 큰아들에게 이렇게 말하는 빌로스를 보며 고심했다. 술을 먹은 건 이놈일까?

하지만 케일은 거대 상단을 장악해 나갈 빌로스와 싸우고 싶지 않았다. 그리고 빌로스는 진지했다. 그는 웃음기 하나 없이 진지하게 묻고 있었다.

'공자님은 원래 망나니이시지 않습니까?'

케일에게 그 물음은 답하기 어려운 문제가 아니었다. 돈이 없을 때 돈을 어떻게 구해야 하나 생각하는 것보다 쉬웠다.

"빌로스."

미소를 띤 케일이 웃지 않고 있는 빌로스에게 물었다.

"아버지를 아버지라 부를 수 없고, 형을 형이라 할 수 없지."

빌로스의 눈이 깊게 가라앉았다. 그는 자신의 치부를 거침없이 건드는 눈앞의 공자를 응시했다. 자신이 그의 치부를 건드렸듯, 그도 자신의 가장 아픈 부분을 거침없이 건드렸다. 케일은 잠시 동안 말 없이 빌로스와 시선을 마주했다.

쏴아아아―

빗소리가 더욱더 거세졌다. 그 빗소리를 깨고 케일이 웃으며 물었다.

"너 계속 서자 할 거야? 그 자리에 만족해?"

빌로스는 케일의 눈빛이 날카롭게 느껴졌다.

"아니잖아."

케일은 의자 등받이에 몸을 기대며 과거를 떠올리듯 생각에 잠긴 표정으로 입을 열었다.

"내가 망나니짓을 한 십 년 정도 했지. 8살 때부터 했으니까."

이야, 그러고 보니까 케일 이 자식, 8살 때부터 망나니짓을 했구나. 술은 15살부터 마시고. 엄청난 놈이네. 케일은 활자로 접했던 자신의 과거를 떠올리며 미소를 그렸다.

그 미소가 빌로스에게는 허탈해 보였다.

그때였다. 케일과 빌로스의 귓가로 작은 소리가 빗소리를 뚫고 들려왔다.

끼익. 끼익. 누군가 계단 올라오는 소리가 들렸다.

케일은 빌로스 어깨 너머 3층 입구를 바라봤다. 한 사람의 머리카락이 보였다. 검은 머리칼. 최한이었다. 그 뒤로 론도 보였다. 케일은 오늘 아침 시종을 통해 최한을 이 찻집으로 불렀다.

케일은 두 사람에게서 시선을 떼고 빌로스와의 대화를 마무리하기 위해 입을 열었다. 최한과 론은 계단에서 막 올라와 케일을 바라봤다.

"빌로스."

웃지 않는 빌로스의 얼굴은 꽤 서늘했다.

"한 가지를 십 년 정도 했으면 이제 때려치워도 돼."

반면에 케일의 눈빛은 점점 살아나는 듯 생동감이 넘쳤다.

"계속 망나니로 살 순 없잖아?"

물론 케일은 망나니는 아니어도 돈 쓸 거 다 쓰고, 안락함을 즐기며 평온한 돈 많은 영주 아들의 삶을 누릴 것이다. 빌로스와 삶의 방향은 다르지만, 어쨌든 이놈이나 나나 지금처럼 살지 않을 건 똑같았다.

"너도 그렇지 않아?"

빌로스의 입꼬리가 서서히 올라가기 시작했다. 그는 이내 고개를 숙인 채 어깨를 들썩이며 웃었다. 소리 없이 끅끅거리며 웃던 빌로스는 고개를 들어 케일을 바라봤다.

"지겹습니다."

빌로스는 지겹다고 말하며 웃고 있었다.

"거봐. 그렇다니까."

케일은 어깨를 으쓱이며 3층 입구에 멀뚱멀뚱 서 있는 최한과 론에게 다가오라 검지를 까닥였다. 빌로스가 자리에서 일어서며 입을 열었다.

"공자님."

"그래."

"수도에서 뵙겠습니다."

케일의 미간이 찌푸려졌다. 수도에서 바로 보면 곤란했다.

"뵙기는 뭘 봬."

케일은 얼른 가라는 듯 빌로스에게 휘휘 손을 저어 보였고, 빌로스는 예의 바르게 인사하며 자리를 비켰다. 3층에서 내려가는 빌로스와 최한, 론이 서로 눈을 마주쳤으나 그들은 서로를 무시했다.

'됐어.'

케일은 그 상황을 반겼다. 최한과 빌로스가 스치듯이 한 번 마주쳤다. 책 내용대로였다. 케일은 흡족함에 건너편에 앉은 두 사람에게 미소를 지어 보였다.

"론 자네도 따라올 줄 알았어. 한스 말로는 비크로스도 함께 갔다고 하던데. 비크로스는 바로 주방으로 갔지? 주방에 책임감이 강한 녀석이니까."

"도련님, 저분과 친하십니까?"

뜬금없는 론의 물음에 케일은 어깨를 으쓱였다.

"아니?"

"……그렇군요."

케일은 별것 아닌 것처럼 넘겼지만 론은 분명히 들었다. 망나니로 살 순 없다고.

케일은 말꼬리를 흐리며 답하는 론을 떨떠름하게 바라보다가 최한과 시선이 마주쳤다.

"소문은 믿을 것이 못 되는군요."

이 자식은 또 뭐래. 케일은 최한의 말을 무시했다. 그때 빌로스가 케일이 시킨 나머지 차를 두 잔 들고 왔다.

"이분들께 드리면 되겠습니까?"

"어."

케일의 입꼬리가 올라갔다.

"내가 미리 시켜놨지."

케일은 직접 찻잔을 들어 각자의 앞에 차를 하나씩 놓았다. 최한의 앞에는 대충 메뉴판에서 보고 주문했던 차를, 그리고 론에게는.

"매일 가져다주길래 네가 좋아하는 것 같아서 특별히 주문했지."

따뜻한 레몬차를 건넸다. 케일은 론의 입꼬리가 미묘해지는 것을 보며, 오늘 하루 중 가장 통쾌함을 느꼈다.

하지만 케일은 통쾌함 뒤로 왠지 모르게 뒷목이 서늘해졌다. 론이 너무 군말 없이 레몬차를 마셨기 때문이다.

탁.

차탁 위에 찻잔 올려놓는 소리가 왜 이리 크게 들리는 것일까. 다행히 케일만의 착각이 아닌 듯싶었다. 조용히 차를 음미하던 최한의 미간이 찌푸려졌다.

"드시려면 조용히 좀 드시죠?"

론은 최한이 힐끗 케일의 눈치를 보며 자신에게 말을 높이는 꼬라지에 헛웃음을 삼켰다. 오늘 그는 최한이 쓸 만한 칼을 구해다 주었다. 비크로스의 식칼을 만든 대장간에서 만든 검이었다.

'흰핀 붙지?'

'요리하는 식칼로 사람을 베려는 놈을 상대할 수 없다.'

검을 든 최한에게 아들 비크로스가 끈덕지게 대련을 요구했다. 저번의 짧은 공방으로 최한의 실력을 어느 정도 감 잡았고 더 알고 싶었기 때문이다. 하지만 최한은 거부했다.

'허, 웃기는 자식이네. 왜, 너처럼 피 묻은 검을 들고 와야 하는 건가?'

최한은 눈을 감았다 뜨더니, 다짐하듯이 아들의 말에 답했다.

'나는, 나는 이제 지키는 사람이 될 것이다. 나도 할 수 있다고 그러셨다.'

'뭐라는 거야.'

론은 아들과 최한의 귀여운 투닥거림을 보다가, 최한을 따라 케일에게 왔다. 그런데 귀한 이야기를 듣게 되었다.

'계속 망나니로 살 순 없잖아?'

론은 레몬차 대신에 그 말을 음미했다. 그 모습을 최한은 탐탁지 않게 바라봤다. 그리고 케일은 그 광경을 흐뭇하게 바라봤다.

'영웅의 탄생' 속 론과 최한의 사이가 저랬다. 서로에게 날을 세우면서도 언제나 함께 다니는 동료. 계약으로 얽혀 있지만 서로의 선을 지키는 사이.

케일은 얻어맞지 않으려는 자신의 행동 때문에 이야기가 많이 틀어진 줄 알았는데, 기본적인 인간 사이의 관계는 비슷하게 흘러가는 것 같았다.

'조금 틀어진 건 아쉽지만, 내 인생이 먼저니까. 내 인생인데 책대로 살 수는 없지.'

일단 나, 그리고 내 영역 안의 존재들만 편하면 되는 거 아니겠는가.

"역시 단 차가 최고야."

기분 좋게 케일이 내뱉은 말에 론이 멈칫했다.

폭우가 쏟아지는 광경 속에서 세 사람의 한가로운 티타임이 끝났다.

"다음에 뵐 때는 수도에 있겠군요."

티타임이 끝나고 3층에서 내려온 케일은 인사를 건네는 빌로스에게 고개를 가로저었다.

"당분간 매일 올 거다."

"그렇습니까? 책 읽으러 오십니까?"

"내 마음이지."

"언제든 오십시오. 공자님께 이 찻집은 늘 열려 있습니다."

빌로스는 자신의 말을 못 들은 척하고 지나치는 케일을 흥미롭게 바라봤다. 그리고 그 광경을 론이 가만히 응시했다.

플린 상단의 서자. 서자였지만 재능이 뛰어나 오히려 직계 혈족들에게 견제를 받았고, 그래서 돈이 되지만 변방인 헤니투스 영지로 와야 했던 빌로스. 그는 플린이라는 성도 받지 못했다.

론은 탐욕이 큰 빌로스와 케일이 친해 보이자, 이를 관찰하다가 이내 혀를 찼다. 저 강아지 도련님이 빌로스와 친하든 말든 자신이 왜 신경 쓰나 싶었기 때문이다.

"쯧, 미운 정이 뭐라고."

"난 그쪽이랑 결코 미운 정이 들기 싫은데."

눈치 없는 최한의 말에 론은 한숨을 내쉬었다.

"너 말고, 이놈아."

론의 시선이 닿아 있는 곳은 케일이었다.

어차피 론은 이번 참에 수도에 가야 할 것 같았다. 아무래도 느낌이 안 좋았다. 최한이 어둠의 숲 악취를 묻혀온 날부터 론은 그 생각이 자꾸만 들었다.

그가 이 영지에 틀어박혀 있어야 했던 이유. 동대륙에서 도망쳐 와야 했던 이유.

그 모든 것들의 이유가 된 이들에 대해 다시 한번 더 알아봐야 할 것 같았다.

그 전까진 우리 강아지 도련님이 무사히 수도에 도착하고 다시 떠날 수 있도록 도와주는 게, 시종으로서 마지막 할 일로 적당하지 않을까.

케일이 겁먹는 꼴이 우스워 늘 곁에 있겠다고 우스갯소리로 말했지만, 암살자의 입에서 진실이 나올 리가 있겠는가.

'비크로스에게 여행 중엔 우리 강아지 도련님이 좋아하실 음식들로 준비하라고 해야겠어.'

아들 비크로스보다 더 많이 돌본 놈이다. 론은 케일이 얼마나 미운 짓만 하고 인성이 글러먹었는지 잘 알았다. 하지만 또한 그는 알았다.

제 어머니가 죽었을 때, 아버지를 달래던 어린 케일의 모습을. 새어머니와 그 가족을 미워하지만 술에 취해도 결코 그들에게 행패를 부리지 않았던 케일의 모습을.

'망나니는 망나니인데, 쯧.'

13년. 걸리적거리게도 너무 오랜 시간 동안 봐왔다.

저택으로 돌아오자마자 침실로 들어선 케일이 마주한 것은 딱 달라붙어서 올망졸망한 눈동자로 자신을 올려다보는 두 새끼 고양이였다.

"아, 너희들이 있었지."

작은 동물을 아끼는 최한을 데려올 것을 그랬다. 그러나 최한은 지키기 위해선 마음이 더 강해져야 한다며 이미 제 방으로 가버렸다.

우스갯소리로 누굴 지킬 거냐고 묻자 더 강해지면 말하겠다는 최한의 말에 어찌나 소름이 돋던지. 도대체 강한 놈이 더 강해져서 뭐하려고 저러는지 케일은 도통 알 수가 없었다.

"공자님."

고양이들을 뚫어지게 바라보던 케일의 곁으로 한스가 다가왔다.

"공자님, 어떻습니까? 아주 한층 더 귀엽고 사랑스럽고 감동스럽지 않습니까? 두 분이 얼마나 도도하신지 쓰다듬는 것도 못 하게 하시더군요. 하하!"

그는 고양이들 옆에 쪼그리고 앉아 뿌듯한 얼굴로 케일을 올려다 봤다. 그 표정이 얼마나 감동으로 가득 차 있던지, 케일과 론은 그냥 외면했다. 그 표정은 고양이들의 귀여움과 무관했다.

"네? 그렇지 않습니까?"

강력한 집사 후보는 강력하게 고양이를 좋아하는 듯했다.

"어, 뭐, 그러네."

확실히 어디서 구한 건지 알 수 없는, 귀해 보이는 비단 쿠션 위에 올라가 앉아 있는 두 고양이는 한층 배부르고 건강해 보였다. 그 짧은 시간 동안 부집사는 무슨 마술을 부린 것일까.

하지만 두 고양이는 도도하게 한스의 시선을 외면했다. 본디 집사 와 고양이의 관계는 그렇지 않던가.

"그럼 저는 이만 가보겠습니다. 공자님, 다시 우리 고양이님들에 게 할 일이 있다면 저를 불러주십시오."

"얼른 가라."

어기적어기적 나가지 않으려는 한스를 론이 내보내는 것을 확인 후, 케일은 고양이들의 반짝이는 눈빛을 외면한 채 욕실로 들어갔 다. 그러자 대번에 고양이들의 귀가 축 처졌다.

"호오."

그때, 한스를 내보낸 론이 고양이들에게 다가갔다. 침실에는 론과 새끼 고양이 두 마리뿐이었다.

"묘족의 아이들이구나."

고양이들의 금안에 날카로운 빛이 맴돌기 시작했다. 하지만 론은 그런 눈빛은 하나도 신경 쓰지 않은 채, 닫힌 욕실 문을 확인하고는 고양이들 앞에 앉았다.

"잘됐군."

론의 입꼬리가 삐뚜름한 미소를 그렸다.

가장 기척에 예민하고 주위 사람 파악이 빠른 종족이 묘족이다. 묘족은 동대륙에서는 꽤 널리 알려져 있었지만, 서대륙에선 잘 알려지지 않은 수인족이었다. 그러나 암살자인 론은 묘족을 모르려야 모를 수가 없었다. 광폭화되면 난폭해지는 다른 수인들과 달리, 묘족은 더 은밀해지고 더 날카로워졌다. 그래서 늑대나 호랑이, 사자족에는 못하지만 무서운 종족이었다.

그런 묘족의 두 아이들을 보며 론은 한 가지를 생각했다. 갑자기 든 생각이고, 이들은 아직 어리지만.

'가르치면 되겠어.'

론은 케일이 들어간 욕실 문을 한 번 더 확인했다.

묘족은 인연을 중요시했다. 한 번 믿으면 결코 배신하지 않았다. 경계심이 가득했지만 늑대족만큼 인연을 중시했다.

그런 묘족의 아이들이 먼저 케일을 찾아왔다. 우리 강아지 도련님에게 작별 선물을 하나 주어도 되지 않을까.

그는 묘족 아이들에게 조금 더 다가가, 덩치가 조금 더 큰 은색 고양이의 머리를 쓰다듬으려 손을 뻗었다.

탁. 은색 고양이는 야멸치게 그 손을 쳐내고는 붉은색 고양이를 데리고 구석으로 갔다.

"호오."

론의 눈동자에 흥미가 스며들었다. 벌써 이 묘족 아이들은 자신을 파악한 듯했다. 하긴 자신과 같이 죽음과 가까운 이를 잘 알아채야 오래 살지. 고양이의 목숨은 아홉 개라 하지 않았던가.

묘족은 목숨이 질기기로 유명했으며, 밤의 발걸음은 누구보다도 은밀했다. 그의 입가에 미소가 맺혔다.

"한 아이는 안개이고, 한 아이는 독이구나."

은색은 안개. 붉은색은 피 혹은 독. 론은 아직 어리숙해 감추지 못한 기운을 알아챘다. 이 정도 능력이라면 살수는 아니더라도 그림자가 되기에는 훌륭한 재목이었다.

그런 론을 보며 은색 고양이는 고개를 홱 돌렸고 붉은색 고양이는 콧방귀를 꼈다. 죽음의 냄새를 폴폴 풍기는 살수가 될 생각도, 그런 자와 가까워질 생각도 없는 남매였다.

론의 속내를 아는 듯 그에게 비웃음을 날린 두 고양이였지만, 그들은 이내 서로 찰떡같이 달라붙은 채 울망울망한 눈동자로 욕실을 나온 케일을 올려다봤다.

"눈 깔아."

그리고 케일의 말에 바로 눈을 깔았다.

"론, 비크로스한테 가서 내 밥 좀 챙겨와."

"네."

론이 나간 후 케일은 소파에 앉아 고양이들을 응시했다. 그는 자신에게서 멀찍이 떨어진 곳에 한껏 낑낑거리며 눈을 내리깐 두 고양이에게 물었다.

"너네 묘족이지."

눈을 깐 채로 고양이 둘은 고개를 끄덕였다.

"나 따라다닐 건가?"

그의 물음에 둘은 이번에는 어떠한 답도 하지 않았다.

대신 붉은색 고양이가 천천히 다가와 케일의 다리에 볼을 비볐다. 은색 고양이도 다가와 슬그머니 앞발로 케일의 발을 툭툭 찼다.

케일은 이미 이 두 남매에 대해 생각해 둔 바가 있었다. 그는 고개를 끄덕이며 고양이들의 거취를 결정했다.

"그러면 밥값 해라."

고양이들은 바로 답했다.

냐야아옹.

냐아옹!

"사람 말로 답해라."

은색 고양이, 남매 중 누나인 온은 금안을 반짝이며 말했다.

"고기 먹고 싶은데. 배 아직도 고픈데."

붉은색 고양이, 남동생 홍은 케일의 다리를 툭툭 두드리며 채근했다.

"나는 케이크 먹고 싶은데."

케일은 답했다.

"많이 줄 테니, 알지?"

"밥값!"

"밥값!"

고양이들은 곧바로 답했고, 그렇게 안개 묘족에서 도태되어 버려졌던 어린 후계자 남매는 헤니투스 백작가에 스며들었다.

4일 뒤, 케일은 오랜만에 아침 가족 식사에 참석했다. 데르트 백작은 평소보다 더 단출한 옷차림의 아들을 보며 미소를 그렸다.

"오늘 떠나는구나."

케일은 오늘 영지를 떠나 수도로 향한다.

4장

밖으로

4장
밖으로

"긴장은 하지 않은 것 같구나."

아버지 데르트 백작의 말에 케일은 씩 웃어 보이는 것으로 대답을 대신했다.

케일의 안색은 며칠 사이에 확연히 좋아져 있었다. 그럴 수밖에 없었다.

'얻어터지지 않았으니까.'

헤니투스 영지는 어제까지 비가 내렸다. 그 말은 책 내용대로 흘러갔다면 케일은 비 오는 날 먼지가 날 정도로 처맞았다는 소리였다. 물론 당연히 케일은 어제 맞지 않았다.

그리고 이제 잠도 푹 잤다. 부서지지 않는 방패가 심장을 감싼 것이 항상 느껴졌기 때문이다. 론이나 비크로스 같은 녀석들한테 잘못보여도 한 번은 살 수 있다는 생각에 케일의 신수는 훤해졌다.

"아버지."

케일은 어느 때보다도 화려한 아침 식탁 위를 바라보며 물었다.

"수행원이 다시 늘었더군요. 줄여달라고 했는데."

그는 아버지에게 수도에 갈 때 자신의 수발을 들 시종과 잡일을 할 하인을 줄여달라고 말했다. 한스와 론으로 충분하다고 말이다. 물론 한스는 하얗게 질린 얼굴을 했지만 고양이와 함께 간다는 말에 단박에 짐을 쌌다.

"아, 그게 말이지."

웬일로 데르트는 말을 끌었다. 그때 다른 목소리가 두 사람의 대화에 난입했다.

"내가 그랬다."

백작 부인 바이올란. 그녀는 평소처럼 흐트러짐 없는 올림머리를 한 채 접시에 시선을 두고 있었다. 그녀는 차남 바센과 너무나도 분위기가 닮아 있었다. 무뚝뚝한 얼굴로 케일과 시선 한 번 마주치지 않는 것이 똑같았다.

"그렇게 적은 수행원으로 갔다가 우리 집안사람이 부족해 보이면 안 되잖니."

고저 하나 없이 무심한 목소리였다. 하지만 바이올란은 시선을 들어 케일을 보며 무심히 덧붙였다.

"……네가 부족하다는 소리는 아니다."

"그쯤은 압니다."

케일의 대답에 바이올란은 잠시 멈칫하다가 다시 식사를 이어가며 입을 열었다.

"사람들은, 특히 귀족들은 더욱더 겉치레에 신경 쓰지."

백작 부인 바이올란. 케일은 그녀를 가만히 응시했다.

그녀는 가난한 남작가의 장녀로, 어릴 적 상단 수장을 꿈꿨다고 들었다. 그때 귀족들을 대상으로 하는 사치품 판매에 눈을 떴고, 그 영향으로 헤니투스 영지에 왔다가 조각이라는 예술에 빠져들었다. 그 뒤 데르트 백작을 만나 사랑에 빠졌고, 현재는 영지 문화 사업의 중심축으로 살아가고 있다.

케일이, 김록수가 본 그녀는 자신의 삶에 대한 자부심이 강하고 자신이 살아가는 이 가문에 대한 프라이드가 높았다.

그녀는 케일이 아무 말 없이 그저 응시하는 것을 알고도 표정에 미동 하나 없이 말을 이었다.

"예술이란 본디 겉치레가 아님을 모르는 인간쓰레– 음."

상계에서 일했던 이라 조금 말이 거칠었다.

"아무튼, 겉치레가 모든 것을 나타낸다고 생각하는 이들이 많아."

그러니 수행원들을 많이 데리고 가라는 말이었다. 결국 케일이 수행원을 적게 데려가서 그걸로 낮은 평가를 받지 않게 하려는 의도였다.

당연히 케일도 수발할 사람을 많이 데려가고 싶었다.

'얼마나 편하고 좋겠어?'

이제는 옷 갈아입을 때 시종 한 명 없으면 불편했다. 대략 일주일 정도의 시간이었지만, 케일은 그 편안함을 놓을 수 없었다.

하지만 케일의 앞날에는 미친 검은 용이 한 마리 있었다.

혹시 광룡을 미리 풀어주지 못하면 그것이 미쳐 날뛸 때 사람들이 죽을지도 모르지 않는가? 남이 어찌 되든 말든 신경 쓰지 않는 케일이었지만, 그렇다고 눈앞에서 사람 죽는 꼴을 보고 싶진 않았다. 그리고 그 일로 다칠 이들에 대한 책임도 지고 싶지 않았다.

책임은 무거운 것이었다. 어릴 적부터 홀로 자신의 삶을 책임져온 김록수였기에 사람의 삶과 관련된 책임이 제일 무섭고 무거움을 알았다. 그렇기에 그는 입을 열었다.

"예술은 마음의 거울이죠."

바이올란은 접시를 보던 시선을 들어 케일을 바라봤다. 오랜만에 두 사람이 시선을 마주했다.

"……아는구나."

"네, 압니다."

케일은 4일간 수도로 떠나는 여정 동안 필요한 것들을 다 가져가기 위해, 요 근래 영지 내를 여기저기 돌아다녔다. 그는 그때 보았던 것 중 하나를 바이올란에게 읊었다.

"조각은 눈에 보이는 것을 깎는 게 아니다. 마음에 담긴 것을 만들어내는 것이다."

이번에는 케일이 접시를 바라보며 식사를 이어갔고, 바이올란이 그 모습을 지켜봤다.

"전시장 팻말에 적혀 있던데요?"

영지 내 신인 조각가들을 위한 전시장. 그 앞의 팻말에 적힌 문구였다. 바이올란이 직접 새긴 글자였다.

"……네 뜻대로 하려무나. 수행원은 줄이도록 할게. 대신 마차와 모든 건 최고급으로 할 것이다. 우리 헤니투스 사람들은 그래야 돼."

"좋습니다. 제일 비싼 걸로 해주세요."

"그래. 돌길을 다녀도 엉덩이 하나 아프지 않을 마차로 해주마."

"최곱니다."

케일은 접시를 보느라 알 수 없었지만 바이올란의 입가에 희미한 미소가 맺혔다 사라졌다. 그 광경을 지켜보던 데르트 백작은 헛기침을 하며 올라가려는 입꼬리를 가리고는 케일에게 물었다.

"한스에게 이번에 가는 각 귀족이 자제들 성향에 대한 문서는 확인했느냐?"

데르트는 영주성 정보부와 정보 길드를 이용해 주요 귀족에 대한 간략한 성향 자료를 구해 케일에게 건넸다.

"네, 재밌던데요?"

아마 돈을 엄청 쓰고 어렵게 구한 자료일 것이다. 한 사람당 세 줄 이내의 간략한 정보였지만 귀족 정보는 귀하고 비쌌다.

"속 좁은 인간도 있고. 멍청한 사람, 똑똑하고 무서운 인간, 권위욕에 찌든 사람, 별별 사람들이 다 있던데요."

물론 바보같이 착한 인간도 있었다. 악바리도 있었고, 망나니도 있었다.

"내가 준 글을 읽었구나. 크흠, 아무튼 네 마음대로 해도 된다. 그런데 케일."

"네."

"이상한 소문이 들리더구나."

케일의 어깨가 아주 미세하게 흠칫 떨렸다.

"사람 먹는 나무가, 그 검은 나무가 변했다고 하더구나. 싱그러운 푸른 잎이 나는 하얀색 나무로 말이다. 그리고 아무것도 자라지 않던 그곳 주변에 풀들이 자라나고."

4일 새 가장 급격한 변화를 맞이한 곳은 빈민가의 꼭대기. 검은 나무만이 있던 그곳이었다. 케일에 의해 한을 푼 후 하얗고 푸르게 변한 나무는 신비로움을 넘어 신성해 보였다.

"참 흥미로운 소문이지?"

"그러네요. 흥미로운 소문이네요."

케일은 아직 고대의 힘을 밝힐 생각이 없었기에 모른 척했다. 영주인 데르트가 아들이 빈민가에 가는 걸 모를 리 없었다. 그러나 고대의 힘까지는 모를 터였다. 다만 케일과 나무를 함께 떠올리며 무언가 일이 일어났을 거라 추측할 것이다.

"그래. 별것 아닌 소문이지. 하지만 무언가 일을 할 때는 소문에 주목해야 한다. 사람의 눈과 입만큼 무서운 게 없어. 물론 영지 안에서 우리 가문 사람들은 괜찮다."

"기억해 두겠습니다."

케일은 역시 이 영지 안에서만 산다면 참 편하게 살 수 있을 것 같다는 생각이 들었다. 얼른 수도를 다녀와서 유유자적 남은 인생을 즐기면 얼마나 좋을까.

수도로 떠날 케일을 위한 아침 식사가 모두 끝이 났다. 그는 업무가 바빠 배웅을 못 간다는 백작과 백작 부인의 인사를 받은 후 어정쩡하게 서 있는 동생들과 시선이 마주쳤다.

"왜?"

무심한 케일의 물음에 차남 바센은 고개만 까딱였다. 여동생 릴리는 주춤주춤 다가왔다. 7살. 케일과 자그마치 11살 차이가 나는 막내였다.

"자, 잘 다녀오세요."

"어. 너도 잘 있어라."

릴리의 어깨가 눈에 드러날 정도로 덜커덩거리더니 고개를 끄덕였다.

"네!"

그리고 가만히 케일을 쳐다봤다. 그 시선에 케일은 무심히 물었다.

"뭐 선물 사다 줄까?"

"정말요?"

역시. 선물을 원했구만. 놀란 듯 신기한 듯, 그리고 기쁜 듯 온갖 표정이 드러나는 릴리를 보며 케일은 고개를 끄덕였다.

"어. 말해."

"검."

"……어?"

"검 하나 사다 주세요."

7살짜리가 검? 케일의 얼굴에 의아함이 나타났을 때, 바센이 그에게 말했다.

"요즘 릴리의 꿈이 검사입니다, 형님."

"그래?"

케일은 진지하게 릴리를 살펴봤다. 하긴 이 집안사람들은 팔다리가 길고 몸의 균형이 잘 잡혀 있었다. 릴리는 아직 7살이지만, 또래에 비해 키가 큰 편이기도 하고 노력만 한다면 충분히 제 몫을 하는 검사가 될 수 있을 터.

"뭐, 검사도 어울리네."

릴리의 눈빛이 번뜩였다.

"비싼 걸로 사다 주지."

대답 대신 쑥스럽다는 듯 조용히 고개를 숙이는 릴리의 입가에 미소가 지어졌다. 이를 보지 못한 채 케일은 자신을 뚫어져라 쳐다보는 15살 동생에게 물었다.

"……너도 사 줄까?"

"만년필."

"알았다."

선물 목록을 정하고 나서야 아침 식사 시간이 완전히 끝났다.

본관을 빠져나와 수도로 가는 동안 탈 마차 앞에 당도한 케일의 표정이 미묘했다.

'이상하네.'

그는 미묘한 표정으로 옆에 선 이에게 물었다.

"어째 내 자리보다 저 녀석들 자리가 더 좋은 거지?"

케일은 자신의 자리 옆에 놓인 비싸고 푹신해 보이는 쿠션과 그 쿠션 위에서 자신을 맞이하는 고양이 두 마리를 바라봤다.

"공자님, 우리 고양이들이 편히 가야 하지 않겠습니까? 얼마나 작고 여린 아이들입니까?"

한스가 고양이들을 위해 특별히 제작한 육포까지 마차 안에 집어넣으며 말했다. 케일은 물론이거니와 드물게 옆에 있던 론의 표정까지 떨떠름해졌다.

'안개 만들고 거기다 독 뿌리는 광경을 못 봐서 저러지.'

케일은 삼 일 전 사람들이 없는 정원 구석으로 묘족 온과 홍을 데려가 물었다.

"너희들이 할 줄 아는 게 뭐야?"

그 물음에 고양이 상태의 온은 안개를 만들었고 홍은 제 피를 살짝 뿌리며 독을 공기 중에 퍼뜨렸다. 물론 온은 케일이 죽지 않게 독 안개를 조절할 줄 알았다. 그리고 퍼뜨린 독은 아직 마비독 정도라고 했다.

"너네 꽤 한다?"

케일의 칭찬에 온과 홍은 뿌듯해하며 말했다.

"독안개 덕분에 도망칠 수 있었는데!"

"우리 꽤 잘하는데!"

그때부터 온과 홍은 대폭적으로 맛있는 음식들을 하루 종일 먹을 수 있게 되었다. 당연히 한스는 이를 반겼다.

"도련님, 저는 마부석에 마부와 함께 앉겠습니다."

"어."

론이 마부석에 올라탔고 케일도 자신의 마차에 올라타려 했다. 그때 최한이 다가왔다.

"케일 님."

최한은 공자님, 도련님도 하기 싫다며 굳이 케일 님이라 불렀다.

"왜?"

"제가 같은 마차에서 호위하지 않아도 됩니까?"

케일의 표정이 매우 떫은 감을 먹은 듯한 얼굴로 변했다.

"……굳이."

굳이 그렇게까지 할 필요가 있을까?

케일의 표정이 답하자 최한은 별다른 말 없이 고개를 끄덕였다. 그 모습을 보며 케일의 눈초리가 요상해져 갔다.

'이상하단 말이야.'

분명 아직까지 최한의 눈빛은 맑지 않았다. 아직 분노와 복수심이 그의 마음속에 가득해 보였다. 어제 케일이 영주성에서 해리스 마을로 사람을 보냈다는 말을 전했을 때, 분명 최한은 증오를 표했다.

그러나 분위기가 조금 달랐다. '세상은 나의 행복을 바라지 않아! 내 소중한 사람들을 다 죽이다니!'라는 좌절 분위기가 아니었다. 그래서 이상했다.

'회복이 빠른데?'

마치 책 초기에 비크로스, 로잘린, 라크와 여행할 때처럼, 마음에 칼은 품었지만 차분한 모습의 최한이었다. 그게 나쁘진 않았기에 그러려니 했지만, 미묘하게 찜찜했다.

"자네의 자리는 여기가 아닌 것 같은데."

그때, 이번 여정을 이끄는 사람이라고 할 수 있는 영지 기사단의 부단장이 다가와 최한을 노려보며 말했다. 부단장은 최한을 머리끝부터 발끝까지 훑어보며 가소롭다는 듯이 픽 웃어 보였다.

케일은 그런 부단장을 보며 혀를 찼다.

'역시 이런 녀석이 우리 영지라고 없을 리가 없지.'

최한은 제 검술 실력을 평범한 수준으로 숨겼다. 그런데 문제는 그가 케일이 처음으로 백작가에 데려온 손님이었다는 점과, 영주 데르트가 그를 중요한 손님으로 대했다는 점이었다.

거기다 이번에 케일의 호위를 맡게 되자, 최한을 눈꼴사나워하고 경계하는 이들이 생긴 듯했다.

케일의 손님 자격이라 대놓고 괴롭히진 않았지만 몰래 괴롭히는 방법은 무궁무진했다.

'공자님, 아무래도 최한 님께서 이번 호위로 갈 기사단 분들과 잘 어울리지 못하시는 것 같습니다.'

'그래?'

'네, 그 중심에 부단장님이 계신 것 같습니다.'

'알았어. 한스, 너는 그냥 신경 꺼.'

한스가 했던 보고를 떠올리며, 케일은 안쓰러움을 담은 눈빛으로 최한이 아닌 부단장을 바라봤다.

'저러다가 조만간 '아, 내가 참, 사람 보는 눈을 땅바닥이 아니라 지하에 심어두고 왔구나' 하지.'

얻어터질 일이나 안 만들면 다행이지.

케일은 굳이 저 둘 사이에 끼어들지 않았다. 부단장이 최한의 모든 실력을 보게 되면 그 뒤로 잠 한숨 못 잘 것이다. 무서워서 잠이 오겠는가.

"공자님, 이제 출발할까요?"

부단장이 묻자 케일은 마차 문을 닫으며 답했다.

"어. 출발해."

병사 15명, 기사 5명, 특별 호위 1명. 그 외의 사람들로 평범하게 구성된 케일의 일행이 수도로 향했다.

물론 판타지 세상 속 여행이 그렇듯, 여행은 순탄하지 않았다.

헤니투스 영지 안에서는 어느 누구도 케일의 마차를 건들지 못했다. 가문을 나타내는 깃발을 달진 않았지만, 마차에는 헤니투스 가문의 상징인 황금 거북이가 새겨져 있었다. 부와 장수를 사랑하는 헤니투스 일가의 마음이 담긴 상징이었다.

하지만 영지 밖으로 나간 순간, 케일은 체감했다.

'역시, 꼭 나오는군.'

꽤나 빡빡하게 일정을 소화하며 산을 넘어가던 중 수십 명의 사람들이 골짜기에 나타났다.

"이 산을 넘으려면 통행료를 내놔라!"

"가진 것 다 내놔라! 털어서 나오면 1브론즈에 빰따구 한 대다!"

그렇다. 산적이었다.

어벙한 산적은 어디든 있게 마련이다. 물론 그 수가 수십 명이라는 점이 놀라웠다. 저 숫자를 믿고 기사 5명이 있는 이 마차에 덤벼들었을 것이다. 케일은 졸린지 하품을 하는 묘족 온에게 물었다.

"쟤네는 내 마차에 가문 표시가 안 보일까?"

"그런 것 같은데."

"바보다. 초보다."

홍의 말에 케일은 고개를 끄덕였다. 그는 산적 따위 무섭지 않았다. 그럴 수밖에 없었다.

톡톡. 마부석 쪽에 위치한 작은 창문에서 두드리는 소리가 나더니, 살짝 창문이 열리며 론이 얼굴을 드러냈다.

"도련님, 잠시 쉬었다가 가야 할 것 같습니다. 여기 토끼들이 참 많군요."

토끼. 케일의 눈가가 살짝 떨렸다. 론은 '아!' 하더니 인자하게 웃으며 덧붙였다.

"아, 이 토끼는 도련님께 잡아드리려던 그 토끼와 다릅니다. 물론 저 토끼들은 제가 아니라 다른 분들이 잡으실 겁니다."

산적보다 더 무서운 인간이 케일을 지키고 있었다. 케일은 마차 밖에서 들려오는 산적들의 비명 소리와 도망가는 소리를 들으며 시간을 가늠했다.

"하루 반인가."

하루 반나절만 더 가면 근처에 광룡이 사육되는 장소가 있다. 책 속 일정보다 빨랐다. 일부러 쉬지 않고 최대한 빨리 온 보람이 있었다.

그 보람의 끝을 위해 케일은 야영을 택해야 했다. 광룡의 사육지 근처에 있는 마을 전까지는 마을이라고 할 만한 곳이 없었다.

냐아아옹.

케일을 따라 마차 밖으로 나온 붉은 묘족 아이 홍이 신이 난 듯 코를 찡긋거리며 꼬리를 움직여댔다. 야영지를 가득 채운 맛있는 냄새가 홍의 코를 자극했다.

하루의 보람은 맛있는 저녁 식사에서 오지 않을까. 케일은 그렇게 생각했다. 고단하고 지친 하루를 마감하고 편안한 밤의 시작을 알리는 따뜻한 한 끼.

오늘 저녁은 토끼 고기가 들어간 수프가 메인이었다.

"제길."

론이 저지른 짓은 아니었다. 케일은 옆으로 시선을 돌렸다. 토끼를 여러 마리 잡아온 장본인, 최한이 맛있게 수프를 먹고 있었다.

냐아아옹.

툭툭. 묘족 온과 홍이 먹기 싫으면 달라는 듯 케일의 다리를 툭툭 쳐댔다. 그런 두 아이들에게 한스가 헤벌쭉 웃으며 조심조심 다가갔다.

"우리 고양이님들, 제가 준비한 육포 드시겠습니까? 어떠한 소금도, 조미료도 없는 건강한 음식이랍니다."

당연히 온과 홍은 한스를 외면했다. 묘족임을 모르는 부집사 한스는 그 도도한 모습마저 위대하다며 옆에서 알짱거렸다.

첫 전투를 치른 것과 달리 여유롭고 평화로운 광경이었다. 하지만 기사들의 분위기는 묘했다. 그들은 케일의 옆에서 수프를 먹는 최한을 힐끗거렸다. 부단장은 고뇌에 가득 차 보였다.

"쯧."

케일은 혀를 찼다.

오늘 수십 명의 산적을 상대해야 했던 케일 일행. 그 속에서 제일 활약한 이는 당연히 최한이었다. 그는 산적들을 죽이지 않았다. 하지만 팔다리 하나는 깊은 상처를 내거나 베어버렸다. 그것도 무시무시한 속도로.

"공자님, 전투가 끝났습니다."

너무 빨리 끝나 버린 전투에 부단장이 놀란 얼굴로 케일에게 보고했다.

산적들은 인근 다른 영지에서 세력전에 밀려 넘어온 이들이었다. 어벙하다고 생각했던 이들은 한계에 부딪쳐 악에 받친 상태였고, 기사 다섯에 병사를 합친 수보다 세 배 정도 많았기에 믿고 덤빈 듯했다. 그런데 하필 처음 건든 상대가 최한이 있는 마차였다.

부단장의 얼굴이 하얗게 질린 이유는 산적들의 무력 때문이 아니었다. 최한이 다가와 부단장 옆에 서서 케일에게 덧붙였다.

"가벼운 전투였습니다. 손쉽더군요."

그때 케일은 잠시 흔들리는 부단장의 동공을 볼 수 있었다. 그런 부단장을 보며 씩 웃던 최한의 모습도 보았다.

역시 당하고만 있는 놈이 아니라니까. 백작가 아들을 패는 놈이 마냥 바보처럼 당하면서 가만히 있는, 착한 인간은 아니었다.

"입맛이 없으십니까?"

케일은 론이 인자한 미소를 지으며 다가오자, 뚱한 표정을 지었다. 그는 론과 토끼 고기 수프를 번갈아 바라보며 확신했다. 이 노인네는 자신을 놀리는 게 즐거운 것이다.

"어, 없어."

그 말에 최한이 반응했다.

"속이 안 좋으신 겁니까?"

"뭐, 그건 아니고."

네가 잡아온 토끼만 아니면 다 먹을 것 같은데. 케일은 최한을 보며 신경 끄라는 듯 대충 손을 휘휘 저어 보였다. 그런데 최한은 진지한 눈빛으로 케일을 응시했다.

"뭘 그렇게 쳐다봐?"

"……전투가 처음이셨습니까?"

심각해진 얼굴로 묻는 최한을 보며 케일은 무심히 말했다.

"무슨 전투? 오늘 산적 일 말이야?"

"네."

"처음이지. 이렇게 많은 산적을 본 적은 없으니까."

"그렇군요."

최한이 고개를 끄덕이며 혼잣말처럼 덧붙였다.

"……목숨이 오가는 순간이 처음이셨겠군요."

하. 병사 중 누군가가 탄식을 흘렸다.

하! 그리고 케일도 기가 차다는 듯 탄식을 흘렸다.

'목숨이 오가는 순간이 처음이긴. 네놈 때문에 그동안 얼마나 간이 조마조마했다고.'

어디 그뿐인가. 최한이 잡아온 토끼를 보고 론이 웃던 모습이나,

식칼을 가는 비크로스의 모습이나, 케일은 늘 간이 조마조마했다. 그는 영지에서부터 지금까지 조마조마했던 순간들을 되새겼다.

'입맛이 더 떨어지는데.'

입맛이 뚝 사라졌다. 챙. 케일의 손에 들려 있던 스푼이 힘을 잃고 수프 접시 위에 아무렇게나 담겨졌다. 그렇기에 그는 병사들이 이해한다는 눈빛으로 바라보는 것도, 최한이 과거를 떠올리듯 회상에 잠기는 것도 알지 못했다.

"케일 님."

"왜?"

케일은 마음을 가라앉히며, 최한에게 얻어터지지 않고 거기다 방패의 힘까지 얻은 스스로에 대해 다시 떠올렸다. 이제는 그만 조마조마해도 된다고 뿌듯해하던 중, 최한의 부름에 그를 쳐다봤다. 아까부터 왜 자꾸 말을 거는 거야.

"처음은 견디기 힘든 법입니다."

"뭔 소리야?"

케일이 퉁명스럽게 되물었지만 최한은 잔잔한 미소를 지었다가 이내 굳은 표정으로 물었다. 물음을 던지는 그의 눈빛은 진지했다.

"케일 님은 무예 수련을 안 하십니까?"

"안 해도 돼."

"본인을 지킬 힘은 있어야 하지 않겠습니까?"

진지함 속에 걱정이 스며들어 있었다. 케일은 갑자기 진지해지는 최한이 왜 이러나 싶으면서도 일단 답했다.

"많은데?"

케일은 최한에게서 시선을 돌려 주위를 둘러보았다. 자신보다 강한 병사 15명에, 어디 가서 빠지지 않는 기사들 5명. 거기다가 수행원은 적었지만 론, 비크로스, 그리고 묘족이나 부집사 한스도 공격력은 자신보다 훨씬 나았다.

케일은 자신을 바라보는 일행과 한 번씩 시선을 마주하다가 마지막으로 최한을 보며 물었다.

"네 눈에도 보이지?"

돈 많은 백작가 아들 호위가 이 정도야. 케일은 괜히 입꼬리가 위로 올라갔다. 저들이 다 나를 지켜줄 것이다. 물론 론과 비크로스는 잘 모르겠지만, 적어도 남한테 죽게 내버려 두지는 않을 것이다.

'그리고 저들이 끝이 아니지.'

케일은 입을 꾹 다문 채 바라보는 최한에게 조금 더 솔직하게 답해주기로 마음먹었다. 그는 제 가슴 위를 툭툭 두드리며 답했다.

"나는 내 심장을 믿는다. 나는 살아."

아무렴. 심장을 감싼 부서지지 않는 방패가 자신을 지켜줄 것이다. 물론 최한과 같은 놈들만 피하면, 이라는 가정이 필요하지만.

최한이 흔들리는 눈동자로 케일을 바라봤다.

냐아아옹.

냐야옹.

"음? 왜 이래."

온과 홍이 다가와 케일의 다리를 작은 앞발로 꾹꾹 눌렀다. 고양이의 꾹꾹이는 아팠기에 케일은 인상을 팍 찡그렸지만, 묘족 남매는 음식도 내버려 두고 케일에게 얼굴을 비벼댔다.

탁. 최한이 빈 수프 그릇을 내려놓더니 자리에서 벌떡 일어섰다.

"······검술 훈련을 가야겠습니다."

"먹고 바로?"

"더 강해져야 할 것 같습니다."

······무시무시한 놈. 더 강해져서 나중엔 아예 이 행성을 날려 버리게? 케일은 질려서 고개를 돌렸다. 그런 그에게 비크로스가 다가와 새로운 접시를 내밀었다.

"많이 드십쇼."

"오! 고마워."

케일은 전용 테이블 위에 놓인 최고급 향신료와 최고급 소고기 스테이크가 담긴 접시를 보며 미소를 그렸다.

"입맛에는 레모네이드와 같이 신 음식이 좋습니다."

론이 저번 찻집 이후, 처음으로 레모네이드를 건넸다. 케일은 스테이크에 혹해 좋은 게 좋은 거라 레모네이드를 무시했다.

"다들 식사를 완료했다면, 조금 뒤 바로 저녁 훈련을 한다."

부단장의 우렁찬 목소리가 들렸다. 케일은 생각했다.

'부단장이 최한테 자극을 많이 받았나 보네.'

케일은 열정적인 기사와 병사들을 보며, 스테이크는 물론이거니와 토끼 고기 수프도 맛있게 다 먹었다. 토끼 고기 수프도 막상 먹으니까 참 맛있더라. 물론 고양이들이 내민 육포는 과감히 거절했다. 간이 하나도 되지 않아 줘도 안 먹을 것들이었다.

'3일.'

케일은 마을로 들어서며 계산했다.

'3일 뒤에 광룡이 마나 폭주를 일으키지.'

이곳은 헤니투스 백작가 영지 바로 옆에 있는 자작가 소유의 영지였다. 그리고 특이하게도 몇 년 전에 이 마을 오른편에 위치한 산 아래에 자작가 소유의 별장이 생겼다.

당연히 그곳은 겉으로는 자작가 소유의 별장이지만 실질적으론 광룡을 만들어 버린 스텐 후작가 소유의 별장이었다. 이 영지의 자작은 후작가의 개나 다름없었다.

'그리고 별장 뒷산에 있는 동굴에 우리의 검은 용이 있지.'

검은 용은 마나 폭주를 일으키며 동굴과 함께 산을 날려 버린다. 케일은 자신이 넘어온 산의 오른쪽에 위치한, 뒷산이라 불리는 산을 보며 혀를 찼다.

스텐 후작가의 베니온. 후작가의 차남이 떠올랐다. 제 형을 불구로 만들고 후계자 자리에 오른 미친 사이코. 그 사이코는 저 별장에 가끔씩 들러 심심풀이로 검은 용에게 고문을 가했다.

"쯧."

혀 차는 소리에 흠칫한 한스는 재빨리 최한을 데리고 와 입을 열었다.

"공자님, 제가 최한 님과 함께 빨리 가서 여관을 알아보고 오겠습니다. 잠시만 기다려 주십시오."

현재 마차는 마을 입구에 멈춘 채 잠시 서 있었다.

"그러든가."

"빨리 다녀오겠습니다."

케일은 한스의 말에 고개를 끄덕이면서도 최한을 관찰했다. 향수에 젖은 눈빛이었다. 그가 왜 마나가 폭주하는 존재와 싸웠을까. 이 작고 한적한 마을을 버릴 수 없었기 때문이다.

해리스 마을. 최한에게 애정과 복수, 모든 것들을 깨닫게 해주었던 그 마을과 이 마을은 닮아 있었다. 그랬기에 최한은 안면도 없는 이 마을 사람들의 목숨을 구하기 위해서 움직였다.

케일은 미간을 찌푸린 채 최한을 불렀다.

"최한."

"……네?"

"얼른 갔다 와라."

아. 최한의 입에서 작게 탄성이 흘러나왔다. 수십 년을 살았지만 아직은 17살인 소년 최한의 입가에 순수한 미소가 맺히더니, 고개를 끄덕였다.

"네, 다녀오겠습니다."

케일은 귀찮다는 듯 손짓했지만 최한은 꾸벅 고개를 숙여 보이곤 한스와 마을 안으로 빠르게 걸음을 옮겼다. 넋을 놓고 있는 모습보다는 빠릿빠릿한 모습이 마음에 들어 이를 물끄러미 지켜보던 케일의 미간이 순간 찌푸려졌다.

저 멀리 아주 빠르게 이쪽으로 달려오는 마차가 보였다.

'왠지 기분이 이상한데?'

케일은 꼭 누군가가 땀으로 범벅이 된 손으로 독사과를 집어서 건네주는 기분이 들었다. 아주 찝찝한 기분이었다. 곧 그는 그 기분의 정체를 온전히 목도할 수 있었다.

"이런-"

케일은 탄식했다.

거침없이 길을 달리는 마차를 미처 피하지 못하고 넘어진 노인이 보였다. 곧이어 그 노인을 향해 뛰어가는 최한과 멈추지 않는 마차가 보였다.

'이런 클리셰!'

그 마차에는 깃발이 하나 펄럭이고 있었다. 붉은 뱀. 스텐 후작가의 상징이었다. 케일의 눈가가 파르르 떨렸다.

일어난다. 사건이 일어난다.

쿵!

최한이 몸을 날려 노인을 구했고, 뛰어가던 속도를 견디지 못한 최한이 건물 벽과 부딪치며 큰 소리가 났다. 마주 오던 스텐 후작가의 검은 마차가 멈춰 섰다.

"하."

케일은 한숨을 내쉬며 마차 문을 열었다. 아무래도 저 클리셰 현장에 가봐야 할 것 같았다.

"도련님, 가보실 겁니까?"

마차를 나서자마자 따라붙는 론에게 케일은 무심히 답했다.

"그럼 내가 가지, 누가 가?"

거침없이 현장으로 향하는 케일의 뒤를, 론과 부단장이 바로 따라붙었다. 굉장히 일사불란하게 케일을 감싸듯 따라붙었지만 그에게 그런 모습은 중요하지 않았다.

서서히 마차에서 내리는 남자, 베니온 스텐. 그를 본 순간 케일의 미간이 깊이 찌푸려졌다. 아버지 데르트 백작이 전해준 베니온 스텐의 성격에 대한 평은 단 한 줄이었다.

전형적이고 권위적인 귀족.

또한 케일, 김록수는 '영웅의 탄생' 속 그에 대해 이렇게 평했다.

전형적인 악역.

하지만 전형적인 악인을 책이 아닌 현실에서 마주하는 것은 꽤 골치 아픈 일이었다. 케일은 최한처럼 나쁜 짓 한다고, 마음에 안 든다고 앞뒤 안 가린 채 사람을 팰 수 없었기 때문이다.

케일이 당도한 현장은 이미 어느 정도 사건이 진행된 뒤였다. 몇 분도 안 되는 짧은 시간 동안 최한은 화가 아주 많이 나 어깨를 부들부들거리고 있었다.

"고귀하신 분의 앞길을 이렇게 막으면 어떡합니까?"

"지금 사람이 다칠 뻔했는데 그런 말이 나옵니까? 막기는 누가 막았다는 겁니까? 먼저 그쪽이 마차를 그런 식으로 몰아서 이런 사달이 났잖습니까!"

"귀한 분의 마차를 보면 피해야지요. 멍청하게 있는 저 평민이 어리석은 것이지요!"

베니온의 수하와 최한이 말싸움을 하고 있었고, 그런 최한의 곁에 서 있던 한스는 난감한 얼굴로 케일에게 다가왔다. 그리고 귓가에 속삭였다.

"최한 님이 많이 흥분하신 것 같습니다."

한스는 이미 마차의 정체와 그 주인이 후작가 사람임을 알아본 듯했다. 그리고 지금 화를 내는 저 수하의 주인, 베니온도 헤니투스 백작가의 마차 문양을 통해 상대의 정체를 알아챈 듯했다.

그러니 저 고귀한 인간이 마차 밖으로 걸음을 내디뎠을 것이다.

"그만하게."

화려한 금발의 남자, 베니온은 자신의 수하에게 다정히 말을 건넸다. 수하는 그제야 언제 화를 냈냐는 듯 베니온의 뒤로 빠졌다. 최한만이 놀란 노인을 달래며 씩씩거리고 있었다.

쯧. 케일은 혀를 찼다.

수하는 진짜로 화가 난 것이 아니었다. 꽤 먼 거리였지만 수하도 한스처럼 곧바로 황금 거북이 문양이 새겨진 마차를 보았을 터. 그래서 죄를 따지는 최한에게 일부러 더 과장되게 화를 냈을 것이다. 한스는 이를 알고서 난감한 얼굴로 케일을 기다렸던 것이고.

케일은 베니온과 수하를 노려보는 최한의 어깨를 잡았다.

"너도 그만해."

"하지만ー!"

무엇 때문에 최한이 화났는지 안다. 자신의 두 번째 고향과 같은 해리스 마을을 닮은 이곳. 그곳에서 한 생명을 위험에 처하게 할 만한 짓을 해놓고 태연한 행태와 노인에게 사과하지 않는 저들의 모습에 화가 났을 것이다.

하지만 정작 피해자인 노인은 화를 내지 못하고 있었다. 그는 최한처럼 무력이 세지 않았기 때문이다.

"뻔히 다른 길도 있는데 피하지 않고 한 사람을 다치게 할 뻔했습니다. 그걸 어떻게 그냥 두고ー"

"최한."

케일은 힘을 주어 최한의 어깨를 꾹 눌렀다.

"진정해."

케일은 최한의 검은 눈동자를 가만히 응시했다. 화가 나 있던, 아니, 정확히 말하면 해리스 마을의 기억에 사로잡혀 있던 최한이 안정되어 가는 것이 보였다.

케일은 그 모습을 확인하고 미련 없이 고개를 돌려 베니온 스텐과 마주했다.

화려한 금발에 잔잔한 미소를 지은 입가. 주름 하나 없이 다려진 정갈한 정장. 흠집 하나 없는 구두. 하지만 케일의 시선을 사로잡은 것은 하얀 와이셔츠 소매 끝에 살짝 물든 붉은색이었다.

'검은 용 고문 구경하다가 피가 튀었나 보군.'

미친 새끼. 고문관이 검은 용의 피부가 피로 덮일 정도로 채찍질을 하는 걸 보며 식사를 하는 인간이 베니온 스텐이었다.

"반갑습니다. 헤니투스 백작가분이십니까?"

"네, 반갑습니다. 베니온 스텐 공자."

역시나 상대는 케일을 알고 있었다. 베니온은 그냥 편하게 후계자 자리에 오른 인물은 아니었다. 다만 조금 재수 없어서 문제였다.

"음."

언뜻 상냥한 미소를 짓지만, 그게 참 재수 없는 사람이 있지 않은가. 베니온이 그랬다.

"이 근처 영지 연회에는 올 일이 별로 없어 이야기로만 많이 들었습니다만, 백작가에 조금 자유분방하시고 귀족답지 않은 분이 계시다고 들었는데."

그는 생글생글 웃으며 위아래로 케일을 훑어보았다. 참 재수 없는 시선인데, 뭐라 시비 걸기에는 애매한 눈빛이었다.

"재작년부터 요 근래까지 바센 헤니투스 공자께 연회나 동북부 귀족 자제 모임 자리를 대신 내어주었다는—"

다 알면서 묻기는. 케일은 이런 대화에 재주가 없었다. 그래서 환하게 웃으며 정중하게 답했다.

"네, 그 망나니가 접니다."

망나니. 그 단어가 케일의 입에서 직접적으로 나온 순간, 베니온의 수하가 멈칫했다.

"망나니 중에서도 나름 알아주는 상망나니죠."

베니온의 입꼬리가 비웃듯 묘하게 뒤틀렸다. 이런 정신 나간 인간은 처음 본다는 표정이었으나, 케일은 신경 쓰지 않았다.

스텐 후작가. 한 파벌을 이끌 정도로 대단한 곳이지만, 그렇다고 아직 정식으로 소가주 인정도 받지 못한 자가 피차 작위가 없는 귀족 자제를 자기 기준에 따라 마음대로 건들 수는 없었다.

후작도 참 냉정한 것이, 보통 소가주가 되면 보호와 권위를 위해서라도 정식 소가주로 공표하게 마련이었다. 하지만 후작은 그러지 않았다.

'다섯째까지 아직 있거든.'

베니온 밑에도 여동생 둘과 남동생 하나가 더 있었고, 후작은 그들 사이의 경쟁을 즐겼다. 그 스트레스로 베니온은 검은 용 고문 관람을 취미로 여겼다. 후작은 제 아이들의 경쟁을 재밌는 경기 관람으로 생각했다. 당연히 거기서 도태된 꼴이 불구가 된 장남의 운명이었다.

미쳐서 돌아가는 집안 꼴이었다. 거기에 비하면 우리 헤니투스 백작가는 얼마나 좋은 곳인가.

"재밌는 분이시군요."

베니온은 케일의 말을 부드럽게 받아넘겼다.

어느 파벌에 속하지도 않고, 동북부 외곽에서 뚝심 있게 버텨온 돈 많은 백작가. 그곳과 누가 척을 지겠는가? 오히려 탐을 내면 탐을 냈지.

하지만 베니온의 속마음은 케일을 좋아하지 않을 것이었다. 그는 망나니 장남 케일과 제법 똑똑한 차남 바센의 관계를 익히 알고 있을 것이고, 이를 보며 그는 자신의 형을 떠올릴 테니까.

그러나 베니온은 귀족스럽게 이 사건의 해결안을 건넸다.

"의도치 않은 장애물 때문에 잠깐 시간을 지체하게 되었지만, 그래도 이렇게 인사를 하게 되니 꽤 좋은 일이었다는 생각이 드는군요. 케일 공자와 안면도 트게 되었고요."

의도치 않은 장애물. 노인을 말했다. 베니온은 노인 때문에 시간이 지체된 일만을 아쉬워했다. 덧붙여 지금 이 일을 좋은 일로 마무리하고 싶어 했다.

"그리고 수하에게는 길 위를, 이 땅 위를 달릴 자격이 있는 자와 멈출 자격이 있는 자를 잘 구분할 수 있도록 교육을 시키셔야 할 것 같습니다."

다만 공식적이지는 않지만 이름 높은 후작가의 소가주로서, 백작가의 망나니에게 할 수 있는 조언을 부드러이 건넸다. 같은 공자임에도 너와 나는 다르다며 가르치는 투였다.

케일은 가만히 듣고 있었지만, 개소리에 귀를 기울이지 않는 사람이었다.

베니온은 모든 말을 마치고, 마무리로 이 자리에서 가장 불안해하고 있는 이를 쳐다봤다.

털썩. 시선을 받은 노인은 무릎을 꿇으며 고개를 숙였다.

"죄, 죄송합니다."

땅에 머리라도 닿을 듯 깊이 허리를 숙인 노인의 손끝이 떨리고 있었다. 그 모습을 보고 있던 최한의 손끝 또한 떨렸다.

각 영지는 다스리는 귀족의 성향에 따라 영지민들의 자세가 판이하게 달랐다. 스텐 후작가의 개나 다름없는 이곳 자작가는 그 성향을 그대로 이어받아 굉장히 귀족적이고 권위적이었다.

베니온의 입꼬리가 유들유들한 미소를 머금었다. 만족한 것이다. 그 모습을 물끄러미 보고 있던 케일이 베니온을 불렀다.

"베니온 공자."

케일은 고개를 돌린 베니온에게 물었다.

"끝났습니까?"

"……그렇습니다만."

케일은 쪼그리고 앉았다. 비싼 옷자락의 천이 땅바닥에 닿았다. 그는 물끄러미 덜덜 떠는 노인의 손을 쳐다봤다.

'이러다 큰일 나지.'

케일은 분명 들었다.

후우.

최한이 깊이 숨을 들이마시는 소리를. 저건 분명 분노를 참고 있는 소리일 것이다.

그 순간 케일은 뒷목이 섬뜩했다. 이러다간 죽을 만큼 처맞는 게 자신이 아니라 베니온이 될 것이란 확신이 들었다. 베니온이 처맞든 말든 내 알 바는 아니었지만, 최소한 최한이 자신의 소속일 땐 남들 앞에서 귀족을 때려서는 안 되었다.

케일은 노인의 어깨에 손을 올렸다. 베니온의 눈썹이 꿈틀거렸다.

귀족의 손이 평민의 어깨 위에 올라갔다.

"노인장."

노인이 경기할 듯 놀라며 고개를 들어 케일을 쳐다봤다.

"예, 예?"

케일은 무심히 물었다.

"술집 어디야?"

"네?"

"맛있는 술 어디서 파냐고. 들었다시피 내가 망나니거든. 술을 못 마시면 아침이 상쾌하지가 않아. 내일 아침의 상쾌함을 위해 술을 마셔야겠거든. 그러니까~"

케일은 노인의 상체를 일으켰다. 이를 지켜보던 베니온은 술 이야기에 소리 없이 탄식을 흘리며 고개를 가로저었다.

"안내해."

떨리는 눈동자로 바라보는 노인과 눈을 마주하며, 케일은 미간을 팍 찌푸린 채 말했다.

"안 일어나?"

노인은 주춤거리며 케일과 베니온의 눈치를 번갈아 봤다. 하지만 케일은 그 시선을 무시하며 자리에서 일어나, 평민 어깨 위에 올렸던 손을 그대로 베니온에게 내밀었다.

"오늘 반가웠습니다, 베니온 공자."

케일은 악수를 청했다.

베니온은 가만히 서서 이를 물끄러미 바라봤다. 그때 베니온의 시종이 급히 다가와 그에게 작게 속삭였다. 하지만 모두가 들을 수 있는 목소리 크기였다.

"소가주님, 지금 시간이 많이 지체되셨는데."

"……귀족들 대화에 끼어들면 안 된다."

베니온은 미소 없는 얼굴로 시종을 내려다봤고 시종은 허리를 숙였다. 베니온은 미소를 지으며 케일의 손을 잡았다.

"바쁘니 이만 가보지요."

그리고 손을 놓았다. 아주 짧은 악수였다. 케일은 마치 술에 취한 사람처럼 히죽 웃으며 말했다.

"이번에 기회가 되어 수도에서 뵙게 된다면 술이라도 한잔하죠."

"……같은 술맛을 못 느낄 것 같지만, 좋습니다."

베니온이 유들유들 짓는 미소가 왠지 시들시들해 보였다. 케일은 그 시들한 미소를 위해 마지막은 산뜻하게 장식했다.

"오늘 이렇게 뵈니, 역시 스텐 후작가의 가주가 되실 분은 베니온 공자뿐인 것 같습니다. 아주 멋진 분이시군요."

가주. 그 단어에 베니온의 눈동자에 이채가 서렸다. 케일의 예상대로 베니온은 다시 유들유들하게 웃으며 케일에게 칭찬의 말을 건넸다.

"케일 공자도 유쾌하고 아주 많이 자유로운 분 같습니다. 다음에 꼭 뵙지요."

아니, 절대 뵙지 않을 생각이다. 보더라도 멀찍이 떨어져서 볼 것이다.

케일은 속마음을 감춘 채 고개를 끄덕여 보였고, 베니온은 정말로 바쁜 듯 마차에 올라타 곧 자리를 떠났다.

케일은 그 모습을 지켜보다가 최한의 어깨를 툭 쳤다.

"귀족의 반은 저래."

투박하게 건넨 말에 최한의 어깨가 움찔했지만, 케일은 이미 노인의 앞에 다시 쪼그리고 앉아 있었다.

"노인장, 못 일어나겠어? 다리를 다쳤나?"

툭툭 내뱉는 말과 달리 케일은 매섭게 노인의 몸 곳곳을 살폈다. 타박상도 하나 보이지 않아 다시 뚱한 표정이 된 케일이 물끄러미 노인을 쳐다보았다. 그리고 최한을 불렀다.

"최한."

최한은 대답 대신 쪼그리고 앉아 있는 케일의 뒤통수만을 바라봤다.

"네가 이 노인장 데려다줘라."

"괘, 괜찮습니다. 그, 술집 안내를."

"됐어. 술은 무슨. 술 마실 기분도 아냐."

술집 안내를 하려는 노인을 말린 케일은 뒤돌아 말없이 서 있는 최한을 올려다봤다.

"네가 구했으니까. 이왕 하는 거 끝까지 안전하게 데려다줘."

최한의 입이 닫혔다 열렸다를 반복하며 선뜻 입을 열지 못했다. 그때 노인의 목소리가 케일의 귀에 들렸다.

"저희 집이 술을 팝니다만."

"음? 노인장 집이 술집이었어?"

진짜로 놀란 듯 눈을 동그랗게 뜬 케일에게 노인은 어색하게 웃으며, 하지만 한결 편해진 얼굴로 말을 이었다.

"네, 이 마을의 유일한 여관입니다. 술집과 식당도 겸합니다."

"유일하니 거기가 제일 맛있는 곳이겠군. 한스!"

케일이 따로 말을 덧붙이지 않아도 한스는 일어서는 노인의 곁으로 가 그를 부축하며 여관에 대해서 물었다. 그 움직임을 시작으로 주위가 부산스러워지기 시작했다.

론이 다가와 흙이 묻은 케일의 옷자락을 털어주었다. 그러고는 부단장의 뒤를 따라 나머지 일행이 있는 마을 입구로 향했다. 이제 이 자리에 남은 사람은 케일과 최한뿐이었다.

"……케일 님."

"왜?"

"화 안 나십니까?"

"뭐가?"

최한은 다시 멈칫하며 선뜻 말을 잇지 못했다. 케일은 어깨를 으쓱이며 입을 열었다.

"나를 무시한 것? 혹은 너에게 그런 말도 안 되는 조언을 한 것? 아니면 저 노인을 죽일 뻔했으면서 그걸 오히려 장애물이라 말한 것?"

케일의 목소리는 차분하고 담담했다. 전혀 화가 난 목소리가 아니었다. 오히려 무미건조했다. 케일은 말을 이었다.

"앞에 사람이 있는데 달려야 합니까? 왜 안 피합니까? 저 노인이 다칠 뻔하지 않았습니까? 사람을 죽일 뻔해놓고 어떻게 장애물이라고 말하며 당당할 수 있습니까?"

최한은 먼 산을 바라보는 케일의 모습을 유심히 지켜봤다. 동시에 그의 목소리를 귀에 담았다.

"왜 당신이 노인에게 사과를 받는 겁니까? 제대로 사과하세요."

케일은 최한처럼 말할 수 있었고, 그러고 싶었던 때가 있었다.

하지만 지금은 아니었다.

"나는 그렇게 말할 수 없는 사람이야. 말하고 싶지도 않고. 화도 안 나.”

케일은 최한의 이런 점이 그를 멋져 보이게 만듦을 알고 있었지만, 자신도 그렇게 멋져 보이고 싶지는 않았다.

노인은 다치지 않았고, 자신이 아닌 백작가에 꼬투리 잡힐 명분도 만들지 않았다. 케일 자신의 이미지 깎이는 거야 바센에게 도움이 되니 잘된 일이었다.

“난 나처럼 행동하는 게 내가 터득한 삶의 요령이거든.”

권력에 적당히 타협하고, 불합리에 적당히 수긍하고. 그러면서도 어느 정도 안에서 내 마음대로 사는 것. 케일은 복잡한 눈빛으로 자신을 보는 최한에게 미소를 지어 보였다.

“그리고.”

또한 케일은 무시당하거나 마음에 걸리는 일이 있으면 언젠가는, 정말로 언젠가는 꼭 갚아주었다.

“아마 저 자식 곧 집에서 쫓겨날 거야.”

“……네?”

저 자식이 누군지 묻지 않아도 알 수 있었다. 그래서 최한은 드물게 놀란 감정을 얼굴에 고스란히 드러내며 케일을 바라봤다.

케일은 아주 음흉한 웃음을 입가에 그렸다. 저 멀리서 다가오던 고양이 두 마리가 걸음을 멈췄다. 그는 아까 전부터 보고 있던, 마을 오른쪽에 위치한 산을 보며 미소를 더 짙게 그렸다. 그러고는 최한에게 하지 못했던 뒷말을 속으로 내뱉었다.

‘내가 저 자식의 용을 빼돌릴 거거든.’

용을 빼돌리고 나면 베니온은 후작에게 큰 분노를 살 것이고, 가주가 되는 길에 장애물이 생길 것이다. 길을 가다 멈춰야 할 때, 그때를 모른 채 멈추지 않고 달리는 자는 한 번쯤 길이 가로막혀 봐야 하지 않겠는가.

케일은 베니온이 가는 길에 기꺼이 커다란 장애물 하나를 올려놓을 용의가 있었다. 물론 몰래.

그는 흥미롭게 쳐다보는 최한에게 툭 던지듯 내뱉었다.

"궁금하면 네가 조금 도와주면 돼."

"뭔지 몰라도 꼭 돕고 싶군요."

최한의 입가에도 미소가 피어올랐다. 선한 분위기에 어울리지 않는 악동과도 같은 미소였는데, 그 미소에 고양이들이 꽤 흥미로운 얼굴로 다가왔다.

케일은 원래라면 3일 뒤에 날아가 버릴 산을 보고 중얼거렸다. 오늘 자신은 무시를 당했고, 베니온 소매에 물든 피와 고개 숙인 노인이 마음에 걸렸다.

"하면 후회하지 않을 거야."

이번에는 바로 갚아줄 수 있을 것 같다.

"분명히."

"공자님, 여기서 제일 좋은 방입니다."

"그럭저럭 잘 만은 하네."

노인은 케일 일행을 자신의 여관으로 안내했다. 마을만큼이나 소박한 외관을 지닌 여관이었지만 가끔씩 헤니투스 영지를 들르는 상단들이 머물고 가는 곳이라 그런지 있을 것은 다 있었다.

"귀족분께서 머무시는 건 처음이라. 많이 부족해도 모자란 것들이 사는 곳이라 생각하고 편히 봐주십시오."

케일은 노인을 물끄러미 바라봤다. 베니온 스텐을 대할 때보다는 편해 보였지만 그래도 귀족을 여관에 머물게 한 것에 겁을 집어먹은 듯했다. 귀족인 자신을 적당히 어려워하는 것은 좋지만 과하게 극진한 것도 불편했다.

'이러면 곤란한데.'

케일은 노인의 어깨를 툭툭 두드리며 긴장을 풀어주었다.

"노인장, 편하게 해. 그리고 나는 과하게 자신을 낮추는 말을 좋아하지 않아. 우리 영지를 오가는 이들이 머무는 곳이야. 그런 곳이 모자랄 리 없잖아."

노인의 동공이 흔들렸다. 그는 잠시 혀로 입술 위를 축이더니, 망설임 끝에 입을 열었다.

"공자님, 공자님같이 좋으신 분들이 헤니투스 영지에 많이 계십니까?"

"무슨 말 같지도 않은 소리를 해."

"네?"

"내가 우리 영지에서 최고 망나니야. 웬만하면 다 나보다 인성은 낮지."

"아―."

노인의 입에서 탄성이 흘러나왔다. 케일보다 먼저 방의 소파 위를 차지하고 있던 묘족 온과 홍은 냐옹 울며 도리도리 안타까움에 고개를 저었지만, 아무도 알 수 없는 노릇이었다.

"얼른 가서 일 봐."

케일의 축객령에 노인은 허리를 깊숙이 숙여 인사를 하곤 방을 빠져나갔다. 케일은 편하게 하라고 해도 못 알아듣는 노인의 모습이 귀찮아 그냥 외면했다.

똑똑똑.

노인이 나간 문을 다시 두드리는 이가 있었다.

"들어와."

문이 열리며 부집사 한스가 작은 상자를 들고 들어섰다.

"공자님, 이 짐만 들고 오라고 하셨죠?"

"어. 이리 줘."

부집사 한스는 케일의 손에 상자를 넘기며 호기심을 드러냈다. 유일하게 케일이 본인의 손으로 들고 온 짐이었다. 일반 상자였으면 또 안에 술이나 먹을 게 들어가 있겠거니 하겠으나, 그 상자는 일반 상자가 아니었다.

마법 잠금 장치가 새겨진 최고급 마법 상자였다. 그리고 그 마법 상자를 인증하는 문양의 주인이 플린 상단이었다. 헤니투스 백작가와 떨어지려야 떨어질 수가 없는 긴밀한 관계의 3대 상단 중 하나였다.

케일은 빤히 들여다보는 한스을 보며 툭 내뱉었다.

"집사는 자신의 감정을 얼굴에 드러내면 안 되는 것 아닌가? 특히 호기심은."

"자기가 모시는 주인님께는 다 드러내는 것이 집사의 올바른 태도 중 하나죠."

"웃기는 놈일세."

"제가 좀."

고양이들 아니었으면 수도에 가기 싫어하던 녀석의 태도라기엔 뻔뻔해져 있었다. 다른 집사 후보자들보다 헐렁해 보일 정도로 인간다운 녀석이란 생각은 했었지만. 케일은 점점 자신을 편하게 여기는 한스에게 평소처럼 말했다.

"나가."

"네."

그리고 한스도 평소처럼 바로 나갔다. 대신 그는 문을 닫으며 이후 일정에 대해 간략하게 물었다.

"여기서 3일 쉬는 겁니까?"

"그래. 네가 다 알아서 처리해."

"네."

한스는 시원하게 대답하며 문을 닫았다. 현재 일행의 안전을 담당하는 부단장의 일을 제외한 모든 일은 한스가 맡아서 하는 중이었다. 하지만 하나도 힘들어 보이지 않았고, 수월하게 일을 처리했다.

"실력이 좋은 집사 같은데."

은색 고양이, 온이 다가와 건넨 말에 케일은 고개를 끄덕였다. 붉은 고양이, 홍이 다가와 말했다.

"어려워하지도 않는 것 같은데."

그 말도 동의. 시종 론이야 그렇다 치고, 그를 제외한 이들 중에선 한스가 가장 케일을 어려워하지 않았다. 겁내지만 어려워하지 않는 것. 담이 큰 녀석이었다.

케일은 가까이 다가오는 고양이들이 귀찮아 대충 쳐내며 상자를 열었다. 마법 잠금 장치가 된 상자를 여는 법은 간단했다. 케일의 손가락 지문, 그것만이 이 상자를 열 수 있는 열쇠였다. 그는 상자에 새겨진 마법 문양 중심에 검지를 대었다.

스르릉, 달칵.

상자는 작은 소리와 함께 저절로 열렸다. 그 안에 케일이 영지에서 수도로 떠나기 전 4일 동안 준비한 물건들이 드러났다.

"이게 뭔지 엄청 궁금한데."

"궁금한데."

케일은 자신을 바라보는 금안 두 쌍을 무시하며 대충 대답했다.

"불쌍한 녀석 구하고, 싸가지 없는 놈 물 먹이고, 나 안 다치게 하는 물건들이지."

온과 훙이 묘한 눈빛으로 올려다봤지만 케일은 흡족한 표정으로 상자 속 물건들을 쓰다듬었다. 그는 영지에서 플린 상단의 서자 빌로스와 나눴던 대화를 떠올렸다.

'공자님, 이 물건들을 도대체 어디서 쓰시려는 겁니까?'

'내가 너에게 설명할 이유는 없는 것 같은데.'

'……그렇군요. 하지만 이걸 다 구매하시려면 금액이 어마어마하게 들 것 같습니다.'

'……대여는 안 되냐?'

'당연히 공자님은 되십니다.'

상자 속 물건들은 대부분 마법 물품이었다. 비쌀 것은 예상했지만 대여 가격도 어마어마했다. 그 덕에 케일은 영지에서 받았던 용돈을 다 써야 했다. 또한 수도에 가서 빌로스를 만나 물건을 돌려줘야 했다. 귀찮게.

수도에서 얽히기 싫었지만 어쩔 수가 없었다.

'이 두 물건은 상단에서 일반인에게 대여하지 않습니다. 그래서 제 이름으로 빌렸습니다. 그러니 수도에서 저를 꼭 만나 돌려주십시오. 직접이요.'

'그러지.'

케일은 빌로스가 자기 이름을 사용해서 물건을 대여해 준 것이 꽤 고마워, 수도에서 만나 술이라도 거하게 한잔 살 생각을 했다.

그는 상자 속 물건 중 하나를 집어 들었다. 동그란 검은 구슬로, 겉에 여러 문양이 새겨져 있었다. 붉은 고양이 홍이 케일의 무릎 위에 작은 앞발을 올려놓고 물었다.

"이게 뭔지 궁금한데."

"마나 궤도 혼란 장치. 수억 겔론짜리다."

헉. 온과 홍이 숨을 들이마셨다.

"대여에 2천만 겔론을 썼고."

홍은 케일의 무릎 위에 올려두었던 앞발을 슬그머니 내리고 누나 온과 함께 침대 구석으로 갔다. 검은 구슬과 최대한 멀어졌다.

케일은 이 검은 구슬에 대한 설명을 떠올렸다. 빌로스는 케일이 원하는 물건을 정확하게 구해 왔다.

'일정 범위 내 마나 궤도에 혼란을 주어 그와 관련된 마법 장치들이 제대로 작동하지 못하게 합니다. 그리고 물건의 내구성이 아주 높아서 웬만한 산 하나 날려 버리는 일이 발생해도 부서지지 않습니다.'

'영상 저장 장치 같은 건 바로 고장 내겠네?'

'당연하죠. 다만 이 제품의 경우, 27시간 전에 가서 미리 설치해 놓아야 합니다. 마법사에게 들키지 않도록 마나 궤도에 서서히 인위적인 마나가 스며들어 일시에 혼란을 주게 만들었거든요.'

'유지 시간은?'

'유지 시간은 40분입니다. 엄청나죠. 물론 마법사가 그 장소에 있다면 5~10분 안에 손쉽게 안정화될 겁니다. 귀한 물건인 것은 맞지만, 마나 궤도 혼란 장치 중에서는 평범한 성능이죠.'

'기억해 놓지.'

케일의 입꼬리가 서서히 씰룩이며 위로 올라갔다. 자신이 빌로스에게서 빌린 것들 중 가장 비싼 물건이었지만 앞으로 여행 내내 쓸 데가 참으로 많았다.

'무엇보다도 내구도가 마음에 들지.'

플린 상단은 참 유용한 곳이었다. 케일은 흡족해하며 아이 주먹보다 작고 검은 구슬을 구석에 웅크리고 있는 고양이들에게 던졌다.

"헉!"

"냐아아옹!"

하나는 숨을 들이마시고 하나는 고양이 울음소리를 내며 검은 구슬을 피했지만, 곧 그들은 케일의 앞에 얌전히 웅크리고 앉은 채로 검은 구슬을 눈앞에 둬야 했다.

"지도 볼 줄 알지?"

케일의 물음에 온이 당연하다는 듯 꼬리를 바닥에 탁탁 쳤다.

"당연히 할 줄 알아요. 우리 그래도 나름대로 안개 묘족 후계자였는데."

"맞아요. 누나 말이 맞는데."

케일은 상자 속에서 또 다른 중요 물품 중 하나인 지도를 펼쳐 들었다. 자세하게 지형이 새겨진 것은 아니었고, 헤니투스 영지를 오가는 대부분의 상단들이 사용하는 지도였다.

"우리가 지금 이 마을에 있지."

케일의 손가락이 마을 오른편에 위치한 산을 가리켰다.

"그리고 이 산. 보이지?"

"보이는데."

"잘 보이는데."

빌로스는 말했다.

'아, 그리고 마나 범위도 내구도와 비슷합니다.'

산 하나.

"마을에서 이 산 동쪽 방향으로 가면 별장이 하나 멀리서 보일 거야. 그 뒤에 동굴도 있고."

현재 검은 용 근처에 머무는 이들 중 마법사는 없었다. 최고의 마법 종족인 드래곤을 존경하는 마탑 인간들은 드래곤 학대와 사육을 원하지 않았다. 그것은 마법에 대한 모욕이나 다름없다 여겼다.

동굴과 별장 근처에는 스텐 후작가의 믿을 만한 기사와 병사, 그리고 후작가의 더러운 일을 주로 하는 이들이 있었다.

"그 근처에는 절대로 가지 말고. 들키면 안 되니까."

케일은 이 묘족 아이들의 사정에 대해서 들었다. 그래서 이 정도 일은 가뿐히 해낼 수 있음을 알고 있었지만 주의를 주었다. 호기심에 괜히 근처를 돌아다녀선 안 되었다.

"거기에 학대받는 녀석이 있어. 걔 빼낼 거니까, 조심해야 해."

"녀석?"

"어. 홍이 너보다 어리지."

"……나보다 동생이에요?"

"어, 4살."

물론 마나 제어구를 풀어주면 온, 홍쯤은 그냥 날려 버릴 만큼 강한 놈이지만.

"우리가 구하는 거예요?"

온과 홍의 눈에 결연한 빛이 맴돌며 앞발로 침대 이불을 꾹꾹 눌렀다.

"구하기는. 그냥 하는 거지. 고양이인 채로 가서 구슬만 산에 슬쩍 묻어놓고 와."

고양이 모습인 채로라면 들킬 확률이 거의 없을 것이다. 케일은 작은 주머니에 검은 구슬을 넣어 은색 고양이 온의 목에 목걸이처럼 걸어주었다.

"어디에 묻으면 되는데요?"

"산 아무 데나."

"진짜 아무 데나?"

"어."

남매는 서로를 바라보다가 고개를 끄덕였다.

"쉬운데."

"우린 묘족 어른들 눈도 피해서 도망쳤는데."

케일도 동의했다.

"너희한테는 쉬울 거야. 너넨 그럴 능력이 충분하니까. 애초에 능력이 되지 않는 녀석한테 이런 일을 부탁할 리 없지."

두 아기 고양이의 금안이 케일을 눈에 담았다. 제대로 배울 기회도 주지 않았으면서 능력이 없단 이유로 부족민들에게 죽을 뻔했던 남매의 꼬리가 살랑살랑거렸고, 괜히 코를 찡긋거렸다.

케일은 자신을 빤히 보는 남매의 마음을 알아채고 단호하게 말했다.

"갔다 오면 먹고 싶은 만큼 소고기를 주지."

두 남매는 대번에 창문을 뛰어넘어 은밀하고 신속하게 산으로 향했다.

당연히 남매는 케일의 예상대로 밥값을 제대로 했고, 10층짜리 소고기 스테이크를 독차지할 수 있었다. 그리고 다음 날, 케일은 이제는 익숙해진 레모네이드를 마시며 최한에게 물었다.

"너 용 본 적 있나?"

5장
용 봤다

5장
용 봤다

"……용 말입니까?"

"그래."

"비슷한 건 봤습니다."

비슷하긴. 케일은 최한이 말하는 비슷한 것이 무엇인지 알고 있
었다.

어둠의 숲 깊숙한 곳에서 사는 해괴한 모습의 몬스터들을 말하는
것이리라. 그중에는 도마뱀과 용, 그 사이의 존재도 있었다.

최한은 본인의 흑무검술 중반부를 지나 후반부를 만드는 것과 동
시에, 그 용을 닮은 몬스터를 죽였다.

"봤다고? 그럼 어떻던가?"

하지만 케일은 이를 모른 척하며 최한에게 물었다. 현재 케일의
방에는 최한만이 있었다.

"……괴물이더군요."

"어떤 점에서?"

"생김새나 그 포악성 면에서, 괴물이었습니다."

"그래?"

케일은 대충 고개를 끄덕이며 말을 이었다. 행동과 다른 말이 흘러나왔다.

"그럼 넌 용을 보지 못했어."

"네?"

"용은 인간과 같아."

탁. 케일은 이제는 신맛 뒤에 단맛까지 느껴지는 레모네이드가 담긴 컵을 테이블 위에 올려놨다. 그는 궁금해하는 표정의 최한에게 답해주었다.

"용도, 수인족도, 드워프도, 엘프도. 모두 인간과 같아. 왜냐면 그들도 감정이 있고 삶이 있거든."

그런 부분이 케일에게 중요한 것은 아니었다. 본론은 지금부터였다.

"그런데 말이야."

달라진 케일의 분위기를 눈치챈 것일까. 최한의 앉은 자세가 꼿꼿해지며 시선이 케일에게로 향했다.

"그런 존재가 자신도 모르는 사이 태어날 때부터 어둠 속에 떨어졌어. 햇빛이라는 것이 무엇인지도 모른 채 어둠 속 불빛에 의지해 살아가지. 어떻게 살아가는 줄 알아?"

톡. 케일은 검지로 테이블을 두드렸다.

"이성이 없는 존재가 되길 강요당하고."

톡. 한 번 더 손가락이 테이블 위에 맞닿았다.

"가족도, 무엇에도 기댈 수 없이 외로움을 버텨야 하며."

톡. 검지가 테이블 위에 닿을 때마다 최한의 눈빛이 가라앉아 갔다. 테이블 아래 무릎 위에 올려져 있던 최한의 손이 주먹을 꽉 쥐자, 손등 위로 핏줄이 불거져 올라왔다. 케일은 이를 모른 채 말을 이었다.

"매일 고문과 학대로 죽지 않을 정도로 근근이 살아가."

최한의 표정이 굳어졌고, 그의 눈빛에서 분노가 피어올랐다. 케일은 최한이 이럴 줄 알았다. 이 착한 녀석은 이 이야기를 듣고 분노하지 않을 리 없었고, 케일이 왜 용 이야기를 꺼냈는지도 알아챘을 것이다.

케일은 다시 레모네이드를 한 모금 마시며 이야기를 끝냈다.

"그리고 그 존재는 이 근처에 있지."

짧은 침묵이 내려앉았다. 케일은 창밖을 보다가 슬그머니 시선을 돌려 최한을 살폈다. 무슨 생각을 하는지 살벌한 기운이 온몸을 감싸고 있었다.

'착한 녀석이라 학대받는 용 이야기에 분노한 것일까.'

하지만 케일의 예상과 달리 최한은 어둠의 숲에서 홀로 버티며 근근이 살아가야 했던 자신의 수십 년을 뒤돌아보고 있었다. 그래서 침묵이 길었다. 그 침묵의 끝에 최한은 케일과 시선을 마주했다.

"구해서 거두실 겁니까?"

"미쳤어?"

"네?"

케일은 반사적으로 그의 말에 놀라 되물었다. 그리고 그 '미쳤어' 소리에 최한이 놀란 얼굴로 되물었다.

"거두긴 왜 거둬."

케일은 말도 말라며 손사래를 쳤다.

인간한테 학대당하고 자라온 용이 얼씨구나, 나를 거둬주세요 하겠다. 오히려 인간이라는 존재 자체에 대한 불신과 증오가 가득할 것이다. 설사 자신을 구해준 이라고 하더라도.

기본적으로 용은 본인들이 인간은 물론이거니와 모든 생명체들 우위에 있다고 생각했다. 이건 본능에 가까운 것으로 굳이 학습하지 않아도 스스로 느끼는 부분이었다.

그렇기에 용은 인간 밑에서 자라지 못한다. 때문에 용을 사육하고 훈련시키는 것은 거의 불가능하고, 고문과 학대로 이성을 무너뜨려야 했다.

'용은 타고나길 굉장히 거만한 성격이라고 했어. 그리고 무엇보다도 용을 키우면.'

왠지 느낌이 왔다. 쓸데없는 사건 사고에 휘말릴 것 같은 느낌이.

동서대륙 합쳐서 채 20개체가 넘지 않는 용이었다. 그 용 중 하나를 거둔다? 이건 뭐 '나는 대륙의 사건 중심에 나설 것이요' 하는 것과 다름없었다.

또한 원래 죽었어야 할 용이다. 웬만하면 다른 용들처럼 혼자 어디 가서 자신만의 세계에 빠져 사는 게 나았다.

여하튼 케일은 극구 사양이었다. 마나 제어구가 달린 목줄만 풀어 줘도 케일 본인보다 잘살 놈이다. 괜히 용이 태어날 때부터 자연의 왕이라 불리는 것이 아니었다.

"그럼?"

"그럼은 무슨. 당연한 걸 왜 묻고 그래."

케일은 자신을 빤히 바라보는 최한에게 대수롭지 않은 질문을 한다는 듯 허탈하게 웃으며 답했다.

"자유롭게, 편안하게 살게 놔줘야지. 용은 용의 방식대로 살아야 하지 않겠어?"

"……그렇군요."

테이블 아래 최한의 주먹에서 힘이 풀어졌다.

"그럼 그 용을 구하는 겁니까?"

"어. 그러니 좀 도와줘."

"무엇이든. 정말 무엇이든 하겠습니다."

적극적인 최한의 자세에 케일은 사건이 크게 벌어질까 싶어 천천히 고개를 가로저었다.

"무엇이든 하기는. 그럴 필요 없어. 될 수 있으면 누굴 죽일 생각도 없고. 그냥 최대한 조용히 하자."

"역시, 케일 님은-"

최한이 일렁이는 눈동자를 한 채로 말을 꺼냈지만, 시계를 본 케일은 그 말을 자르며 자신이 할 말을 먼저 했다.

"나가서 론보고 1층에 술상 좀 차려놓으라고 해."

"다르- 네?"

케일은 일단 술판부터 벌였다.

한낮 오후부터 술판이 벌어졌다.

최한은 어리둥절한 얼굴로 멀뚱멀뚱 앉아서 주위를 둘러보았다. 그를 뺀 모두가 평온한 모습이었다.

그리고 그 평온한 광경의 중심. 그곳에는 술을 병나발로 들이켜고 있는 케일 헤니투스가 있었다. 서서히 얼굴이 붉어지는 게 누가 봐도 취한 사람 같았다.

"술을 저렇게 드시는데 안 말리셔도 됩니까?"

최한은 옆에 있는 한스를 보며 물었다. 부집사 한스는 여전히 묘족임을 모른 채 새끼 고양이 모습의 온과 홍에게 음식들을 갖다 나르고 있었다. 물론 최한의 물음에 경쾌하게 답했다.

"네! 손에 아무 물건도 없잖아요? 그러면 안전한 겁니다! 병은 안 던지겠다고 하셨거든요!"

최한은 케일에 대해 말했으나, 한스는 본인들의 안전을 말했다. 묘하게 어긋난 대화에 최한은 입을 꾹 다물며 한스를 외면했다. 고양이 옆에 있는 한스는 건드리지 않는 것이 좋았다. 대신에 최한은 호위로서 케일을 살폈다.

"주인장, 여기 술맛이 좋은데? 상상 이상이야."

케일은 최한이 살펴보는 것도 모른 채, 진심으로 술맛에 감탄하고 있었다. 술판을 벌인 지 어언 두 시간째. 만일을 위해 술을 안 마신 이들도 몇 있었지만 대개 이 분위기를 즐기고 있었다.

'처음 한 시간 동안은 눈치를 엄청 보더니. 쯧.'

처음에 병사들은 케일이 술판을 벌이니 모이라는 소식에 투구를 쓰고 모였다. 순간 기가 찼던 케일이 오늘은 술병을 던지지 않겠다고 말하고 나서야 살벌한 분위기를 풀어놓을 수 있었다.

"이 마을은 작지만 산들이 많이 둘러싸고 있지 않습니까. 산과일과 약초들을 넣어서 만든 특제 술입니다. 그래서 가격이 조금 비싸지요."

주인인 노인의 단언대로 술맛이 상당히 좋았다. 케일은 감탄하며 그 술병을 들고 노인에게 주문했다.

"이거 양 많은가?"

"예, 좀 많습니다."

"그러면 여기 우리 일행한테 다 돌려."

"공자님, 그러지 않으셔도—"

부단장이 벌게진 얼굴로 괜찮다며 손사래를 쳤지만, 눈동자는 케일의 손에 들린 술병으로 향해 있었다. 병사들의 눈빛도 마찬가지였다. 이 정도도 모를 케일이 아니었다.

"그냥 마셔. 내 마음이야. 알겠어?"

산적의 존재에 대해 보고를 하러 간 병사 몇 명을 제외한 대부분의 병사들 눈동자가 반짝였다. 케일의 손에 들린 술병을 보며 설레긴 처음이었다.

케일은 많이 팔 생각에 들뜬 여관 주인이 술과 함께 주문한 안주들을 각 테이블별로 돌리는 것을 날카로운 눈동자로 바라봤다.

케일 헤니투스. 이 인간은 술이 강했다. 얼굴이 쉽게 붉어지고 술만 마시면 하도 망나니짓을 많이 해 다들 술이 약한 줄 알지만, 실상은 그냥 말짱한 정신으로 망나니짓을 하던 이였다.

그렇기에 지금 케일의 머릿속은 선명했다. 그는 한 삼십 분 정도 더 술을 마시다가 최한을 보며 말했다.

"최한, 와서 나 좀 부축해. 나 이제 올라가서 쉴란다."

"공자님, 제가 하겠습니다."

"됐어. 부단장은 오늘 좀 쉬어. 다른 병사들도. 어제 전투를 했잖아? 여기는 이제 위험한 일도 딱히 없을 것 같고. 경비를 서는 이들에게는 미안하지만, 아닌 이들은 하루쯤은 좀 놀고 즐겨야지."

"공자님—"

"피곤하다. 간다."

부단장이나 다른 이들이 따라오면 상당히 곤란했다. 그들도 최한이 케일을 부축하자 더 이상 다른 반응을 보이지 않았다. 이 자리에서 유일하게 최한은 술도 마시지 않았고 또한 가장 강했으니까. 그런 이가 호위로 곁에 있으니 걱정이 없는 것이다.

'이제 한 사람만 남았나.'

하나의 관문만이 남았다. 여관 정문과 그 밖의 경비를 서는 이들이야 쉽게 피할 수 있지만 론은 달랐다.

한스와 론은 둘 다 방에 들어오지 말라고 하면 절대 들어오지 않을 이들이다.

다만 둘의 다른 점, 한스는 자신의 기척까지 파악할 정도의 실력자가 아니었지만 론은 그 정도는 우스운 실력자라는 점이었다.

'이 노인네는 내가 뭘 하든 말든 관심도 없을 테니까.'

사실 론은 케일이 몰래 나가도, 무슨 짓을 해도 신경 하나 안 쓸 것이 뻔했다. 지금까지 그래왔으니까. 다만 자신이 귀찮아지는 일이 발생하는 것을 지극히 싫어할 것이기에 미리 말은 해두어야 했다.

케일은 최한과 함께 따라오는 론에게 일러두었다.

"론, 나 밖에 놀러갔다 온다. 비밀이야. 알지?"

이 노인네는 술도 좋아하면서 오늘은 술 한 잔 마시지 않았다. 대신 자신만 뚫어지게 쳐다봤는데, 역시 무서운 인간이었다. 더 무섭게, 론은 인자한 미소를 지었다.

"알겠습니다. 기다리고 있겠습니다."

"기다리지 마."

기다리기는 개뿔이. 역시 론은 케일의 예상대로 다른 말 없이 수긍했다. 케일은 최한의 부축을 받으며 방 안으로 들어섰다.

"쉴 테니까, 한스, 론. 위급 상황 아니면 깨우러 들어오지 마. 나 잘 때 건들면 어떻게 되는지 알지?"

예전에 론 대신 한 시종이 케일을 깨우다가 아침부터 욕이란 욕은 다 들어야 했다. 사람은 때리지 않는 케일이었지만, 나중에 시종은 그 일에 대해 마치 욕으로 맞은 것 같다며 저택에 말하고 다녔다.

"당연히 압니다. 푹 주무십시오."

"도련님, 저 론은 방 밖에 있겠습니다."

론의 대답에 케일의 표정이 떨떠름해졌지만 이내 그는 나가는 두 사람을 지켜보다 부축하고 있던 최한에게 은밀히 지시했다.

"창문으로 소리 없이 내 방에 와."

최한은 군말 없이 고개를 끄덕이며 두 사람을 따라 방 밖으로 나갔고, 문이 닫혔다.

냐아아옹.

"이제 해요?"

케일을 따라 올라온 온과 홍의 물음에 그는 고개를 끄덕이며 곧바로 상자를 열었다.

달칵. 케일은 마법 잠금 장치가 풀리며 한 번 더 모습을 드러낸 상자 속에서 옷을 하나 꺼내 들었다. 옷을 갈아입고 난 후 열린 창문 밖에서 최한이 들어섰다. 그는 눈을 크게 떴다.

"케일 님?"

케일은 검은 복면을 쓰기 전, 손에 들린 검은 옷을 최한에게 던졌다.

"너도 입어."

어제 심어둔 마나 궤도 혼란 장치로 산 안에 존재하는 마법 영상 저장 장치는 일시 작동이 멈출 것이다. 하지만 그것으로는 부족했다. 케일은 들키기 싫었다. 그래서 대낮부터 술을 마셨고, 이 옷들을 준비해 왔다.

"이게 뭡니까?"

검은색 옷에는 상의 가슴 자리 근처에 하나의 하얀 별을 기점으로 작고 붉은 별 다섯 개가 무늬로 새겨져 있었다.

'뭐긴. 비밀 단체 옷이지.'

'영웅의 탄생' 책은 최한과 사사건건 부딪치던 비밀 단체의 옷에 대해 아주 상세하게 설명해 놓았다. 그 설명을 토대로 케일이 특별 제작한 옷이었다. 혹시 몰라 옷은 따로 만들고 저 별 문양은 케일이 직접 새겼다. 그래서 가까이서 보면 조잡했으나, 멀리서 보면 얼추 그럴싸했다.

이 옷을 본 사람들은 그 조잡함은 보지 못하고 '검은 옷에 하얀 별과 붉은 별 다섯 개'만 기억할 것이다. 비밀 단체를 직접 만난 후작과 달리 말만 들었던 베니온에게는 이 옷을 목격한 수하의 보고가 아주 골치 아픈 생각거리와 분노를 안겨 주리라.

"……나쁜 짓입니까?"

대답이 없는 케일에게 최한이 한 번 더 물음을 던졌다. 검은 복면까지 쓴 케일의 모습은 영락없는 악당이었다.

"어, 나쁜 짓이지."

케일은 복면 사이로 유일하게 드러난 눈가를 휘며 음흉한 미소를 그려냈다.

"베니온 놈에게는 나쁜 짓이지."

"아."

최한은 탄성을 흘리더니 손을 뻗어 케일의 손에 들린 또 다른 복면 하나를 가리켰다.

"주십시오."

아무리 착한 사람이라도 누군가가 밉게 마련이고 엿 먹여주고 싶은 법이다. 하물며 수십 년 이상을 혼자 살아오며 이제 세상에 나온, 17살의 시간에서 갓 벗어나는 이였다.

"아, 그리고 얘들은 묘족의 아이들이야. 수인족이지."

케일은 별것 아니라는 듯 최한에게 온과 홍을 소개시켰고, 그들도 별다른 말 없이 서로 인사를 주고받았다. 사람의 진짜 모습에 민감한 묘족 아이들은 최한의 능력에 대해 어렴풋이 알고 있었고, 최한도 그간 함께 여행하며 보통 고양이가 아님은 눈치채고 있었다.

"저 녀석은 최한. 얘는 온, 쟤는 홍. 소개 끝이다. 얼른 다들 준비해."

짧은 준비 시간이 주어졌고, 케일은 욕실에서 자신과 똑같이 검은 옷과 검은 복면을 입고 나온 최한에게 명했다.

"가자."

물론 2층 창문 앞에 서며 덧붙였다.

"2층에서 나갈 때 나 좀 업고 내려가. 나 낙법 모른다."

이 몸은 아마도 낙법을 해본 적이 없을 것이다.

최한이 처음으로 케일의 앞에서 한숨을 내쉬었다. 온과 홍이 최한에게 다가가 앞발로 툭툭 토닥여 주었다. 그때 케일이 그들에게 말했다.

"얼른 가자고."

무사히 여관을 빠져나온 일행은 자작가의 별장이자, 용의 사육지가 있는 산으로 향했다.

묘족 온과 홍이 검은 구슬을 심어둔 지점은 케일의 예상 밖이었다.

자작가의 별장에서 30m 떨어진 곳에 있는 용의 사육지인 동굴. 온과 홍은 그 동굴에서 50m 떨어진, 나무와 수풀로 뒤덮인 곳에 검은 구슬을 심어놓고 왔다. 상당히 가까운 곳에 은밀히 구슬을 가져다 놓았다.

"너네 대단한데?"

"이쯤은 간단한데."

온은 간단하다고 말하지만, 그 코가 찡긋거리고 있었다.

케일, 최한, 온과 홍은 검은 구슬, 즉 마나 궤도 교란 장치가 심어진 곳에 쭈그리고 앉아 저 멀리 50m 떨어진 곳의 동굴 입구와 그보다 더 떨어진 거리에 있는 자작가 별장을 주시했다.

"작전은 대강 기억나지?"

오는 길에 작전에 대해 설명한 케일이었다. 사실 작전이랄 것도 없었다.

"이 시간쯤에 경비를 서는 이는 총 6명이다."

케일은 '영웅의 탄생'에서 읽었던 내용을 떠올렸다. 검은 용은 용답게 영리했다. 4년이란 세월을 허투루 보낸 것이 아닌지 꽤 많은 정보를 알고 있었고, 2일 뒤 이 시간에 탈출을 시도한 이유가 있었다.

저택에 머무는 인원은 대략 30명. 처음 이곳에 용을 들였을 때는 무력 인원만 거의 100명에 가까운 대규모의 사람들이 상주했다. 하지만 4년 동안 어느 외부의 시선도 닿지 않음을 알게 되자 점점 인원수를 줄였다.

물론 30명은 적은 수였지만 부단장급 상급 기사가 3명에 중급 기사가 7명이었다. 병사와 고문관, 잡일꾼들도 있어 그렇게 큰 부담이 아닌 것처럼 보일 수도 있으나, 지금까지 이 정도 숫자면 후작가에서 꽤 많이 신경을 썼다고 할 수 있었다.

하지만 우리에게는 최한이 있다. 이 로운 왕국 최강이라 불리는 검사를 설렁설렁 단 10수 만에 박살 내버리는 놈이 우리 편이다.

"한 번 더 말하지만, 동굴 입구에 상급 기사 한 명, 중급 둘, 병사 둘. 그리고 안에 들어가면 상급 기사 한 명, 제일 끝에 고문관 한 명."

고문관이라는 말에 최한의 몸이 흠칫했으나, 케일은 신경 쓰지 않았다. 최한의 머릿속에서 펼쳐질 연민에 가득한 생각은 케일이 알 바가 아니었다. 중요한 것은 곧 검은 구슬이 작동할 것이고 그에 따라 빠르게 움직여야 한다는 점이다.

"심어둔 검은 구슬 덕에 동굴 입구부터 자작가 별장까지 이 산에 설치된 영상 저장 장치는 40분 동안 작동하지 않을 거야. 또한 알람 장치, 마법 함정 뜻, 그 어떤 것도 작동 안 해."

최고 마법 종족인 드래곤을 사육해야 하지만 마법사의 도움을 얻지 못하니, 스텐 후작가는 대신 마법 물품으로 이곳을 도배해 놓았다. 경비 인원이 적은 것도 곳곳에 비밀리에 심어둔 마법 물품을 믿은 것이다.

그러니 결국 빠져나오려던 용은 마나 폭주를 일으킬 수밖에 없었다.

'뭐든 눈에는 눈이고, 돈에는 돈이지.'

후작가가 돈을 썼으니, 케일도 돈을 썼다. 그는 허리춤에 달린 마법 대용량 주머니를 매만졌다. 이 안에 별별 마법 물품과 여러 물건들이 담겨져 있었다.

"전 경비하는 이들을 처리하면 되는 겁니까?"

물론 전투는 최한이 다 한다. 강한 녀석이 옆에 있는데 굳이 싸우려고 설칠 필요가 무엇 있겠나. 케일은 종이에 베이는 것도 아픈데, 괜히 나섰다가 칼에 베이기라도 하면 너무 아플 것 같았다.

"어. 내 뒤를 맡길 사람은 너뿐이야."

지금 여기선 말이다. 케일은 진지한 눈빛으로 그를 바라봤고, 최한은 고개를 끄덕이며 진중히 답했다.

"반드시 해내겠습니다."

"그래. 말했지만 기절만 시켜. 우리 옷 잘 보여주고. 네 검술은 드러내지 말고. 그 뒤는 기억하지?"

최한 특유의 오러 색인 투명한 검은색도 밤이니 조심해서 사용하면 드러나지 않을 것이다. 이에 대해서도 몇 번이나 말을 해두었으니 알아들었으리라.

"네, 다 기억합니다."

"그래. 믿는다."

케일은 최한의 어깨를 툭툭 두드려 주고 그에게 음성 변조 장치를 건네줬다. 혹시 싸우다가 말이라도 하면 곤란하니까.

"비싼 거니까 부수지 마."

"네, 걱정 마십시오."

케일은 고양이들을 바라봤다. 그러다 뭔가를 바라는 듯 꼬리를 살랑거리길래 답해주었다.

"다 끝내면 고기 줄게."

그런데 정답이 아니었던 듯 고양이들은 콧방귀를 뀌며 고개를 돌렸다. 케일은 이를 그러려니 넘기며 시계로 시간을 확인했다.

5분 남았다. 이미 하늘은 어두워져 밤이었다. 그는 빌로스와 나눴던 대화를 떠올렸다.

'마나 궤도 교란 장치의 영향을 받은 마법 장치들은 순간적으로 작동이 불가해 먹통이 되면 폭발에 대비해서 대개 그대로 꺼집니다만, 최고급 장치의 경우에는 고장 알람이 울립니다. 알람 마법은 아니고, 시계 알람과 비슷하죠.'

'시끄럽겠지?'

'어디에 쓰시려는 건지는 모르겠으나, 적들이 들을 정도는 될 겁니다.'

빌로스는 씩 웃으며 유쾌하게 말했다.

'다만 마법 장치를 심어둔 곳이 많다면, 곳곳에서 울리는 바람에 정신이 없겠지요.'

정신이 없으면 충분했다.

"준비해."

고양이들도 털색을 가리기 위해 여기저기 검은 숯을 묻혔다. 그리고 케일의 곁을 떠나 어둠 속으로 숨어들어 시야에 들어오지 않았다. 둘은 오늘 적들 앞에서 모습을 드러내지 않을 것이다. 하지만 케일은 이들이 작전에 따라 곁에서 따라올 것임을 안다.

최한은 검을 닦던 손수건을 곱게 접어 안주머니에 넣었다.

그렇게 모든 준비가 끝났을 때, 케일은 자리에서 일어섰다.

우우웅.

쪼그리고 앉아 있던 자리. 그 바로 밑 땅에서 조금씩 진동이 느껴졌다. 검은 구슬이 작동하기 시작한 것이다.

딸깍, 딸깍. 케일의 시계 초침이 점점 예정된 시각에 가까워져 갔다.

그리고 마침내, 딸깍.

"가자."

케일의 한마디에 최한이 작전에 따라 빠른 속도로 뛰어갔고, 어둠 속에서 온이 안개를 펼치기 시작했다. 그 안개는 케일을 중심으로 뭉쳐 그의 모습을 잘 보이지 않게 만들었다.

위이이잉-

그와 동시에 검은 구슬이 작동하기 시작했다.

"다 최고급은 아닌가 보네."

몇몇 곳에서 마법 장치들이 고장을 알리며 큰 소리로 울리기 시작했다. 케일은 최한의 뒤를 따라 안개로 몸을 감싼 채, 동굴을 향해 달렸다.

이제부터 시간 싸움이었다.

동굴 앞은 이미 최한이 기사들과 싸우고 있었다.

'무서운 놈.'

최한이 지나온 길을 따라 병사들은 각각 팔과 다리가 깊이 베인 채 기절해 있었다.

"누구냐? 감히 여기가 어디라고 온 것이냐!"

최한은 소리를 지르며 다가오는 상급 기사의 검을 간단히 흘려보냈다. 그리고 한 발을 내디뎌 옆구리를 깊숙이 베어버렸다. 베인 곳에서 터져 나오는 피를 무심히 외면한 최한은 팔꿈치로 기사의 등을 가격한 후, 목 뒤를 쳐서 기절시켰다.

"제기랄! 이게 무슨 일이야?"

동굴 안에 있던 상급 기사 한 명도 곧 모습을 드러냈다.

"독."

음성 변조된 케일이 말했다. 곧 그를 감싸던 안개가 넓게 퍼졌고, 홍이 밤의 어둠 속에서 은밀히 움직이며 마비독을 안개 속에 뿌리기 시작했다. 기절한 자들은 정신을 차려도 한동안 일어나지 못할 것이다.

그때, 케일은 상급 기사와 눈이 마주쳤다. 케일이 한마디를 내뱉었다.

"엄호."

최한이 곧바로 케일의 앞에 섰고, 그대로 동굴 입구를 향해 달려가기 시작했다. 그 뒤를 케일이 따랐다.

"막아!"

상급 기사의 외침에 중급 기사 둘의 검이 곧바로 최한에게로 짓쳐들었다. 오러 연기가 피어오르는 검이었다. 하지만 검은 힘을 잃고 베어졌다.

타앙, 탕. 두 개의 검날이 땅에 떨어졌다.

"서, 설마 소드 마스터?!"

상급 기사의 목소리에 경악과 절망이 스며들었다. 오러 연기가 피어오르는 검을 벨 수 있는 검은 소드 마스터의 오러 검뿐이었다. 밤의 어둠을 틈타 오러 색을 감춘 최한은 순식간에 상대의 검을 베었고, 검과 검집으로 각각 중급 기사의 목과 명치를 찔렀다.

"커헉!"

"컥!"

······한 방이면 되네. 케일은 감탄을 금치 못하며 최한의 뒤에서 최대한 몸을 웅크린 채로 움직였다. 저 멀리 뒤에서 소란스러운 소리가 들려왔다.

"침입자다!"

저택 쪽에서 들려오는 소리였다. 케일은 다시 시선을 앞으로 돌렸다.

중급 기사들이 비틀거리며 쓰러졌다. 케일은 그들과 눈이 마주쳤다. 마비독이 효과를 본 것이다.

"도, 독······!"

"사, 살수!"

최한은 그들을 다시 기절시키고, 달려드는 상급 기사에게 더 빠르게 다가가 검을 휘둘렀다. 케일은 그 틈에 동굴 입구로 달려갔다. 그 와중에도 그는 자신을 독을 쓰는 살수라 여기며 기절하는 중급 기사의 눈이 감기기 전, 여섯 개의 별을 제대로 보여주는 것을 잊지 않았다.

"크윽! 어디서 이런 놈들이!"

"시끄럽군."

최한은 아까부터 말이 많은 상급 기사의 오러 연기 가득한 검을 가볍게 흘려보냈다. 그는 일부러 시간을 끌고 있었다.

최한이 전투로 시선을 모으는 사이, 진작에 은밀히 동굴 안으로 들어간 묘족 아이들 뒤를 따라 케일이 동굴 입구로 들어갔다. 최한은 이를 확인하자마자 곧바로 자신의 위치를 동굴 입구 앞으로 바꾸었다. 그리고 상급 기사에게 말했다.

"와라."

물론 상급 기사 너머, 저 멀리 햇불을 든 채 이곳으로 오는 모든 적을 가리킨 말이었다.

"부탁한다."

최한은 등 뒤로 들리는, 음성 변조되었지만 여전히 여유 가득한 케일의 목소리에 슬쩍 미소를 그렸다. 하지만 이를 지우며 본신의 힘 중 일부를 개방했다. 흑무. 그중에서도 무無의 기운이 그를 감쌌다.

"여기는 아무도 못 넘어간다."

그는 자신이 한 말은 무조건 지키는 사람이었다.

반면 최한과는 다른 방식으로 지키는 자가 있었다. 고문관이었다. 용의 감옥을 지키는 자. 케일이 도착했을 때, 이미 그는 혼란에 빠져 있었다.

"왜, 왜! 수정구가 안 되는 거야!"

유일하게 고문관만이 소지하고 있는 마법 수정구. 그것은 만일을 대비한 베니온의 몇 가지 안배 중 하나였다.

"오, 오지 마! 여기에 있는 게 뭔 줄 알고 오는 것이냐!"

고문관은 케일을 보며 심하게 덜덜 떨고 있었다. 그럴 수밖에 없었다. 일정 강도 이상 외부 공격을 받으면 고문관의 몸은 터진다.

이것 역시 베니온의 안배였다. 그 폭발의 여력으로 고문관 품에 있을 감옥 열쇠와 감옥도 함께 터질 것이다. 그걸 고문관도 안다.

"오기만 해, 해봐! 다 죽을 줄 알아!"

쯧. 케일은 벌벌 떠는 고문관을 보며 손을 들었다. 그 순간 허공에서 안개가 형성되어 고문관에게로 향했다. 그 안개의 주인인 온은 동굴의 그림자 속에 숨어 보이지 않았다.

"으, 으악! 저, 저리 가!"

동굴 입구에서 들리는 전투 소리. 다가오는 안개. 그리고 안개에는 당연히 독이 담겨 있었다. 마비독이 담긴 안개가 빠르게 고문관의 몸을 감쌌다.

"이게 무슨, 끄윽, 도, 독⋯⋯!"

컥 하는 소리와 함께 고문관이 몸을 부들부들 떨면서 바닥으로 쓰러졌다. 독에 마비된 상태로 말도 제대로 못 하고 눈가를 부들부들 떠는 고문관의 모습은 불쌍해 보였다.

케일은 그 고문관에게 다가가 품을 뒤졌다.

고문관에게 일정 강도 이상 외부 공격을 할 수 없다면 간단하게 독을 쓰면 될 일이었다. 아니면 협상을 해서 스스로 열쇠를 내놓게 하거나. 하지만 후자의 방법을 쓰고 싶지 않았다.

'이거군.'

케일은 열쇠를 손에 쥔 후, 마비독으로 정신을 잃어가는 고문관의 눈을 감겨주었다. 좀 심하게 마비독을 집중해서 사용했나 싶었지만.

'안 죽을 것 같은데. 죽으면 어쩔 수 없고.'

그는 검지와 엄지로 탁 소리를 냈다. 동시에 천장에서 검은 뭉치가 두 개 떨어졌다. 온과 홍이었다. 케일이 있는 횃불 아래에 오자, 그제야 모습이 드러난 아이들이었다.

케일은 온과 홍이 무사함을 확인하고 동굴 가장 끝, 구석으로 갔다. 그러자 마법 철창, 지금은 쓸모없어진 철창 너머로 웅크린 검은 존재가 보였다.

용이었다. 하지만 그보다 더 케일을 자극하는 것은, 검은 용을 뒤덮은 피와 비릿한 혈향이었다.

케일은 감옥으로 다가갔다. 눈을 감고 있는 존재는 자신이 다가가는 것을 알았지만 눈을 뜨지 않았다. 지금 용은 혼란스러울 것이다.

케일은 감옥의 자물쇠에 열쇠를 끼워 돌렸다.

달칵. 가벼운 소리와 함께 자물쇠가 풀어졌다. 케일은 철문을 천천히 열어 감옥 안으로 들어섰다. 감옥이라기엔 넓은 공간, 채찍을 비롯한 각종 고문 도구들과 베니온이 앉아서 관람하던 고급 소파가 있었다. 케일은 감옥의 구석으로 향했다.

구석 짚더미 위에 있는 1m 크기의 작은 존재. 눈을 감고 있는 용의 속눈썹이 파르르 떨리고 있었다. 용은 사지에 족쇄가 채워졌고, 마나 제어구가 달린 목줄을 한 채로 힘없이 축 늘어져 있었다.

"야."

케일은 용의 앞에 쪼그리고 앉았다. 그가 부름에도 용은 눈 하나 뜨지 않았다. 케일은 시계를 확인했다. 이제 곧 나가야 한다.

그는 용에게 말했다.

"나가자."

케일은 고문관의 품에서 꺼낸 열쇠로 족쇄를 풀었다.

그 순간, 용이 눈을 떴다. 그 눈동자를 본 케일은 미소를 그렸다.

반항적인 눈빛이었다. 아직 죽지 않았다.

최한이 마주했던 그 죽어가는 눈빛이 아니라, 아직 살고 싶고 자유를 꿈꾸는, 그래서 경계심과 적대감, 반항심으로 가득 찬 눈빛이었다.

용의 눈빛이었다.

"눈빛 좋네."

케일은 용을 대충 짐 꾸러미 들 듯 품에 안아 들었다.

감옥 밖으로 나온 케일은 품에 안긴 용을 고양이들 앞에 놓아두었다.

"아프겠는데."

"불쌍하다."

여태 말 한마디 없던 온과 홍이 용의 옆에서 빙글빙글 돌았지만 용은 이를 드러내며 경계했다. 아마 용생 4년 동안 인간 외의 존재는 처음 보았을 것이다.

케일은 시계를 확인했다. 탈출을 하면 딱 시간이 맞을 것 같았다.

"아프겠는데."

용 곁을 맴돌던 온이 케일에게로 다가와 그의 다리를 앞발로 툭툭 찼다. 아마 케일이 마법 상자에서 챙겨 온 포션을 떠올린 듯싶어 보였다. 그걸 달라는 말은 못 하고 괜히 행동으로 표현했다.

"가만히 있어."

케일도 그 포션을 쓰려고 들고 왔다. 하지만 마나 제어구를 풀어 주고 써야 했다. 용의 심장이자 힘의 근원인 마나가 자유로워졌을 때 포션을 써야 제대로 효과가 퍼진다.

케일은 감옥이 있는 반대편, 고문관이 주로 자리를 지키던 곳으로 향했다. 멀리서 최한이 싸우는 소리가 들렸다. 아마 저 전투도 곧 끝날 것이다.

"어디 보자."

케일은 손으로 고문관이 있던 동굴 벽을 더듬었다. 그는 발로 걸리적거리는 고문관을 저 멀리 차버리고, 한층 더 벽 가까이로 다가갔다. 용이 발로 차인 고문관을 보며 이를 드러내었지만 이내 케일에게 집중했다.

'베니온의 마지막 안배가 이 근처일 텐데.'

스텐 후작가 사람들이 그렇듯, 베니온은 자신이 있을 때의 외부 침입을 극도로 걱정했다. 그럴 때를 대비해 그는 비밀 탈출로를 만들어두었다. 고문관도 여기는 알지 못했기에 미처 도망가지 못했다.

'유독 평평한 곳이 있다고 들었는데– 여기군.'

울퉁불퉁한 동굴 벽에서 대략 손바닥 넓이만큼 평평한 곳이 있었다. 스텐 후작가. 그 가문은 결벽증으로 보일 정도로 깔끔한 베니온의 모습과 달리, 가문 대대로 격투술을 배워왔다.

'일정 강도 이상의 강한 힘을 저곳에 사용하면 벽이 열리지.'

마법 장치는 아니었다. 오히려 힘으로 안에 있는 기계 장치가 움직이는 형태였다. 케일은 고개를 뒤로 돌리며 들어선 이에게 물었다.

"끝났나?"

"네."

최한은 허공에 검을 가볍게 휘둘러 검에 묻은 피를 흩뿌리며 케일에게 다가왔다. 그의 시선이 용에게로 향했다가 일그러졌다. 피범벅인 작은 생명체를 보았을 때 나오는 보편적인 반응이었다. 고문관을 노려보는 최한의 눈빛은 살벌했다.

"최한."

그래서 케일은 그를 불렀고, 최한은 고문관을 노려보며 보고했다.

"말씀하신 대로 도망가는 잡일꾼은 내버려 두었습니다. 또한 무력을 지닌 자들은 전투 불능 상태로 만들었습니다."

"잘했어."

케일은 그를 칭찬하며 손바닥 넓이로 평평한 벽을 가리켰다.

"여기 주먹으로 쳐."

"있는 힘껏 말입니까?"

동굴 부서질 일 있니?

"아니. 적당히. 그냥 이 벽을 한 10㎝ 정도 뚫는다는 느낌으로."

"음, 살짝 말씀이시군요."

"그렇지."

살짝이라니. 케일 자신은 하지 못할 일을 살짝이라 표현하는 최한의 모습에 그는 최한에게서 멀찍이 떨어졌다. 그 모습을 서두르라는 의미로 알아들은 최한은 곧바로 주먹을 쥐어 벽을 쳤다.

쾅!

"우아."

"오."

고양이 남매가 감탄하는 사이 케일은 용을 품에 대충 안아 들었다.

끼이이잉-

소름 돋는 소리가 벽에서 울려 퍼졌고, 순간 쿠웅 소리와 함께 동굴 한쪽 면에 성인 남성이 오고 갈 만한 공간이 드러났다. 최한은 곧바로 횃불을 집어 들었다.

"가자."

케일의 말에 고양이들이 최한의 등에 올라탔고, 최한이 선두로 통로 안에 뛰어들었다. 그 뒤를 케일이 따랐다. 용은 아무 말 없이 숨만 쌕쌕거리고 있었다. 하지만 케일을 뚫어질 듯이 바라보는 그 눈동자만큼은 살벌했다.

자신을 구해준 이에 대한 고마움보다는 또 다른 폭력에 대한 경계심과, 인간에 대한 불신과 증오만이 보이는 눈빛이었다.

"그만 좀 노려봐라."

케일은 품 안의 용에게 툭 말을 던졌다.

'아, 좀 숨이 차는데.'

동시에 여유 있게 달리는 최한에게 맞추기 위해 빨리 달리며 가쁜 숨을 몰아쉬었다.

'용을 최한에게 맡길 걸 그랬나?'

1m의 용은 상당히 무거웠다. 고대의 힘 '심장의 활력'만 구하면 이 정도로 힘들지는 않을 텐데.

이러다가 성질나서 용을 내팽개칠 것 같아 케일은 용을 더욱더 꽉 품에 안았다. 그 고생을 했는데 여기 버려두고 갈 수는 없었다. 그런 그를 용이 지켜보았다. 케일의 검은 옷이 용의 피로 범벅이 되어갔다.

몇 분 정도 좁고 어두운 통로를 달렸을 때, 최한이 케일에게 말했다.

"앞에 벽이 있습니다."

"벽 가운데를 주먹으로 쳐. 그리고 얘기한 대로 계속 달린다."

"알겠습니다!"

고양이들이 최한의 어깨에서 뛰어내려 바닥에서 뛰기 시작했다. 최한은 주먹에 힘을 주어 벽의 중앙을 전과 같은 강도의 힘으로 쳤다.

쾅!

벽이 삽시간에 무너졌다. 그리고 밤하늘이 보였다. 동굴 밖이었다. 이번에는 케일이 앞장서며 주위를 둘러보았다.

마나 궤도 교란 장치가 산 전체에 필요했던 이유. 베니온은 이 비밀 통로 입구에도 영상 저장 장치를 설치해 두었다. 철저한 녀석이었다.

케일은 이 통로 입구를 대강만 알 뿐 정확히 몰랐다. 그래서 산 전체의 마나 궤도를 교란시킬 필요가 있었다. 시간이 얼마 남지 않았다. 1, 2분 안에 영상 저장 장치 범위를 벗어나야 했다.

그러나 충분한 시간이었다.

최한이 케일의 뒤를 따르며 여러 곳에 흔적을 두거나 혹은 흔적을 지웠다. 어둠의 숲에서 오랜 시간 생존했던 그는 흔적에 관해서는 전문가였다. 그렇게 2분간 비밀 통로 출구 반대 방향으로 뛰고 나서야 케일은 시계를 확인하며 말했다.

"멈춰."

위이이잉. 산 전체에 울리던 소리가 뚝 끊겼다. 마나 궤도 교란 장치가 작동을 끝낸 것이다.

"후우."

케일은 깊이 심호흡을 하며 거칠게 뛰는 심장을 가라앉혔다. 그의 심장이 거칠게 뛸수록, 심장을 감싼 부서지지 않는 방패가 위급 상황을 대비하듯 힘을 모으고 있었다.

'쓸 생각도 없는데.'

하지만 케일은 이 방패를 아직 쓸 생각이 없었다. 용을 풀어주고 최한과 다음 도시에서 헤어진 후, 이 방패를 강화시킬 '심장의 활력'을 얻을 생각이었다. 그 뒤에 이 방패를 사용할 작정이었다.

케일은 주위를 돌아볼 여유가 생기자, 고개를 숙여 데리고 온 용을 내려다봤다.

피식, 그의 입에서 웃음이 흘러나왔다.

반항적인 눈빛은 사라지고 용은 감동에 가득 찬 눈빛으로 밤하늘을 올려다보고 있었다. 4년 만에 처음 보는 바깥세상이었다. 케일은 그 감동을 조금은 이해했기에 시간을 두고 봐주고 싶었지만, 그럴 수 없었다.

그는 용을 수풀 위에 올려놓고 바라봤다. 용도 그를 바라봤다. 어느새 반항과 경계심 가득한 눈동자로 다시 돌아온 용은 몸을 웅크리며 한껏 날을 세웠다.

'저렇게 숙이지 않으니, 4년간 계속 맞았겠지.'

그래서 케일은 개인적으로 지금의 이 용이 마음에 들었다. 자신과는 달랐으니까.

고아로 맞고 자란 케일은, 김록수는 굴복했다. 그 뒤로 그는 최한과 같은 주인공이 되길 원하지 않았다. 집이라 할 수 있는 곳에서부터 굴복했는데, 세상과 싸울 힘은 없었다.

"야."

케일은 용이 자신을 쳐다보는 것을 확인한 후, 마법 주머니에서 장갑과 커다란 가위 모양의 절단기를 꺼내 들었다. 가위 양쪽 날에는 수많은 마법 문양이 새겨져 있었다. 그는 전기가 통하지 않는 장갑을 꼈다.

이 절단기는 케일이 빌로스의 이름으로 빌려야 했던 두 물건 중 하나였다. 이건 돈으로 빌릴 수 있는 것이 아니었다.

'이게 왜 필요한지 모르겠지만, 공자님, 꼭 살아서 수도에서 뵀으면 합니다.'

'누가 죽으러 가는 줄 알아?'

'그래도 사고를 저지르려는 건 알겠습니다.'

'……시끄러.'

빌로스와의 대화를 떠올리던 케일은 갑자기 급속도로 조용해진 분위기에 주위를 둘러보았다. 최한이 혼란스러운 눈동자로 살벌한 모양의 가위를, 그리고 고양이 남매가 케일에게서 멀어져 최한의 뒤로 가 있었다.

그리고 용은 해탈한 눈빛이었다.

"쯧."

케일은 그 반응에 혀를 차며 용에게 다가갔다. 마나 제어구가 달린 목줄은 고무와 비슷한 소재로 이루어져 있었다. 만약 철이었다면 자라나는 용에게 맞지 않을 것이니, 신축성 있는 소재로 만든 것이다.

그는 용의 목을 잡았다.

"헉."

고양이들이 숨을 들이마셨다. 빨리 처리할수록 좋았기에 케일은 그 반응을 무시하고 움직였다. 절단기가 목으로 향했다. 날카로운 날이 달빛을 받아 반짝였고, 용은 케일의 눈동자만을 응시했다. 케일의 눈동자는 무감각하고 단조로웠다. 용은 눈을 감았다.

그때, 싹둑, 무언가 잘리는 소리가 그들의 공간을 채웠다.

치지직. 치지직. 힘없이 잘려 나간 마나 제어 목줄이 케일의 손에 들린 채 작은 스파크를 일으키고 있었다.

"뭘 봐?"

케일은 다시 눈을 뜨고 자신을 바라보는 용에게 퉁명스럽게 묻고는 장갑 한쪽을 벗어 최한에게 건넸다. 케일은 장갑을 받아 손에 낀 최한에게 목줄을 넘기고 주머니에서 포션을 꺼냈다.

최상급 포션이었다. 이것도 돈이 엄청 들었다. 나중엔 용돈 타 쓰기도 얼마나 눈치가 보이던지. 케일은 혀를 차며 용을 날카로이 바라봤다.

"내가 너한테 돈을 얼마나 쓴 줄 알아?"

용은 자주 들었던 말이 귓가에 닿았다. 태어난 뒤로 늘 들었던 말이었다. 돈을 많이 썼는데 왜 말을 안 듣냐, 맞아야 한다. 그래서 맞았다. 그들은 때리면서, 생각이란 것을 하지 말고 말을 잘 들어야 한다고 했다.

그런데.

"그러니까 돈 쓴 만큼 제대로 나아. 이 미련한 녀석아."

용은 아프지 않았다.

케일은 용의 몸 위로 포션을 반 정도 골고루 부어버리고 나머지는 입을 벌려 부어버렸다. 다행히 용은 반항하지 않고 받아 마셨다.

몇 분 뒤, 케일은 역시 용은 용이라는 생각을 할 수밖에 없었다. 용의 심장이자 모든 힘의 근원인 마나가 움직이기 시작한 듯했다.

용의 모든 상처가 순식간에 사라지고, 마나의 힘으로 보이는 파장이 그의 몸을 감싸며 바람처럼 맴돌고 있었다.

눈 깜짝할 순간 일어난 변화에, 케일은 다시 한번 용이 버겁고 어마무시한 존재임을 깨달았다.

"야."

이제 용은 다칠 일이 없을 것이다. 엉리한 녀석은 스스로 제 몸이 어떻게 되었는지 깨달은 듯 눈빛이 완전히 살아났다.

케일은 용에게 한 걸음 다가갔다. 새끼 용은 몸을 웅크리며 케일을 탐색했다. 케일은 이를 무시하며 물었다.

"어떻게 하고 싶냐?"

대답 없이 입을 꾹 다무는 모습에 케일은 피식 웃었다.

"너 사람 말 할 줄 아는 거 다 알아. 넌 용이니까. 가장 똑똑하고 오만한 존재니까.”

케일은 다시 한번 물었다.

“넌 자유가 되면 무엇을 하고 싶었지?”

“……나는.”

용의 입이 열렸다. 용은 역시 사람 말을 할 줄 알았다. 인간보다 머리가 똑똑했다. 4년간 사람 말을 못 배웠다는 것은 말이 되지 않았다.

“나는.”

용은 본능적으로 알 수 있었다. 지금 이 힘이라면 눈앞의 남자를 죽일 수 있다. 물론 저 뒤의 남자가 무섭지만, 살아 도망칠 수 있다. 수많은 시간 동안 기다렸던 힘을 얻었다.

그렇기에 용은 수천 번이 넘게 되새겼던, 입 밖으로 낼 수 없었던 것을 말했다.

“나는 산다.”

살아서. 어떻게든 살아서.

“나는 벗어날 거야.”

이곳을 벗어난다.

그는 속마음을 말했다.

“나는 길들여지기 싫다.”

“그래. 맞아.”

케일은 용에게 맞다고 말했다.

“넌 용이야. 드래곤. 자유롭게 살 자격이 있지.”

4살 정도의 용이면 힘이 웬만한 생명체들보다 강했다. 스스로 살아갈 힘이 충분했다. 자립심이 강한 용들은 대체적으로 2살만 돼도 홀로 레어를 만들고 싶어 했다. 인간 2살에 비하면 말도 안 되는 성장이었다.

여전히 경계하는, 인간을 믿지 못하는 눈동자를 보며 케일은 단호하게 말했다.

"나는 너를 기르지 않아."

케일이 자신보다 강한 놈을 돌봐줄 이유가 없었다. 그리고 이 녀석은 밥값으로 데리고 있기에 위험 부담이 너무 컸다. 온, 홍과는 달랐다. 드래곤은 케일의 범위 밖이었다.

용은 케일의 말을 믿지 못했다.

"거짓말. 인간은 거짓말만 한다."

용의 눈동자에 분노가 스며들었다. 그 분노는 케일을 향한 것은 아니었다. 타고난 본능인 오만한 자존심. 그것이 철저히 밟혀왔던 시간이 만든 분노였다.

"하긴 나도 거짓말을 잘하지."

케일은 용의 말에 쉽게 수긍하며 말을 이었다.

"너 하고 싶은 대로 살아. 너는 어떻게 하고 싶지?"

"나는-"

새끼 용은 고개를 들어 밤하늘을 바라봤다. 동굴 속에서 보던 어둠과는 달랐다. 어두운데 빛났다.

"나는 인간은 싫어. 나는 자유롭고 싶다."

"그래."

케일은 자리에서 일어섰다. 그리고 마지막으로 마법 주머니에서 중급 포션 몇 개를 작은 주머니 안에 담아 용의 옆에 두었다.

"자유롭게 살아라."

용의 검은 동공이 확대되며 흔들렸다. 그 안에는 여전히 불신과 깊은 경계심이 남아 있었다. 하지만 케일이 알 바는 아니었다.

'이만하면 됐지.'

용도 풀어주고, 베니온에게 물도 먹이고, 마을도 구했고, 최한이 용을 통해 자유라는 것에 대해서 깨닫고.

무엇보다 용을 책임지지 않아도 되었다. 따라오기 싫어하는 것이 눈에 빤히 보였다. 아주 좋은 결말이었다.

케일은 흡족한 마음에 가벼운 목소리 톤으로 일행에게 말했다.

"가자."

그는 미련 없이 용에게서 등을 돌려 걸음을 내디뎠다. 최한은 군말 없이 케일의 뒤를 따르며 흔적에 교란을 주었다. 잠시 멈칫하던 묘족 남매는 용이 케일에게서 고개를 돌리는 것을 본 후 케일의 뒤를 따랐다.

묘족 남매마저 케일의 뒤를 따라 등을 보이자, 용은 고개를 들어 그들의 뒷모습을 눈에 담았다.

"……인간은 싫다. 나쁘다……."

용의 시선은 처음 보는 세상의 모습보다 지겹도록 익숙하고 증오하던 인간의 뒷모습에 닿아 있었다.

홍은 케일의 뒤를 따르며 슬그머니 누나 온에게 다가갔다.

"누나, 쟤 따라올 것 같은데."

"응. 나도 그럴 것 같다고 생각하는데."

"나 막냇동생 생기는 거야?"

"그럴 것 같은데."

고양이들이 고개를 주억거리며 대화를 나눴다. 케일은 그 말에 헛

웃음을 흘리며 말도 안 된다는 듯 답했다.

"말도 안 되는 소릴. 드래곤은 자립심이 강하고 인간 밑에 있는 걸 용납 못 하는 게 본능이야. 그리고 저 녀석은 인간이라면 증오하지."

온의 표정이 떨떠름해졌다. 고양이에게도 떨떠름한 표정이 있다면 지금 온과 같을 것이다. 온은 고개를 가로저으며 작게 중얼거렸다.

"……아닐 것 같은데."

"……응."

홍이 뒤를 돌아보며 긍정했다. 검은 용이 아직도 이쪽을 보고 있었다. 홍은 확신했다. 자유를 즐기던 저 용이 조만간 자신과 소고기를 나눠 먹을 것이라고.

구시렁거리는 두 남매에게 케일은 말했다.

"구슬 챙겨 와라."

두 남매는 소고기를 위해 구슬을 챙기러 떠났다. 케일은 남매를 쳐다보지도 않은 채 최한의 어깨를 두드렸다.

"수고했다."

오늘 최한은 처음으로 무언가를 구해보았을 것이다. 이전에 산적과의 전투도 있었지만 그건 구하는 것보다는 지킨다는 쪽이었다.

물론 책 속에서 이 마을 사람들을 구하는 것이, 자신이 죽었던 용을 구하는 것으로 내용이 바뀌었지만. '구한다'는 행동이 최한에게 중요했다.

"케일 님."

"어."

불러놓고 한참 동안 말이 없던 최한은 이내 입을 열었다.

"만약에 용이 마음대로 사는 것이 케일 님을 따라오는 일이었다면 어떻게 하셨을 겁니까?"

"그럴 일은 없다니까."

"만약에 말입니다. 만약에."

만약에라. 케일은 곰곰이 생각하다가 가볍게 답했다.

"난 일어나지 않고 지나간 일은 생각하지 않아."

그러나 케일은 순간 왠지 모르게 뒷목이 섬뜩해져 와 처음으로 고개를 돌려 등 뒤를 바라봤다. 다행히 검은 용은 보이지 않았다.

케일은 안도하며 모든 뒤처리를 끝낸 후 숙소에서 잠이 들었다. 그랬기에 그는 그날 밤 처음 의지를 담아 사용한 마법으로 몸을 숨긴 용이 그의 숙소 창문을 한참 동안 보고 간 것을 알 수 없었다. 용은 포션 주머니를 꼭 품에 안고 있었다.

그리고 다음 날, 케일은 이른 아침부터 최한의 물음을 받았다.

"케일 님, 며칠 더 가면 도시가 나오는데, 그곳이 중간 지점입니까?"

곧 최한은 케일이 말한 밥값을 해야 했다.

이는 케일이 고대의 힘을 하나 더 얻을 시간이 다가왔음을 의미하기도 했다. 그 힘은 지금으로부터 한 달 뒤, 베니온에게 밀려났던 후작가 장남이 마지막 희망으로 찾았지만 그는 쓸 수 없었던 힘이었다.

6장
은혜 갚은

6장
은혜 갚은

케일은 이른 아침부터 찾아온 최한에게 대충 고개를 끄덕이며 론이 두고 간 냉수 잔을 집어 들었다. 서늘한 잔의 촉감에 케일은 론이 냉수를 가져다주며 건넸던 말을 문득 떠올렸다.

'도련님, 밤 산책을 너무 오래하면 몸에 안 좋습니다. 이 론이 걱정이 많이 됩니다.'

왠지 냉수를 마시지 않아도 속이 서늘해 정신이 확 들었다. 케일은 냉수 잔을 다시 조심스럽게 제자리에 내려놓으며 최한에게 말했다.

"뒤처리는 다 했고?"

"네."

최한은 케일을 숙소로 데려다준 뒤, 곧바로 그들의 흔적을 지운 후 서쪽 방향으로 새로운 흔적을 만들고 돌아왔다.

냐아아옹. 케일은 하품을 하면서 꾸벅꾸벅 육포를 뜯어먹는 고양이들을 쳐다보며 입을 열었다. 최한에게 중간 지점이 되는 도시에 대해 설명하기 위해서였다.

"다음 도시의 이름은 퍼슬시야. 거기가 중간 지점이고."

산으로 둘러싸인 헤니투스 영지를 벗어나면 지금 이 자작가의 영지에서부터는 수도까지 길이 잘 이어져 있다.

'그 덕에 헤니투스 영지는 지금까지 안전했고, 그 때문에 위치가 애매해졌지.'

대리석이 많더라도 길이 안 좋으면 상단들이 찾아오기가 힘들다. 그러나 헤니투스 영지만 벗어나면 길이 좋으니, 다들 그 정도의 불편함은 감수하고 찾아오는 것이다.

또한 이 길 덕분에 로운 왕국 동북부의 세력들이 자주 모일 수 있었다. 때문에 다른 지역들과 달리 후작급 이상의 대귀족이 없음에도 나름 수도에서 이 지역에 관한 저들의 의견을 말할 수 있었다.

"우리 영지는 계속 산을 넘어와야 해서 시간이 오래 걸렸지만, 이제는 시간이 걸릴 일은 없을 거야."

퍼슬시는 거리상 중간 지점이 아니라, 시간상 중간 지점이었다.

"그런데 케일 님."

"그래."

"제가 돌아오는 길에 자작가 별장을 확인하러 갔습니다."

"그런데?"

심드렁한 표정으로 바라보는 케일에게 최한은 찝찝한 표정을 지어 보였다.

"다들 정신이 없어 보였고 이 마을을 벗어나는 병사와 기사들도 있었습니다."

"보고하러 갔겠지."

정신을 차린 이들은 베니온에게 사람을 보내고, 동굴 주변을 수색하느라 정신이 없을 것이다. 그런데 최한의 말은 그것이 끝이 아닌 듯했다.

"그런데."

"뭘 자꾸 말을 끌어?"

케일이 미간을 찌푸리며 퉁명스럽게 물었다. 그 목소리에도 최한은 여전히 찝찝한 표정으로 천천히 말을 이었다.

"저희가 탈출했던 동굴 비밀 출구 일대가 폭발해 있었습니다. 동굴 출구는 물론 근처 나무와 풀, 땅. 모든 것들이 다 뒤집어져 있더 군요."

툭. 고양이들이 물고 있던 육포를 떨어뜨렸다. 하지만 케일은 심드렁했다.

"용이 했겠지."

최한이 입을 다문 채 가만히 서 있었다. 케일은 그 모습에 피식 웃으며 자리에서 일어섰다.

용은 4살이라도 나름 머리를 쓸 줄 아니, 탈출구에 누군가 올까 싶어 날려 버렸을 것이다. 그리고 마나에 가장 민감한 생물이니, 일대를 부순 것도 마법 장치를 파괴하기 위한 행동이었으리라.

"거기 사람들 아직 안 죽인 것만 해도 다행이야. 아직 어리고 겁을 집어먹은 상태라 참는 중일걸?"

"그렇군요. 마나의 힘이 엄청난 것은 느꼈지만."

"용이 작다고 얕보지 마. 큰코다쳐."

용은 거만하고 마음이 좁쌀만큼 좁은 녀석들이라고 했다. 케일은 다시 한번 용을 내버려 두고 온 자신을 칭찬하며 최한에게 물었다.

"그만 나가봐. 아, 너 이제 출발 전까지 잘 건가?"

"아뇨. 비크로스를 도우러 가야 합니다."

누구? 비크로스? 케일이 반색을 하고 급히 말을 내뱉었다.

"오, 친해졌나 봐?"

그 순간 케일은 처음으로 떨떠름한 최한의 얼굴을 보았다. 최한은 아주 단호했다.

"아뇨. 결단코 친하지 않습니다."

"……그, 그래……. 가라."

케일이 떨떠름한 얼굴로 답하자 최한은 아무렇지도 않게 고개를 숙이며 방 밖으로 향했다. 케일은 문을 여는 최한에게 한 가지를 지시했다.

"아, 나가는 길에 한스보고 밖에 술상 좀 차려놓으라고 해."

"네?"

최한이 놀라 눈을 크게 뜨고 케일을 돌아봤다. 평온해 보이는 케일과 7시를 가리키는 시계를 번갈아 보던 최한에게 케일은 상쾌하게 말했다.

"해장술, 몰라?"

최한이 가타부타 대답 없이 방을 나가 버렸지만 케일은 신경 쓰지 않았다. 그는 온과 홍이 정말 아침부터 술을 마실 거냐는 표정으로 쳐다봤지만 이를 무시하며 거울을 확인했다.

"아주 훌륭한 몰골이야."

아주 술과 피곤함에 찌들어 보이는 얼굴이었다. 케일은 만족하며 1층으로 내려갔다.

'역시.'

7시는 이른 아침이었지만 누군가에게는 아직 끝나지 않은 하루였다. 어제 술을 마신 사람이 맞나 싶게 부단장은 말끔한 모습으로 누군가와 심각하게 대화를 나누고 있었다.

케일은 굳어버린 최한이 보였다. 하긴, 부단장과 대화를 나누는 이는 어제 저 녀석이 기절시켜 버린 기사 중에 하나일 테니 굳어버리는 것은 당연할지도 몰랐다.

케일은 최한의 옆으로 가 그의 발을 툭 찼다.

"뭘 쫄고 그래?"

"아."

케일이 은밀히 건넨 말에 최한은 잠시 당황하더니, 어색하게 웃으며 작게 답했다.

"하루쯤은 전투 불능 상태로 만들려고 했는데 생각보다 일찍 거동이 가능하군요. 제가 사람의 몸이 너무 약하다고 판단한 듯합니다. 앞으로는 더 강하게 상대해도 될 것 같습니다."

케일은 최한에게서 고개를 돌렸다. 역시 자신이 생각하는 정의를 위해 다 부숴 버리는 주인공다웠다. 그리고 하나 더, 케일의 예상 밖인 존재들이 있었다.

어느새 따라 내려온 온과 홍, 아기 고양이들이 음흉한 표정으로 꼬리를 살랑살랑 흔들며 기사를 힐끔거렸다. 누가 봐도 즐기는 표정이었다.

'……내가 제일 담이 작은 건가.'

케일이 자신의 테이블에 앉으며 고민에 빠졌을 때, 여관 주인 노인은 술을 한 병 들고 다가왔다.

"공자님, 어제 드셨던 술로 준비해 뒀습니다."

"노인장, 내가 자네를 보면 볼수록 드는 생각인데."

"네?"

긴장한 노인에게 케일은 씩 웃으며 말했다.

"자네는 장사를 잘하는 사람 같아. 칭찬이야. 아침 해장술로 딱 알맞아."

달칵. 경쾌한 소리와 함께 술병 뚜껑이 열리고, 케일은 이를 한 잔따라 바로 들이켰다. 삽시간에 얼굴이 벌게지기 시작했다. 케일은일부러 눈을 게슴츠레 뜨며 부단장 쪽을 쳐다봤다. 부단장이 상대기사에게 말하고 있었다.

"어제 우리는 여정의 피로를 풀 겸 회식을 했습니다. 다들 술을 마시며 쉬었죠. 여관 밖을 나간 사람도 없고 말입니다. 그런데 이를 왜자작가 사람이 궁금해하는지 모르겠군요."

후작가 기사는 자신을 자작가 사람이라고 소개한 듯했다. 부단장의 서슬 퍼런 눈빛에 기사는 미소를 지었지만 심각한 얼굴로 답했다.

"어제 자작가 별장에 도둑들이 침입을 해서 말입니다. 저와 몇 명이서 경비를 봤지만 물건을 몇 개 잃어버려서, 헤니투스 백작가분들이 와 계신다는 말에 혹시 같은 피해를 입었나 확인하러 왔습니다."

도둑은 무슨. 하긴 용 도둑도 도둑이지. 케일은 수긍하며 술을 병째로 한 모금 들이켰다. 그 순간 부단장과 대화를 나누던 사람, 어제자작가 별장에 있던 기사와 눈이 마주쳤다.

"뭘 봐?"

기사는 곧바로 고개를 숙이며 시선을 돌렸다. 부단장은 그 모습을보더니 헛기침을 하며 변호하듯이 당당하게, 그리고 과하게 밝은 목소리로 말했다.

"크흠, 우리 공자님은 아침에 술을 드시지 않으면 하루가 상쾌하지 않으셔서, 그래서 마시는 것뿐이십니다. 또한 해장술이라고, 해장에 있어 진정한 끝장판 모습을 보여주시는, 포부가 넓은 분이시지요."

케일은 자신을 욕하는 것인지 혹은 변호하려고 애쓰는 것인지 알 수 없는 부단장을 탐탁지 않게 바라봤다가 이내 술을 들이켰다.

"그렇군요. 유쾌한 분이시군요."

기사는 부단장의 말에 좋은 말로 답해주며 케일에게 예의 바르게 허리를 숙여 인사했다.

'우리 쪽 의심은 덜었겠네.'

케일은 그런 기사의 모습을 보며 우리 쪽으로 의심의 화살이 향할 일은 없겠다 싶었다. 하필 케일 일행이 왔을 때 용이 사라졌고 그들은 오늘 떠나지만, 의심하기에는 애매하리라.

이곳에 남아 있는 베니온의 수하들은 어떤 단체를 뜻하는 것 같은 여섯 개 별의 복장, 그리고 서쪽으로 향한 흔적에 집중할 것이고, 무엇보다도 망나니라 불리는 케일이 그런 짓을 할 리 없다 생각할 것이다.

"그럼 오늘 떠나시는 여행, 안전하시길 바랍니다."

거기다 현재 후작도, 베니온도, 자작도 없는 상황에서 이들이 백작가 후계자를 잡고 있을 수는 없었다. 그것도 왕실의 명을 받고 수도로 가는 귀족 자제 아닌가.

'그리고 왕실의 명을 받고 가면서 술을 마시는 귀족가 자제를 누가 정상이라고 생각하겠어?'

망나니는 참 좋은 위치였다. 케일은 흡족한 마음으로 술을 마셨다.

'아마 베니온이 알게 되어도 우리를 의심하지는 않을 거야.'

비밀 단체와 헤니투스 백작가 사이에 어떠한 연관 고리가 없음을 가장 잘 아는 이들이 베니온과 스텐 후작이었다. 특히 용 이야기라면 더욱더 그러했다.

케일은 여관을 빠져나가는 후작가 기사를 지켜보다가 론이 내민 레몬 꿀차를 마셨다.

"론."

"네, 도련님."

"역시 해장은 꿀차가 좋은 것 같아."

"그렇지요?"

론이 흐뭇하게 미소를 그리며 바라봤지만 케일은 이를 외면한 채 뒤집힌 속을 다스렸다. 그리고 케일의 속이 해장되었을 때쯤, 그들은 다시 길을 떠났다.

다음 목적지는 퍼슬시였다. 동북부 운송의 중심 역할을 하는 도시로, 돌탑이 무수히 세워진 유적지가 꽤 유명한 곳이었다.

케일은 퍼슬시에 있는 완성되지 못한 돌탑에 찾아가야 했다.

"오늘 야영이에요?"

온이 육포를 먹으며 건네는 물음에 케일은 고개를 끄덕였다.

"어. 오늘부터 중간중간 야영을 하게 될 거야."

케일은 다시 빡빡하게 일정을 세웠다. 퍼슬시에서 넉넉하게 머물고 싶었기 때문이다. 그는 저들끼리 수군덕거리는 고양이 남매에게서 시선을 돌려 달리는 마차 밖을 바라봤다.

'심장의 활력.'

부서지지 않는 방패를 강화시킬 고대의 힘 이름이었다. 이 힘은 재생과 생명력에 특화된 힘이었다.

'그래서 장남도 찾았겠지.'

스텐 후작가의 버려진 장남, 테일러. 그나마 후작가에서 제대로 정신이 박힌 인간이었지만 베니온의 수작으로 인해 하반신 마비로 불구가 되었다.

그는 자신을 치유할 힘을 얻기 위해 온갖 문헌을 뒤졌다. 그러던 중 우연히 고서적 서점에서 고대 문헌을 구하게 되고, 고대 문자라 해석이 힘들었지만 노력 끝에 마침내 몇 글자를 해석해 낸다.

재생. 돌탑.

그 두 단어가 뇌리에 박힌 테일러는 곧장 돌탑의 도시라 할 수 있는 퍼슬시로 향했다. 지금도 그는 퍼슬시에 있을 것이다. 그리고 한 달 뒤에 그 힘을 찾으리라.

'하지만 소용이 없었지.'

심장의 활력은 힘을 얻기 전 이미 다친 몸을 재생시키지는 못했다. 힘을 얻고 난 후, 미래에 다친 상황에서 재생의 힘이 발휘되었다. 그 재생의 정도도 한계가 있었고, 대가가 따랐다.

테일러는 그 사실에 절망했다. 그에게는 시간이 얼마 없었고, 이 고대의 힘이 마지막 희망이었다. 베니온이 언제 자신을 죽이러 올지 몰랐으니까.

'결국 그는 한 달 뒤에 죽었지.'

테일러는 수도 테러 사건으로 한창 수도가 정신없을 때, 정체불명의 집단에 의해 암살당한다. 물론 베니온의 사주였다.

케일이 이 스쳐 지나가는, 어찌 보면 본래의 케일보다 적은 비중을 차지하는 인물을 기억하는 이유는 친우와의 우정과 의리 때문이었다.

미친 신관. 테일러의 친우로, 암살 사건 때 현장에서 유일하게 살아남았다. 동시에 암살자들의 절반을 죽인 후 살인 행위로 파문당한 사람이기도 했다. 그녀는 그 사건으로 등에 커다란 상처를 입은 채 신전에서 자신이 한 일에 대해 당당히 말했다.

'나는 신의 뜻보다 사람으로서의 의리를, 도리를 먼저 했을 뿐이다. 나는 그것이 옳다고 생각한다.'

그리고 덧붙였다.

'이제 나는 자유다!'

그 뒤 그녀는 사람들에게 미친 신관으로 불렸다. 그녀의 특기는 죽음의 신의 힘을 이용한 저주술이었다. 신전은 그녀를 파문했지만 신은 그녀를 버리지 않았다.

후에 전쟁이 터졌을 때, 영웅은 아니지만 화끈한 의병으로 이름을 날리는 사람이었다.

'이번엔 다를 것 같기는 한데.'

한 달 뒤 테일러가 죽을 일은 없을 확률이 높았다.

베니온은 용 절도 사건을 뒷수습하며 후작에게 알랑거리느라 정신이 없을 것이다. 아마 이 일로 그의 후계자 자리가 위태위태해서 버려진 장남보다 제 밑의 동생들을 더 신경 써야 할 테니까.

'그리고 테일러의 마지막 희망을 뺏을 것인데, 새로운 희망을 줘야지.'

비록 테일러에게 심장의 활력이 필요 없는 힘이라도, 케일은 사람의 마지막 희망까지 뺏는 나쁜 놈은 아니었다.

케일은 문득 저 둘도 없는 콤비가 다치지 않고 산다면 앞으로 무엇을 해낼지 조금 궁금했다. 아마도 둘이서 후작가를 바꾸지 않을까. 그렇게 되면 장기적으로 보아 케일에게 이득이었다.

하지만 이내 떠오른 생각에 케일의 표정이 굳어졌다.

'그 저주술에 비크로스가 학을 뗄 정도였댔지?'

고문 전문가 비크로스가 그 신관에게 내린 평이 떠오르자마자, 케일은 머릿속에서 미친 신관을 지워 버렸다. 덩달아 심지가 곧고 소탈하며 영지민을 아꼈다던 귀족 테일러도 지워 버렸다.

'나랑은 안 맞아.'

일단 케일과는 종류부터 다른 인간들이었다. 선하고 의리가 깊고 서로를 믿는 사람들. 케일은 차라리 그들보다는 론이나 비크로스가 나았다.

'……아니지. 아무리 그래도 이 무슨 끔찍한 생각을.'

케일은 얼른 론과 비크로스도 지워 버렸다.

툭툭, 케일은 자신의 허벅지를 두드리는 느낌에 고개를 아래로 내렸다. 그러자 고양이들이 금안을 반짝이며 케일에게 말했다.

"아까 전에 한스에게 들었는데."

"한스가 그랬는데."

한스는 아직 묘족인 줄 모르면서도 고양이들을 앞에 두고 혼자서 두런두런 이야기를 해댔다. 그때 고양이들이 들은 이야기인 듯했다.

"뭘?"

케일의 퉁명스러운 물음에도 남매는 익숙하다는 듯 굴하지 않고 말했다.

"돌탑에 가서 소원 빌면 이루어진다는데."

"돌탑이 이쁘다는데."

"가고 싶은데. 귀찮으면 괜찮지만."

"같이 가고 싶지만 곤란하면 괜찮은데."

케일은 우물쭈물거리는 고양이들을 물끄러미 바라보다가 툭 던지듯 물었다.

"무슨 소원 빌게?"

홍이 관리를 잘 받아 결이 한껏 좋아진 붉은 털을 흩날리며 신이 나 말했다.

"막냇동생이 같이 다―"

"기각."

케일은 바로 무시하며 고양이들에게서 시선을 돌렸다. 그 순간 때맞춰 마차가 멈췄다. 오늘 야영할 곳에 도착한 것이다.

"오늘부터 다시 야영이군요."

"그러게."

한스의 말에 대충 답한 케일은 야영할 곳 주변을 둘러보았다. 숲의 바람이 그를 스쳐 지나갔다. 케일은 꽤 편한 마음으로 하룻밤을 보냈다.

그리고 다음 날 아침.

"공자님."

"……이게 뭐지?"

케일은 자신들이 설치한 야영지, 딱 그 경계선에 놓인 사슴을 물끄러미 바라봤다. 사냥을 당한 사슴이었다. 이를 물끄러미 바라보는 케일에게 한스가 보고했다.

"야영지에 누군가 두고 갔습니다."

한스는 사슴 옆을 가리켰다. 케일도 그곳을 보고 있었다. 땅바닥에는 포크와 숟가락 그림이 그려져 있었다.

꼭 누가 먹으라고 놓아둔 사슴 고기 같았다. 케일은 순간 묘한 생각이 들었다. 그는 시선을 돌렸다. 최한의 품에 안긴 고양이 남매가, 그리고 최한이 케일을 보며 씩 웃고 있었다.

"……불길한데."

아무래도 불길했다.

말은 알지만 글자는 모르는 듯한, 사슴 고기를 놓아두고 간 자.

어젯밤 불침번이었던 최한이 분명히 누군지 알았음에도 그 기척을 모른 척해준 자.

……아무래도 용 같다.

그는 고개를 돌려 여전히 자신을 쳐다보는 온과 홍, 최한에게 단단히 일러두었다.

"모른 척하자."

냐아아옹.

냐아옹.

케일은 왠지 남매 둘이 자신을 비웃는 것 같았지만 일단 모른 척했다.

그러나 야영을 할 때마다 새로운 음식 재료들이 케일에게 배달되었다. 멧돼지 고기, 토끼 고기, 각종 과일 등등.

케일은 자신을 따라오고 있는 용의 존재를 확신했다.

그 확신과 함께 케일은 퍼슬시에 도착했다.

가볍게 퍼슬시 성문을 통과한 헤니투스의 황금 거북이 마차는 부집사 한스의 안내를 따라 숙소로 향했다.

"웨스턴시보다는 작은데."

"맞아요. 작아."

온과 홍의 말에 케일은 수긍하며 마차 밖을 쳐다봤다.

'성안까지 따라오지는 않겠지?'

최한의 말에 따르면 검은 용은 꽤 먼 거리에서 따라오다가, 새벽에 먹을거리를 놔두고 도망간다고 했다.

"귀엽지 않습니까? 참, 그 힘겨운 삶 속에서 순수함을 잃지 않은 귀여운 아이 같습니다."

"……썩."

최한은 흐뭇한 표정으로 말했지만, 케일에게는 전혀 즐겁지 않은 이야기였다. 용이 산 하나 날리는 꼴을 봐야 저 소리가 안 튀어나올 것이다.

인간이 싫다면서 왜 그러는지. 케일은 심히 부담스러웠다. 그의 예상과는 다른 전개였다.

케일은 용이 일단 아직 어리니, 후작가를 피해 자신만의 레어를 만들어 힘을 키울 줄 알았다. 그래서 용이 힘을 키운 후, 전쟁이 일어나면 이 왕국을 좀먹을 후작가를 미리 한 방에 날려 버리길 바랐다. 그래야 헤니투스 영지도 조금 더 평화롭지 않겠는가.

"쯧."

케일은 혀를 찼고, 신나게 창밖을 보고 있던 고양이들이 움찔하더니 그에게 다가왔다. 마차 창밖을 열심히 쳐다보더니 궁금한 것이 생긴 듯했다.

"집집마다 다 돌탑이 있어요."

"이상한데."

케일은 심드렁하게 답했다.

"돌탑의 도시니까."

퍼슬시는 돌탑들이 모여 있는 유적지가 유명했지만, 그와 더불어 이 도시를 유명하게 만드는 것이 집집마다 쌓여 있는 작은 돌탑들이었다.

이 도시의 사람들은 창문 밖에 작은 선반을 만들어 그 위에 돌탑을 작게 쌓아뒀다. 돌 10개 이하의 작은 탑이라 돌탑이라고 하기도 애매했지만, 돌탑은 각 집안사람의 성격에 따라 여러 모양을 형성했다.

케일이 도착한 고급 여관에도 돌탑이 쌓여 있기는 매한가지였다.

"여기서 묵는 건가?"

여관 주인의 안내를 받으며 뒤따라가던 케일의 물음에 한스가 잽싸게 대답했다. 그는 고양이 남매를 품에 안은 채 신이 나 있었다.

"네, 최한 님은 이틀로 예약해 두었고 나머지는 시간에 따라 후불로 나중에 금액을 지급하기로 했습니다."

한스의 뒤에 있던 론이 그의 말에 잠시 멈칫하더니, 이내 마법 상자를 든 채 뒤를 따랐다. 한스는 마저 케일에게 말을 이었다.

"딱 돌탑 축제 전 비수기에 와서 그런지, 아직 방값이 비싸지는 않더군요."

돌탑 축제. 퍼슬시는 다음 주에 있을 돌탑 축제를 위한 준비가 한창이었다. 케일은 무심히 생각난 것을 툭 내뱉었다.

"돌이 많은 동네도 아닌데, 돌탑은 꽤 신기하네. 이상하군."

"그건 제가 이유를 압니다."

뭐? 케일은 자신이 무심코 내뱉은 혼잣말에 반응한 한스를 슬쩍 쳐다봤다.

"과거부터 내려오는, 아주 슬프면서도 교훈적인 이야기가 있습니다."

"긴 얘기면 그냥 하지 마라."

굳이 듣고 싶지 않으니까. 케일은 그리 말했으나, 한스는 길지 않다고 판단한 듯 말을 이었다. 어느새 케일의 방에 들어선 일행은 나가는 여관 직원을 쳐다보며 한스의 말을 들어야 했다.

"이 이야기는, 아니, 이 전설은 바야흐로 고대의 이야기입니다."

"고대?"

달칵. 직원이 나가고 일행만 남은 방. 고대라는 단어에 케일이 반응했다.

"네, 고대입니다."

"한번 해봐."

한스의 품속 고양이 남매가 흥미진진하다는 듯 꼬리를 살랑거리며 한스를 올려다봤다. 론은 묵묵히 마법 상자와 함께 들고 온 병에서 레모네이드를 따라 케일에게 건넸다.

케일은 한 손에는 레모네이드를 든 채로 소파에 앉아 다리를 꼬고서 한스에게 턱짓했다. 어서 말하라는 의미였다.

"크흠, 이 도시는 한때 신의 버림을 받았다고 합니다."

신의 버림? 케일은 전혀 모르는 이야기였다.

"난 처음 듣는데."

"공자님은 역사에 대해 공부를 하지 않으셨으니까요."

"……너 자꾸 맞먹는다? 계속 그렇게 막 나가? 응?"

한스는 슬쩍 케일에게서 고개를 돌렸다.

"주인이 모르는 걸 알려 드리는 것이 집사의 훌륭한 태도 중 하나인 것은 당연지사죠."

한스는 고대의 이야기를 시작했다.

"무엇 때문에 이 도시가 신에게 버림을 받았는지는 모릅니다. 다만 그때 이 도시 사람들이 몇몇씩 무리를 지어 여러 개의 돌탑을 쌓기 시작했다고 합니다. 그게 어떤 바람을 담은 기도의 행위였다고 합니다."

"그래서 그 바람은 이루어졌대?"

케일의 물음에 한스는 단호하게 답했다.

"아뇨."

신은 바람을 들어주지 않았다.

"기도는 하나도 통하지 않았다고 합니다. 그래서 이 퍼슬시에는 신전이 하나도 없지요."

"신이 버렸는데 굳이 내가 신을 모실 이유는 없다. 이건가?"

"정답입니다. 역시 우리 공자님은 똑똑하시고, 공부가 필요 없으신 분입니다."

"⋯⋯쓸데없는 소리 할래?"

한스는 케일에게서 시선을 돌려 저 먼 산을 보며 말을 이었다.

"크흠, 아무튼 신전 대신에 돌탑이 있지요. 이 돌탑은 그 뒤로 하나의 약속이 됩니다. 인간들 사이의 약속이기도 했고, 그 인간 스스로와의 약속이기도 했지요."

"무슨 약속?"

한스는 퍼슬시에 내려오는 한 가지 이상한 규칙에 대해서 말했다.

"자신의 소원을 이룬 인간은 자신의 돌탑을 무너뜨린다."

케일의 입꼬리가 올라갔다.

"재밌는 도시네."

"그렇죠. 이들은 신에게 버림받았으니 결국 소원을 이루려면 본인 스스로의 힘으로 이루어야 하니까요. 돌탑을 부수는 행위는 일종의 '극복'을 뜻합니다."

케일은 돌탑을 부수는 행위가 꽤 마음에 들었다. 집집마다 쌓인 작은 돌탑들, 그 개수를 셀 수 없는 돌탑을 떠올렸다.

"신에게 기대어 쌓은 돌탑은 아니군."

"네, 스스로에 대한 다짐이죠."

무너뜨리지 못해도 충분한 가치가 있는 돌탑이었다.

"결국 신이 소원을 들어준다는 건 아니었네."

"네, 맞습니다. 어찌 보면 버림받았다는 것이 슬프지만, 굉장히 희망적인 이야기이기도 하지요."

맞장구치는 한스에게 케일은 툭 내뱉듯이 말했다.

"고개 숙여봐."

"네?"

어벙하게 되물어보는 한스에게 케일은 손가락으로 그의 품을 가리켰다.

"고양이들이 화가 난 것 같은데."

"네?"

헉. 고개를 숙인 한스가 헛바람을 집어삼키며 눈을 크게 떴다. 고양이들이 이를 드러내며 화를 내고 있었다. 한스를 노려보는 금안이 상당히 매서웠다.

"아이구, 우리 고양이님들이 왜 화가 나셨을까? 육포 가지고 올까요?"

한스는 고양이들을 품에서 내려놓으며 생글생글 웃었다. 아직 묘족인 줄 모르니, 단지 배가 고파서 화가 난 줄 아는 것이리라. 하지만 고양이들은 그것 때문에 화가 난 것이 아니었다. 케일은 남매가 했던 말을 떠올렸다.

'한스에게 들었는데.'

'한스가 그랬는데.'

'돌탑에 가서 소원 빌면 이루어진다는데.'

'돌탑이 이쁘다는데.'

탁. 탁. 화가 났는지 온은 앞발로 바닥을 두드려 댔고, 홍은 꼬리로 연신 바닥을 쳤다. 왜 돌탑으로 거짓말을 했냐는 화의 표출이었으나, 한스에게는 그 신호가 잘못 갔다.

"아이구, 우리 고양이님들. 맛있는 간식 들고 올게요! 공자님, 갔다 와도 되겠습니까?"

"계속 나가 있어도 돼."

"빨리 다녀오겠습니다!"

한스는 빨리 다녀온다고 말하면서도 착실히 가져온 짐 정리부터 했고, 정리가 끝나자 아주 빠른 속도로 케일의 방을 나가 버렸다.

"론, 자네도 가서 쉬어."

방에는 아직 론이 남아 있었다. 그는 케일을 보며 한껏 인자한 미소를 지어 보였다.

불길한데. 케일은 저 노인네의 미소가 참으로 싫었다. 웃을 때 더 불안한 인간이었다. 론은 케일이 앉아 있는 소파로 다가오더니 입을 열었다.

"최한 님이 이틀 뒤에 떠나는 겁니까?"

"그렇지."

무심히 대답하던 케일은 문득 든 생각에 슬쩍 미소를 지으며 물었다.

"왜? 떠나보내기 싫어? 론도 함께 가고 싶은 건가?"

론의 인자한 미소가 더 짙어졌다.

"제가 어찌 도련님을 두고 가겠습니까. 전 도련님 곁이 좋습니다."

소름 돋았다.

"다만 최한 님과 함께 간다면 더 좋았을 거란 아쉬움이 들어서였습니다. 그 전에 대화를 많이 나눠야겠습니다. 비크로스가 꽤나 아쉬워하겠군요."

하지만 이어진 론의 말에 케일의 안색이 조금 밝아졌다. 그간 귀찮아서 신경을 쓰지 않고 있었는데 그럭저럭 론, 비크로스, 최한 세 사람 사이에 어느 정도 정이 생긴 듯했다.

최한이야 떨떠름해 했지만 정말로 싫은 이라면 대화 자체를 나누지 않았을 것이다. 케일은 자신의 계획을 떠올리며 의뭉스러운 미소를 지었다.

"뭐, 수도에서부터는 계속 셋이서 자주 보면 되지. 같이 다닐 텐데."

그렇게 셋이서 이 왕국을 벗어나 로잘린의 왕국으로 가는 거야. 어때? 좋지?

뒷말을 속으로 삼키며 케일은 음흉하게 미소 지었고, 론은 더 인자하게 미소를 지으며 케일의 말에 답했다.

"수도에서 최한 님까지 모두와 함께할 시간이 기대되는군요. 모두

가 무사히 수도에 도착하는 것이 이 노인네의 바람입니다."

케일은 저 말을 그대로 믿지 않았다. 기대된다느니, 무사히 도착하는 것이 바람이라느니, 그런 감정이 통할 노인네가 아니었다.

고양이들 역시 마찬가지인 듯 론을 보며 콧방귀를 꼈다. 매일 틈만 나면 케일 몰래 자신들도 다 아는 기본 암살 기술을 가르치려 드는 론이 귀찮은 온과 홍이었다.

"……나가봐."

케일은 힘없이 인자하게 웃고 있는 론을 내보냈다.

"한스 거짓말쟁이!"

"집사를 믿었는데!"

케일은 그제야 말을 쏟아내며 분노를 터뜨리는 고양이 남매를 외면하며 창밖을 내다봤다.

'심장의 활력'. 그 완성되지 못한 돌탑이 있을, 퍼슬시 외곽의 동굴 방향을 응시했다. 그 동굴에는 작은 집이 있을 것이다.

'150살까지 살았다고 했던가?'

노환으로, 자연히 수명이 다해 죽은 고대의 인간이 남겨놓은 힘. 죽은 인간은 스스로의 힘이 저주라고 생각했다.

케일은 자리에서 일어섰다. 그는 대충 옷을 정돈하고는 문을 벌컥 열었다.

"아이구야!"

하필 문 바로 앞에 한스가 있었다. 육포를 한가득 품에 안고서 달려온 부집사에게 케일은 무심히 말했다.

"돌탑 보러 가자."

고양이들의 귀가 들썩거렸다. 케일은 언제 화가 났냐는 듯 도도도 달려오는 고양이 남매를 보며 속으로 픽 웃고는 함께할 인원을 정했다.

"인원은 최한과 우리만이다. 아, 온과 홍도 데려가고."

150살까지 살다 죽은 인간은 바람이 모이는 동굴에 돌탑을 쌓길 원했다.

'저번엔 나무더니, 이번엔 바람인가?'

사방에서 모이는 바람으로 거친 소용돌이가 휘몰아치는 그 정중앙. 노인은 태풍의 눈과 같은 곳에 돌탑을 쌓기 위해 100년이 넘게 애썼다. 하지만 실패한다.

아니, 늘 성공을 목전에 두고 노인은 돌탑을 부쉈다. 그렇게 반복하다가 중간 지점까지 쌓은 어느 날 죽고 만다.

도대체 그 고대의 노인은 무슨 소원을 바랐던 것일까?

딱히 케일이 알 바는 아니었다. 그는 다만 지금 돌탑을 보러 밖으로 가면서 몇 가지를 유심히 살펴볼 작정이었다.

그것은 돌탑과 사람이었다.

'이왕 쌓는 거 멋있게 쌓아야지.'

내일 돌탑을 쌓아야 할 일이 생기니, 거 때깔 한번 곱게 돌탑을 쌓을 생각이었다. 그리고 혹시 모르니 돌탑 유적지에서 미리 봐둬야 할 인간들도 있었다.

잠시 뒤, 케일은 고양이 두 마리와 최한, 한스와 함께 돌탑 유적지 입구에 도착했다. 마차도 끌고 오지 않았다. 케일은 햇볕이 싫다며 모자를 쓴 상태였다.

'역시 아직은 여기에 있군.'

그는 유적지 입구에서부터 이곳을 찾은 목적 중에 하나인 사람들을 볼 수 있었다. 케일은 몸을 은근슬쩍 최한과 한스 뒤로 숨겼다.

꽤 멀찍이 떨어진 곳에 평범한 옷차림의 남자와 여자가 있었다. 다만 남자는 휠체어를 타고 있었다. 여자는 휠체어를 뒤에서 밀어주며 남자와 함께 유적지 입구이자 출구를 빠져나오고 있었다. 그들은 케일의 은밀한 시선을 모른 채, 여유로이 유적지를 벗어났다.

남자는 고개를 살짝 뒤로 돌리며 여자에게 물었다.

"웬일로 네가 여길 오자고 한 거야?"

"무슨 신의 계신지 개소린지, 며칠째 밤마다 꿈자리 뒤숭숭하게 자꾸 꿈에 나오길래 와봤어. 우리 미래의 은인이 나타난다고 여길 가보라고 하잖아. 자기도 오늘을 제외하면 어떻게 행동할지 알 수 없는 인간이라고."

"신이 예측할 수 없는 인간도 있어?"

"모르지. 신이 하는 소리 중 반은 개소리야. 개소리."

숏컷으로 자른 갈색 머리칼의 여자는 한껏 귀찮음을 담은 표정으로 툴툴거렸다.

"개소리라니. 신의 말씀이야. 그리고 말씀을 들을 수 있다는 건 비밀 아니었나?"

답하는 남자는 스텐 후작가의 버려진 장남, 테일러 스텐이었다.

"퍼슬시에는 신관도 없는데, 뭐. 그리고 말씀은 무슨. 신이 밥 먹여주냐? 우리 같은 처지의 사람에게 은인이 생긴다니. 말도 안 되지. 배고프다. 밥 먹으러 가자."

귀찮은 표정의 여자는 테일러의 친우이자 후에 미친 신관이라 불릴 케이지였다. 테일러는 심각한 얼굴로 친우의 말에 답했다.

"케이지, 나 갑자기 심각하게 맥주가 끌리는데."

"와씨, 나는 훈제 돼지가 끌렸는데."

심각한 얼굴로 둘은 서로를 바라봤다. 테일러는 손가락으로 앞을 가리키며 케이지에게 진중히 말했다.

"훌륭한 조합이네. 가자. 끌어. 내가 쏜다."

"아이구, 쏜다니! 이 신관, 성심성의껏 친절히 모시겠습니다."

두 사람은 웃으며 함께 앞으로 나아갔다.

케일은 멀찍이 떨어져 있어 그들의 대화를 들을 순 없었지만, 절박한 상황임에도 유쾌하게 웃는 두 사람의 얼굴을 유심히 머릿속에 새겼다.

'얼굴은 기억했고.'

이제 피해 다니기만 하면 된다. 저들은 자신을 모르니, 자신만 피하면 될 일이었다. 물론 저들을 위한 새로운 희망은 몰래 전해줄 생각이다. 상대가 모르게 몰래 하는 것. 용을 통해 배운 교훈이었다.

'신이 할 일 없어서 저들에게 내가 누군지 가르쳐 주지 않는 이상, 날 알아볼 리 없어.'

자신의 정체를 아는 건 불가능하다는 소리다.

이 얼마나 속 편한 상황인가. 진작에 몰래 했어야 했다. 케일은 유쾌한 기분에 가벼워진 발걸음으로 유적지 안에 들어섰다.

곳곳에 기도하는 사람들이 있었다.

그때 한스가 은근슬쩍 다가와 케일에게 귓속말을 전했다.

"방금 전에 스텐 후작가 장남을 보았습니다."

"……네가 그 사람을 어떻게 알아?"

케일은 진심으로 놀랐다. 한스는 씩 웃더니 제 눈을 가리켰다.

"웬만한 대귀족 자제에 대한 정보는 모두 이 머릿속에 있습니다.

휠체어를 타고 가는 남자가 보이더군요. 대동한 이가 한 사람뿐이라 이상했지만, 휠체어에 붉은 뱀 문양이 그려져 있기에 확신했습니다."

"한스."

"네."

"넌 유능하지 않은 듯 유능하구나."

"제가 좀."

한스는 어깨를 으쓱이며 뿌듯한 표정으로 보고를 마쳤다. 그리고 물었다.

"어떻게 하실 겁니까?"

케일은 왼쪽 얼굴이 뜨거워져 시선을 돌렸다. 최한이 쳐다보고 있었다. 케일은 고개를 가로저으며 두 사람에게 말했다.

"무시해."

두 사람은 군말 없이 고개를 끄덕였다. 그러고 나서야 본격적인 관광이 시작되었다. 그리고 돌탑의 규모에 케일은 놀라고야 말았다.

"생각 이상으로-"

케일의 표정이 떨떠름해졌다.

"해괴한 모양들이 많은데."

케일은 고대의 미의식을 이해할 수 없었다. 그냥 산처럼 쌓인 돌탑을 예상했으나, 별별 모양의 돌탑이 다 있었다.

약간 기괴하다고 해야 할까. 아름다워 보이지는 않았다. 케일이 슬쩍 시선을 옆으로 돌려 한스의 품에 안긴 고양이들을 쳐다봤다. 상당히 실망한 표정이었다.

하지만 생각 이상으로 진지한 사람도 있었다. 최한은 다른 이들처럼 고개를 숙인 채 무언가를 기도했다.

'보나 마나 고향으로 돌아가고 싶다는 것이겠지.'

최한은 행복한 가정에서 자란 인물이었다. 케일과는, 김록수와는 달랐다. 행복한 가정에서 선한 영향력을 받으며 커온 인물. 그렇기에 그는 절망적인 상황에서도 끝까지 살아남았고, 선할 수 있었다.

케일은 최한의 모습을 무미건조한 눈빛으로 바라봤다. 그때 최한이 고개를 들더니 케일을 쳐다봤다.

"케일 님."

"어."

"제가 하나 묻고 싶은 것이 있고, 또 하나 보고드릴 것이 있습니다."

케일은 왠지 느낌이 싸했다.

"일단, 묻고 싶은 것부터 물어봐."

최한은 무슨 생각을 하는지 넓은 평원 곳곳에 쌓인 돌탑들을 바라보며 입을 열었다.

"케일 님은 소원 안 비십니까?"

또 뭘 묻는다고. 케일은 흘러가듯이 답했다.

"난 소원 같은 건 안 빌어."

"왜요?"

"기대를 갖게 되잖아."

최한도, 한스도, 고양이들도 케일을 바라봤다. 케일은 최한이 그랬듯 돌탑들을 물끄러미 쳐다봤다.

"기대 없이 사는 게 속 편해."

백 원을 기대하고 복권을 긁었다가 오백 원이 나오면 기분이 좋지만, 1등 생각하고 긁었다가 오백 원이 나오면 세상이 그러면 그렇지 싶고 짜증 나는 법이었다.

툭. 케일이 팔을 툭 건드는 느낌에 시선을 돌리니, 부집사 한스가 씩 웃으며 입을 열었다.

"공자님, 아시는군요. 세상은 꿈도 희망도 없는 법이죠."

"……넌 그냥 관광이나 해라."

"네!"

한스는 힘차게 답하며 어딘가 허무한 표정의 고양이들을 데리고 앞장섰다. 그 뒤를 케일이 설렁설렁 따라 걸었는데, 최한이 옆에 따라붙더니 한스에게는 들리지 않을 작은 목소리로 말했다.

최한은 아직 보고를 하지 않았다.

"사실 용이 성안으로 들어왔습니다."

"모른 척."

"네."

케일은 괜히 주위를 한 번 둘러보았다. 투명화한 것인지 용은 보이지 않았다. 그의 눈에는 기이해 보이는 돌탑에 기도하는 사람들만이 보였다. 돌탑 축제는 멀었건만 사람들이 꽤 많았다.

이윽고 케일의 시선은 넓은 평원 위 돌탑들이 있는 곳과는 반대 방향으로 향했다.

퍼슬시에서 가장 부유한 이들이 사는 곳, 부촌. 그 부촌의 뒤에 자리한 작은 산. 그 산 어딘가에 150살까지 천수를 누리고 살았던 이의 무덤이 있었다.

다음 날, 케일은 그 무덤으로 출발하고자 했다. 물론 들러붙으려는 인간과 이종족을 다 떨어뜨려야 했기에 딴말이 튀어나오지 않을 한 사람만 지정했다.

"최한만 데리고 간다."

가장 강하고 고지식해 보이는 최한. 그를 호위로 붙이자 부단장도, 한스도 별다른 말을 하지 않았다.

다만 부단장은 미간을 찌푸린 채 훈련을 해야 한다며 기사들을 들 볶았다. 아침 댓바람부터 연무장으로 향하는 그들을 질린 얼굴로 보던 케일에게 한스가 한마디 말을 남기고 사라졌다.

"고양이님들은 제가 맡겠습니다."

케일은 한스의 신이 나서 들썩이는 뒷모습을 외면하며 여관 밖으로 향했고, 그 뒤를 최한이 따랐다.

"오늘도 어떤 일을 하시는 겁니까?"

"오늘도라니. 누가 보면 내가 매일 무슨 일을 저지르는 줄 알겠어?"

최한은 대답하지 않았다. 케일은 그 반응을 신경 쓰지 않고 부촌 뒤의 산으로 향하며 말을 이었다.

"저 앞에 보이는 산에 갈 일이 있어. 넌 산 입구에서 기다리면 돼."

"알겠습니다."

최한은 다른 말 없이 알겠다고 답했다. 케일은 그의 이런 면이 편했다. 최한은 케일에게 별다른 의문을 드러내지 않았다.

케일을 따르는 것 같지만, 따르는 이에 대해 궁금해하지 않는 것.

아마 자신이 마음만 먹으면 다 알아낼 수 있다는 생각에, 그리고 케일이 무슨 짓을 해도 자신은 위험하지 않다는 생각에서 나올 수 있는 행동일 것이다.

어느 도시를 가나 볼 수 있는 부촌을 지나 작은 산에 도착한 케일은 산 입구에서 최한의 부름에 걸음을 멈췄다.

"케일 님."

"어."

"저는 내일 떠납니다."

"알아. 내가 그때 가라고 했다만?"

최한은 산 입구에서 껄렁껄렁한 자세로 서 있는 케일과 시선을 마주했다. 호위로 최한이면 충분하다고 말하는 사람. 최한은 그 사람을 바라보며 요즘 늘 생각하고 있는 것에 대해 떠올렸다.

지키는 것.

그의 머릿속을 채우는 생각거리였다.

"떠나기 전에 고민했습니다만, 말씀드려야 할 부분이 있습니다."

어제 용에 대한 보고는 사실 진정으로 하고 싶었던 보고가 아니었다. 최한은 잠시 망설이다가 케일 쪽을 직시하며 입을 열었다. 그의 시선은 케일의 어깨 너머 산 초입의 한 나무 위를 향해 있었다.

"론 씨는 위험한 사람입니다."

앞뒤도 없이 갑자기 날아온 직구에 케일은 순간 당황했다. 아는 척할까, 모르는 척할까.

곧 답은 정해졌다. 케일은 이런 질문은 예상 못 했지만, 평온하게 반응했다.

"그래?"

"안 놀라십니까? 그에게서는 위험한 피 냄새가 납니다. 강한 사람이고, 피를 많이 묻히고 산 사람입니다. 처음에는 케일 님도 아시면서 론 씨를 곁에 두는 줄 알았습니다."

하지만 알았다면 용을 구할 때 론을 데리고 갔을 것이다. 그러나 케일은 그러지 않았다. 이는 론의 힘을 모르거나 혹은 론을 믿지 못한다는 말이었는데, 13년 동안 함께하고 계속 곁에 두는 이를 못 믿을 리 없었다.

결론은 론의 힘을 모른다로 날 수밖에 없었다.

"하지만 케일 님도, 다른 분들도 론 씨에 대해서 모르는 것 같더군요."

최한은 나름대로 고민을 많이 했다. 사실 어제 케일이 아무것도 기대하지 않는다는 말에 론의 이야기가 입 밖으로 나오지 않았다. 하지만 오늘 호위로 자신을 택한 케일의 모습에 최한은 양심이 찔려 왔다.

"그래서 케일 님께는 말씀드려야 할 것 같았습니다."

"그래? 론이 강한 줄은 몰랐네."

최한은 심드렁한 케일의 반응에 되물었다.

"계속 그냥 곁에 두실 겁니까? 음습한 힘을 지녔습니다."

케일은 최한의 말에 코웃음을 쳤다. 계속 곁에 두기는. 수도에 도착하면 당장 최한에게 보내 버릴 작정이다.

"너나 론이나."

"네?"

"위험한 힘을 지녔다면서, 너는 왜 론을 그대로 두는 거지?"

"그건 당연히—"

최한은 순간 할 말이 없어졌다.

"너한테 아무 짓도 하지 않았기 때문이겠지."

그는 이어진 케일의 말에 반박하지 못했다. 초반에 오해를 하고 잠시 짧은 공방이 있었지만, 그 뒤에 최한에게 검을 구해다주고 해리스 마을 일 처리를 도와준 이가 론이었다.

케일은 말없는 최한을 물끄러미 바라봤다.

론은 최한뿐만 아니라 누구에게도 아무 짓도 하지 않았다. 다만 케일에게 가끔씩 레모네이드를 주었지만, 토끼 고기를 가지고 놀렸지만, 그 정도야.

"13년 동안 론은 내 시종이었어."

론은 어찌 되었든 시종으로서의 역할에 충실했다. 권위 의식이 강한 부단장은 시종 론이 케일 바로 옆에서 어깨를 펴고 당당히 걸어도 화를 내지 않았다. 부집사 한스도 론이 제 일을 대신해도 화내지 않았다.

능력 있고 가문에 헌신했기 때문이다.

"넌 론을 싫어하나?"

잠시 고민하던 최한이 고개를 가로저었다.

"아닙니다."

"그럼?"

"위험한 사람이라는 사실을 알아두면 좋지 않을까 해서, 보고를 하고 싶었을 뿐입니다."

"너나 론이나."

다시 한번 똑같은 말에 최한이 케일을 바라봤다.

"나한테는 똑같아. 그렇게 따지면 너도 위험하지."

케일은 무표정한 얼굴로 최한을 보며 말했다.

"너도 강하잖아."

"아."

최한이 탄성을 흘렸다. 그 탄성의 이유는 몰랐지만 케일은 이어 말했다.

"나한테는 다 비슷비슷하니까."

동대륙에서 넘어온 론은 이유는 알 수 없지만 정체를 숨기며 살아가고 있다. 그런 그가 백작가의 아들을 건든다? 왕국이 시끄러워질 일이었다.

론. 따뜻한 정도 무엇도 없는, 오로지 자신만, 그리고 아들만 생각하는 이가 뭐 하러 그런 짓을 하겠는가.

다만 위험한 노인네라 케일이 겁을 집어먹을 뿐이었다. 심신 안정을 위해 후딱 치워 버리고 싶을 뿐이었고.

"내 시종인 이상, 론은 시종일 뿐이야. 네가 밥값 할 최한이듯."

케일은 시계를 확인했다. 동굴의 바람은 시간에 따라 달랐다. 서둘러야 했다.

"이제 할 말 없지? 간다. 따라오지 마라."

최한은 대답 없이 살짝 고개를 숙여 인사하는 것으로 답을 대신했다. 케일은 그 모습에 뒤도 돌아보지 않고 작은 산으로 향했다.

최한은 케일의 모습이 더 이상 보이지 않게 되었을 때쯤 산의 초입에 자리한, 아까 전부터 이따금씩 시선을 두었던 나무를 보며 입을 열었다.

"들었겠지?"

나무에서 론이 가뿐히 내려섰다. 그는 최한을 노려보며 입꼬리를 비틀어 올렸다. 퉁명스러운 목소리가 론의 입에서 흘러나왔다.

"내가 업어 키운 놈이야."

더 말할 필요 없는 진실이었다.

최한은 케일이 들어섰던 길 앞에 서며 론에게 말했다.

"여기서부터는 케일 님이 따라오지 말라고 하셨다."

"안다, 이 녀석아."

론은 미련 없이 산에서 등을 돌렸다. 묘족 아이들도 두고 최한과 단둘이서만 간다기에, 변덕 삼아 와본 론이었다.

"괜히 왔어."

늙으면 변덕만 는다더니. 변덕이 몹쓸 놈이었다. 왔던 때와 달리 론은 느릿한 걸음으로 숙소로 향했다. 최한은 그 모습을 지켜보며, 케일이 내려올 때까지 있을 심산으로 근처 바위에 걸터앉았다.

케일은 작은 언덕과 비슷한 산의 등산로 밖에 위치한 동굴 앞에 섰다. 동굴의 입구는 덩굴로 가려져 자세히 보지 않으면 확인할 수 없었다.

"아, 진짜."

케일의 미간이 찌푸려졌다.

동굴의 입구가 상당히 작았다. 그는 자신의 옷을 훑어보았다. 가볍게 입고 왔지만 치렁치렁했다.

"하아."

깊은 탄식과 함께 케일은 동굴 안으로 기어 들어갔다. 사람 먹는 나무도 그렇고, 고대의 힘과 관련된 것들 중에 제정신인 것이 하나도 없다고 케일은 확신했다.

동굴 입구 땅에 케일이 기어 들어간 자국이 남았다. 잠시 뒤, 그 자리에 작은 파충류의 발자국이 남겨졌다.

케일은 한 5분가량 기어 들어가자 점점 동굴 안이 넓어지는 것을 확인할 수 있었다.

'테일러도 꽤 많이 간절했나 보네. 하반신 마비인데 여길 기어서 들어오다니.'

스스로의 힘으로 돌탑을 쌓아야 하기에 장남 테일러는 이곳에 와야 했다. 입구에서 여기까지의 길이 케일에게는 5분이었지만 테일러에게는 더 긴 시간이었을 것이다.

케일은 넓어진 공간에 다시 일어서서 동굴 안쪽으로 향했다. 그럴수록 그의 귓가로 소리가 들려왔다.

휘이이잉. 휘이이잉.

바람 소리였다. 안으로 들어갈수록 바람이 서로 부딪치면서 나는 소리가 점점 커져갔다. 이내 케일은 움막이었을 것으로 예상되는 터와 기둥을 발견할 수 있었다.

이를 한 번 시선 주는 것으로 끝낸 케일은 더 안쪽으로 들어갔다.

휘이이잉.

바람 소리는 더욱더 거세졌다. 쾅, 쾅. 바람이 마치 거대한 주먹처럼 동굴과 부딪치는 소리도 연신 들려왔다. 케일의 발걸음이 빨라졌다.

'바람이라. 나중에 '바람의 소리'를 얻으면 이런 소리가 나려나.'

방패, 다음은 치유, 그다음은 빠른 발을 계획한 케일이었다. 다음으로 얻어야 할 고대의 힘을 떠올리던 케일은 마침내 걸음을 멈췄다.

스스로 멈춘 것이 아니라, 멈춰졌다.

"이야."

이거 상상 이상인데.

거대한 지하 공간이 케일의 눈앞에 나타났다. 그와 동시에 매서운 바람의 소용돌이가 그의 시야를 가득 채웠다.

쾅, 쾅!

바람의 소용돌이에 동굴 벽의 돌들이 조금씩 떨어지고 있었다. 바닥에는 그렇게 떨어져 쌓인 돌이 수북했고, 그에 이 공간이 계속 넓어지고 있음을 깨달을 수 있었다.

케일은 한 발만 내디디면 닿을 거대한 지하 공동과 자신이 걸어온 통로의 경계를 바라봤다. 공동 안으로 들어서면 바람에 의해 밀려날 것이다. 아니, 밀려나는 정도가 아니라, 저 바람에 휩쓸리면 동굴 벽에 부딪쳐 크게 다칠 것이다.

그만큼 거센 바람이었다.

"음."

물론 소용돌이의 중심은 태풍의 눈처럼 고요할 것이다.

'케이지의 도움이 없었다면 테일러는 이 힘을 얻는 것이 거의 불가능했겠군.'

일주일간 고생했다던 두 콤비의 상황이 이해되었다. 하지만 케일의 입꼬리는 씰룩이며 위로 향했다. 이제부터 시간 싸움이었다.

그는 거침없이 지하 공동, 거대한 바람의 소용돌이 안으로 발을 내디뎠다. 케일의 붉은 머리칼이 휘날리기 시작하고, 그의 옷들이 거침없이 펄럭였다.

그와 동시에.

"아, 안 된다! 다친다! 너는 엄청 약하다!"

다급하게 외치며 통로 뒤편에서 용이 나타났고.

또한 그때.

"······어?"

용의 눈앞에 몸을 가릴 만큼 큰 방패와 거대한 은빛 날개가 나타나 케일을 감싸고 있었다.

성스럽다는 말이 어울릴 만큼 빛나는 은빛으로 둘러싸인 케일은 거대한 방패가 바람을 막아주고, 방패로부터 시작된 양 날개가 그의 몸을 둥그렇게 감싸 안전했다.

케일은 뒤를 돌아보았다. 눈을 동그랗게 뜨고 굳은 용이 보였다.

"너, 뭐야?"

검은 용은 아무 말도 할 수 없었다. 대신 터덜터덜 통로로 기어 들어갔다. 케일이 기가 찬 표정으로 그 뒷모습을 바라보고 있을 때 거친 바람을 뚫고 작은 목소리가 들려왔다.

"······지나가던 길이었다."

"쯧."

케일의 혀 차는 소리에 검은 용의 등이 들썩거렸으나, 케일은 그 모습을 신경 쓰고 있을 틈이 없었다. 동굴의 바람은 3시간을 주기로 그 강도가 강해졌다가 약해졌다가를 반복한다. 지금은 바람의 세기가 약해지는 시점이었다. 물론 중심으로 갈수록 강해지겠지만.

휘이이잉.

"무시무시하네."

강도가 약하다기에는 바람은 지금도 충분히 강했다. 150년을 산 노인은 이 강한 바람을 뚫고 돌탑에 다가갔다고 했다.

케일은 시선을 다시 동굴의 중심으로 돌렸다. 거대한 지하 공간.

소용돌이 중심에는 어떠한 바람도 불지 않는 듯, 반쯤 쌓인 돌탑이 있었다. 그리고 그 옆에 돌들이 널브러져 있었다.

'저 돌들을 도로 쌓아야 하는데.'

저기까지 가는 게 문제지, 저기서 돌을 쌓는 건 쉬웠다.

케일은 자신의 앞을 지키는 방패와 방패로부터 뻗어져 나와 자신을 감싼 날개를 한 번 훑어본 후, 걸음을 내디뎠다.

탕, 탕. 거친 바람이 방패와 부딪쳤다. 반투명한 은빛 방패임에도 실제로 존재하는 듯한 소리가 났다. 그 소리에 통로 쪽에서 등을 돌리고 있던 검은 용이 슬쩍 뒤돌아 케일을 바라봤다.

"……약한데."

용이 본 케일은 방패와 날개로 바람을 막고 있었지만 한 발 한 발 꽤 힘겹게 내딛고 있었다. 방패와 날개로 막지 못한 바람이 그의 옷을 펄럭였다. 그리고 방패 아래로 새어 들어온 바람이 그의 발걸음을 잠시 멈추게 만들기도 했다.

하지만 케일은 한 발 한 발 내디뎠다. 그리고 용의 눈엔 보였다.

케일은 웃고 있었다.

저 거센 바람의 소용돌이에 비하면 하찮은, 같이 다니는 고양이들보다도 약하디약한, 같이 다니는 일행 중에서 가장 약한 인간이 바람을 뚫으며 웃고 있었다.

용은 저런 은빛 방패를 본 적이 없었다. 저런 날개도 본 적이 없었다. 용은 자신의 날개를 바라봤다. 이것과는 달랐다. 굉장히 아름다웠다. 저 힘은 무엇일까 궁금했다.

하지만 용은 화려하고 성스러운 방패보다 웃고 있는 케일을 가만히 응시했다.

그리고 그 시선의 당사자인 케일은 입꼬리를 히죽 올렸다.

'할 만해. 편하네.'

바람 때문에 걸음이 조금 힘겹고 느려졌지만, 이 정도면 아주 편했다. 비크로스가 한때 제 아버지 론에게 검술을 배우겠다고 했다가 죽을 뻔했던 것에 비하면 이 얼마나 손쉽게 힘을 얻는 것인가.

역시 무슨 이득이든 고생 안 하고 편하게 얻는 게 최고라는 것을 케일은 다시 한번 깨달았다.

부서지지 않는 방패를 사용할 땐 신체적으로나 정신적으로 무리가 가는 부분은 없었다. 다만 방패가 부서졌을 때, 그때 잠깐 무리가 오겠지만 지금은 부서질 강도는 아니었다.

'밀려나지.'

방패는 바람에 앞으로 못 나아가고 밀려날 뿐 부서지지 않았다. 사실 케일은 몇 번이고 밀려날 것을 예상하고 왔다. 그래서 처음에 방패의 강도를 줄이고 크기를 확대했다. 그 뒤 밀려나면 차츰 차츰 방패의 크기를 줄일 생각이었다.

그런데 생각보다 이 방패가 일을 잘했다. 케일은 그 사실이 조금 꺼림칙했지만, 소용돌이 중심까지 거리가 반 정도 남았을 때 딴생각들은 지웠다.

중간 지점에 도달했을 때쯤 목소리가 들려온다고 했다. 책에서는 노인의 진중한 목소리라 표현했다. 케일은 그 목소리를 기다렸다. 그때를 기점으로 소용돌이가 강해질 테니까.

―나는 후회한다.

목소리가 들려왔다. 그런데 조금 이상했다.

―크흡, 나는 후회한다.

울먹이는 노인이다.

"쯧쯧."

케일은 혀를 찼다. 이놈의 고대의 힘은 정상인 게 없다. 테일러는 이걸 왜 진중하다고 생각했을까. 그 녀석의 생각도 이해할 수 없었다.

하지만 케일은 혀를 차던 것을 멈추고 잠시 멈춰 섰다.

–익숙한 힘을 지닌 자여, 나는 당신이 이 힘을 가지지 않기를 바란다.

"음?"

익숙한 힘을 지닌 자라고? 케일의 귀를 사로잡은 말이었다. 그와 동시에 바람이 더욱더 거세게 지하 공동을 휩쓸었다.

탕, 탕, 탕. 투명한 방패에 바람이 더욱더 세게 부딪치며 소리를 냈다. 하지만 케일의 표정은 그것을 염두에 두는 표정이 아니었다. 선명한 적발이 거센 바람에 휘날렸다.

'부서지지 않는 방패를 말하는 건가?'

익숙한 힘이라는 단어에 케일이 떠올릴 수 있는 것은 이 방패뿐이었다. 책 속에서 이 노인은 테일러에게는 이런 말을 하지 않았다.

'이 방패 힘을, 이 힘의 주인을 아는 건가?'

케일의 머릿속 생각들이 빠르게 돌아가기 시작했다. 하지만 일단 케일은 앞으로 향했다. 이제 바람은 방패를 미는 정도를 넘어섰다.

–나는 동료들을 배신한 것과 다름없다. 나는 못난 놈이었다! 크흡, 나는 혼자 살아남아 늙어갔다. 이 얼마나 추하단 말인가!

한 발 한 발 꽤 힘겹게 내딛는 케일에게 노인의 목소리는 이따금씩 들려왔다.

–나는 늘 바랐다. 모두가 살아나기를. 하지만 내 바람은 이미 이

루어질 수 없는 것. 비통하고 비통할 뿐이다! 그래서 나는 탑을 완성할 수 없었다.

"거참, 시끄럽네."

케일은 노인의 한탄 어린 목소리가 걸리적거렸다. 진중하기는커녕 죽을 동 말 동한 목소리로 우는 소리를 냈다. 케일이 딱 싫어하는 스타일이었다. 맛 평론하는 사람이 나왔다.

그는 뒤로 살짝 밀려나려는 몸에 중심을 잡고 다리에 힘을 주었다. 한 발을 내딛자 다시 목소리가 들려왔다.

─재생의 힘은 쓸모가 없다. 나를 지키는 것만 가능할 뿐. 무엇도 도움이 되지 못한다. 나는 버려지다!

케일은 머릿속을 울리는 한탄을 무시했다. 그에게는 자신을 지킬 수 있는 힘이 가장 중요했다. 버려지면 어떤가. 살아남으면 장땡이다.

이제 다섯 걸음. 바람의 중심이 멀지 않았다.

쿵. 쿵. 쿵.

가볍게 부딪치던 바람의 소리가 강해졌다. 마치 인간이 주먹을 쥔 채 방패를 향해 내려치는 것 같았다.

'부서지겠는데.'

케일은 이 강도라면 방패가 부서질지도 모르겠다는 생각이 들었다. 단순히 밀려나는 것보다 더 안 좋은 상황이 가능할 듯했다. 그는 이 바람에 베일 수도 있겠다는 생각이 듦과 동시에 한 가지를 깨달았다.

─바람이 날카로운 검날처럼 내 몸을 베어가도 나는 죽지 않았다.

고대의 힘 주인들은 참 말이 많다는 점이었다.

케일은 곧바로 몸을 웅크리며 방패의 크기를 줄였다. 쿵. 쿵. 작아진 방패는 면적이 줄었지만 강도가 올라갔다. 더 강해진 바람의 힘을 막아내고 있었다.

케일은 투명한 방패에 손을 뻗었다. 방패 안쪽의 투명한 손잡이를 잡고서, 케일은 앞으로 나아갔다.

한 걸음.

-재생은 저주받은 힘이다.

두 걸음.

-내 심장은 늘 뛰었다. 그러나 나는 뛸 수 없었다.

세 걸음.

-죽음이 두려웠기 때문이다.

네 걸음.

-늘 다쳤기에 아픔이 두려웠고, 그 아픔의 끝인 죽음은 더 두려웠다.

그리고 마지막.

케일은 마지막 다섯 걸음을 내디뎠다.

쏴아아-

마치 비가 내리는 듯한 소리가 들리며, 케일은 바람이 없는 공간으로 들어섰다. 태풍의 눈. 그 고요한 공간 밖에서 수많은 바람의 소리가 휘몰아쳤다. 그 소리와 한 많은 노인의 목소리가 들려왔다.

-난 신념을 버리고 사는 것을 택했다.

그 말을 마지막으로 노인은 더 이상 말하지 않았다.

"쯧."

신념이고 나발이고 사는 게 먼저지. 쓸데없는 말이 많은 노인네였다. 케일은 혀를 차며 방패를 다시 심장으로 돌려보냈다. 그를 감싸던 은빛이 순식간에 사라졌다.

그는 반만 쌓인 돌탑으로 다가갔다. 그리고 그 앞에 쭈그리고 앉았다.

평범한 돌탑이었다. 어느 산 정상에 가면 있을 법한, 그렇게 대충 돌을 쌓아놓은 모양새였다.

다만 그 돌이 모두 시꺼멨다. 사람 먹는 나무처럼. 고대에서부터 견뎌온 돌은 다른 돌들과는 달랐다. 이 바람처럼 말이다.

"에이."

미의식을 발휘하려던 케일의 표정이 싱거워졌다. 그는 귀찮음을 한가득 드러낸 채 주머니에서 장갑을 꺼내 끼고는 돌들을 주워 돌탑을 마저 쌓아갔다.

탁. 탁. 탁. 돌들이 척척 돌탑들 위에 올려졌다.

오랜 시간이 걸리지도 않았다. 테일러도 이 과정은 아주 수월하게 해냈다. 다만 여기 들어오지 않고 밖에서 기다리던 케이지가 죽을 맛이었으리라. 이 공간에서는 모든 고대의 힘이 그러하듯 홀로 해내야 했다.

"쉽네."

케일은 마지막 검은 돌을 집어 이를 돌탑 위에 살며시 올려놓았다. 그 순간이었다.

파아앗!

검은 돌들이 점점 하얗게 변해갔다. 그와 동시에 케일은 자리에 일어서서 주위를 둘러보았다.

바람이 서서히 가라앉고 있었다.

"……어?"

얼빵한 용의 목소리가 들렸지만 케일은 무시하고 바람이 모두 가라앉기를 기다렸다. 그리고 팔짱을 낀 채 노인의 목소리를 들었다. 그럴 수밖에 없었다.

─나는 그놈들과 싸우려 했다. 하지만 나는 아픔에 약한 인간이라는 것을 알지 못했다. 그들은 신을 모시는 자들이 아니었어. 나는 그걸 모두 뿔뿔이 흩어지고 홀로 감금이 되고 나서야 깨달았다.

노인이 하는 말들이 케일의 신경을 건드렸다. 부서지지 않는 방패의 주인이 했던 말이 떠올랐다.

'신을 모시는 자들이라면서 어둠의 숲 놈들이 나한테 준 건 늘 맛없는 거였어.'

촉이 왔다. 쓸데없는 것을 알아버린 것 같은 촉이.

왠지 방금 들은 것은 평생 홀로 알아야 할 것 같다는 강한 확신이 들었다.

케일의 미간이 더 깊은 주름을 만들어냈지만, 노인은 이어 말했다. 그 목소리는 오직 케일의 머릿속에서만 들리는 것으로, 용은 가만히 서 있는 케일을 보며 주춤거렸다.

─나는 돌을 쌓았네. 시간이 되돌아가길 바라는 마음으로. 행복해지고 싶다고. 하지만 나는 돌탑을 부쉈어.

─동료들을 버리고 도망가다 잡힌 주제에 결국 내 행복을 바라는 나의 이기적인 마음이 싫었네.

"후우."

케일은 깊은 한숨을 내쉬었다. 참 갑갑한 인간이었다. 그는 답답함에 말을 내뱉었다.

"이기적인 게 인간이야."

잠시 노인의 목소리가 뚝 끊겼다.

'끝났나?'

곧 상대가 마지막 대사를 할 것 같다는 생각에 케일의 표정이 밝아졌다. 하지만 이내 울먹이는 목소리가 들려왔다.

─크흡, 내 누이도 그런 말을 했었지. 정말 좋은 누이였는데. 누구보다도 듬직한 이였지. 크흡, 우리 누이. 크흐흑!

……운다.

"환장하겠네."

탁. 탁. 탁. 케일의 신발이 바닥을 신경질적으로 두드려 댔다. 짝다리를 한 케일의 자세는 상당히 불량했다. 하지만 한참을 울던 노인은 고마움을 표했다.

─익숙한 힘을 지닌 자여. 자네의 그 싸가지 없는 면이 내 형님을 떠올리게 하네. 그런 싸가지 밥 말아 처먹은 듯한 태도가 참 부럽구나.

그리고 마침내 테일러에게 했던 말, 케일이 기다렸던 말이 흘러나왔다.

─부숴라. 그러면 너는 네 한계를 '극복'할 것이다.

씩. 케일의 입꼬리가 올라갔다. 케일의 발이 바로 거침없이 돌탑을 차버렸다.

탕, 타앙, 탕!

날아간 하얀 돌이 바닥과 벽에 부딪쳤다. 지켜보던 용이 흠칫하며 케일을 이상한 놈처럼 쳐다봤지만 이내 나타난 광경에 용은 탄성을 흘렸다.

"와."

부서진 돌탑.

그 돌탑 아래에서 하얀빛이 둥실둥실 떠올랐다. 우우웅. 동굴을 울리는 얕은 진동이 케일의 발밑에서 느껴졌다. 떠오른 빛이 케일에게로 쏟아져 왔다.

케일은 손을 뻗어 그 빛을 잡았다. 그 순간.

파앗!

빛이 케일의 심장으로 화살처럼 쏘아졌다. 케일의 심장을 관통한 빛의 화살은 그대로 빛을 퍼뜨리며 이내 모습을 감췄다.

"후우."

케일은 깊은숨을 내쉬었다. 그는 이내 고개를 숙여 상의 안을 살짝 들여다봤다. 가슴에 그려져 있던 화려한 방패. 그 방패의 화려한 문양이 사라졌다.

대신 그 자리에 붉은 심장이 그려졌다.

케일은 곧바로 느낄 수 있었다. 몸 안에서 느껴지는 활력을.

이 활력이 방패를 더욱더 강하게 만들어줄 것이다. 그리고 다쳐도 일반인보다 몇 배는 빠른 재생력을 보일 것이다. 초능력인 방패와는 다른, 인간의 타고난 신체 힘이었다. 타고난 재생력이 오죽 강하면 고대의 힘으로 남아서 지금까지 전해졌겠는가.

케일은 방패를 펼쳤다.

"역시."

케일의 입꼬리가 올라갔다. 방패의 문양이 심장으로 변해 있었다. 다만 붉은색이 아닌 은빛이었다. 그는 방패를 사라지게 한 후 곧바로 걸음을 옮겼다.

"야."

그 걸음은 아무것도 모르는 척 천장을 쳐다보는 용에게 닿아 있었다. 케일은 쪼그리고 앉아 용을 빤히 쳐다봤다. 그는 무뚝뚝한 목소리로 호수에 돌을 던지듯 물어보았다.

"같이 다니고 싶냐?"

"……너는 보호가 필요할 정도로 아주 약하다. 하지만 인간은 싫다."

용은 그렇게 답하며 점점 몸이 투명해졌다. 투명화 마법을 쓴 것이다. 케일은 그 모습에 콧방귀를 꼈다.

"변덕스러운 놈."

모른 척한다면서 물어본 자신도 변덕스러운 인간이었지만 이 용도 만만치 않았다. 하지만 케일은 자신을 구하려고 뛰쳐나온 놈을 외면할 수는 없었다.

케일은 바람도 무엇도 없이, 하얀 돌만 남은 동굴 안을 무심히 쳐다보고는 뒤돌아 동굴 밖으로 향했다. 물론 나올 때도 기어서 나와야 했다. 그는 동굴을 나와 풀밭에 서서 덩굴을 원래 자리로 돌려놓았다. 동굴의 입구를 잘 가리기 위해서였다.

케일은 다시 걸음을 옮기기 전, 휙 뒤돌아서며 입을 열었다. 그의 시선은 잔디로 가득한 땅바닥으로 향해 있었다.

"풀 밟고 서 있는 거 다 보인다."

마치 네 발로 딛고 서 있는 듯 눌린 풀 자국이 네 개 보였다. 그러나 이내 사라졌다. 날아오른 것이리라. 케일은 고개를 절레절레 가로저었다.

'결국 식구가 늘었네.'

케일의 입에서 깊은 한숨이 절로 튀어나왔다. 용은 저렇게 투명화해서 계속 따라다닐 것이 불 보듯 뻔했다. 도대체 고위 마법인 투명화 마법은 할 줄 알면서 왜 저리 허술할까. 용이라고 다 똑똑한 줄 알았더니, 그건 아닌 듯했다.

산을 내려온 후, 기다리고 있던 최한과 만난 케일은 그의 떨떠름한 얼굴을 볼 수 있었다. 최한은 케일을 위아래로 훑어보더니 물었다.

"산에서 구르셨습니까?"

제길.

바람에 흐트러진 머리카락은 산발이었고, 돌과 흙바닥을 기어 다니느라 옷은 엉망진창이었다. 케일은 최한에게 단호히 말했다.

"어, 굴렀어."

최한이 안쓰럽게 케일을 쳐다봤다. 케일은 그 시선을 외면했다.

그리고 그날 밤, 케일은 고양이들에게 서신을 하나 전달하라고 지시했다. 마법으로 제작되어 필체를 알아볼 수 없는 편지지.

"몰래 놓아두고 와."

신관 케이지와 장남 테일러를 위한 새로운 희망이었다.

늦은 밤, 퍼슬시 외곽 작은 2층 집. 1층에만 불이 켜진 채 창을 통해 밖으로 빛을 뿜어내고 있었다.

그 집의 주인인 스텐 후작가 장남 테일러의 표정이 심각해졌다.

"왜 그래?"

"아 씨, 윽, 잠시만. 말시키지 마."

죽음의 신을 모시는 신관 케이지가 머리를 부여잡고 끙끙거렸다.

챙그랑.

그녀의 손에 들린 맥주잔이 바닥으로 떨어졌다. 테일러와 그의 사람 세 명이 그녀에게 다가갔다.

"왜? 또 신이 뭐라고 해?"

테일러는 안타까움을 담아 그녀를 바라봤다. 죽음의 신은 어느 순간부터 케이지에게 자신의 말을 이따금씩 전해왔다. 그녀는 이 사실을 신전에 숨겼고, 오로지 테일러와 그의 수족 세 명만이 이를 알고 있었다.

"아, 짜증 나!"

한참을 끙끙거리던 케이지는 벌떡 일어나더니 2층집 뒷문으로 향했다. 그녀의 걸음은 상당히 급박했다. 머리를 부여잡으며 비틀거렸지만 그녀의 시선은 정확히 뒷문을 향해 있었다.

테일러는 따라오려는 수족에게 가만히 있으라 손짓한 후 휠체어를 끌며 그녀의 뒤를 따랐다.

'누군가 침입한 것인가?'

작은 집이지만 이곳에는 침입자를 감지하는 알람 마법이 전체적으로 걸려 있었다. 그렇게 하지 않으면 테일러는 불안해서 잠들 수가 없었다.

스텐 후작가 저택 자신의 방. 그곳에서 자객에게 당해 양쪽 무릎이 박살 나버린 그로선 이제 안전한 집이라 믿을 수 있는 곳이 없었다.

"케이지, 왜 그래?"

"잠시만."

벌컥. 케이지는 거칠게 뒷문을 열어젖혔다. 테일러에게는 평범한 후원이 보였다. 평소처럼 조용하고 아담한 후원. 그곳은 작은 전등들 몇 개가 빛을 밝히고 있어 어둡지 않았다.

케이지는 그 작은 후원 안으로 사라졌다. 테일러가 뒤를 따랐다. 뒷문을 나와 담장에 도달했을 때, 케이지는 담장 위를 보더니 탄성을 흘렸다.

"하!"

딱 알람 마법이 시작되는 지점의 경계가 되는 담장. 그 담벼락 위에 돌 다섯 개 정도가 쌓인 작은 탑이 하나 있었다. 이 집의 유일한 기사가 잠시 뒤 저택 순찰을 돌 때 발견할 수밖에 없는 크기이기도 했다.

"⋯⋯미친. 진짜잖아."

케이지의 입에서 거친 말이 흘러나왔다. 휠체어를 탄 채 옆으로 다가온 테일러는 자신의 머리보다 조금 더 높은 곳에 위치한 담장 위의 돌탑을 의아한 표정으로 바라봤다.

"이게 뭐야?"

테일러의 물음에 케이지는 돌탑 옆에 분필로 적힌 글자를 읽어 내려갔다.

"'부숴라. 소원을 이루고 싶다면'이라고 적혀 있네."

당연히 테일러의 얼굴 위로 의문과 의심이 피어올랐다. 케이지는 그런 그의 모습에 한숨을 내쉬며 관자놀이를 손가락으로 꾹꾹 눌렀다.

"난 부수기를 권해. 아니, 미친. 신이 부수래."

"⋯⋯뭐?"

"처음으로 신이 개소리를 안 했네. 요즘 왜 이러지. 보통 일 년에 한 번 목소리가 들릴까 말까인데."

"이 돌탑이 뭐길래 그래?"

케이지는 테일러를 마주 봤다.

"우리의 인생을 바꿀 전환점. 그렇게 말했어."

신은 케이지가 잠이 들었을 때에만 그녀를 찾아왔다. 죽음은 잠과 비슷한 것. 그렇기에 잠은 일종의 통로와도 같았다. 그런데 이번엔 술을 마실 때 신의 목소리가 들려왔다.

케이지는 자신이 맥주를 하도 마셔대니 이제는 화를 내려고 찾아온 줄 알았다. 그래서 반겼다. 이대로 신이 관심 좀 끊어줬으면 했으니까. 그러나 신은 다른 말을 전했다.

"'선택은 너희의 몫. 다만 편하게 살고 싶으면 부수지 말아라' 그렇게 말했어."

그녀는 돌탑을 바라봤다. 돌탑 밑에 무언가가 있었다.

"돌탑 밑에 편지 봉투가 하나 깔려 있어. 아무래도 이 편지 때문에 쌓은 돌탑 같은데."

그녀는 다시 친우 테일러에게로 시선을 돌렸다. 휠체어에 앉아 있어 돌탑은 보여도 그 밑의 편지는 그에게 보이지 않을 것이다.

"돌탑에 다른 기운은 감돌지 않아."

마법사만큼은 아니지만 신성력을 사용해 특이한 기운에 민감한 케이지였다. 웬만한 물건이나 장소에 깃든 불길한 힘은 알아챌 수 있었다. 죽음의 신을 모시는 그녀였으니까.

그녀는 친구의 대답을 기다렸다. 밤하늘을 올려다보던 테일러는 케이지에게로 시선을 돌렸다.

"부숴."

케이지는 바로 돌탑을 손으로 쳐내 버렸다. 탕, 타앙, 툭. 담장 위의 돌들이 굴러떨어졌다. 테일러는 그 광경을 무심하게 바라봤다.

'편하게 살고 싶으면 부수지 말라고?'

한 번도 편하게 살았던 적이 없었다. 그리고 테일러는 편하게 살고 싶은 마음이 없었다. 이 다리를 고치고 계속해서 앞으로 나아갈 것이다. 그래서—

'이 빌어먹을 후작가를 엎어버려야지.'

테일러는 손을 뻗었고, 그 손 위에 케이지가 편지 봉투를 올려주었다. 그는 편지 봉투를 바로 뜯었고 그 안에서 마법으로 필체를 알아볼 수 없게 만든 편지지를 발견했다. 귀족들이 자주 사용하는 편지지였다.

테일러는 조금의 망설임도 없이 편지를 펼쳤다. 그러자 후원의 희미한 전등 빛 아래로 제일 위의 세 줄이 먼저 눈에 들어왔다.

왕세자는 고대의 힘을 소지하고 있다.

본인에게는 필요 없는 '치유의 별'이다.

어떠한 장애든 한 번은 고칠 수 있는 일회성 힘이다.

그는 2왕자와 3왕자를 견제할 수 있는 수단과 거래를 원한다.

그의 손끝이 떨려왔다.

"왜 그래?"

케이지는 테일러의 표정과 그의 손끝을 보며 표정을 굳혔다. 하지만 그녀는 이내 의아한 표정을 지었다.

"하!"

테일러가 탄식인지 감탄인지 모를 웃음을 터뜨렸다. 그는 케이지에게 편지를 건넸다.

"확실히 전환점은 되겠어."

"그게 무슨 소리야."

종이를 받아 든 케이지는 편지를 읽었다. 그녀는 고대의 힘과 왕세자 이야기에서 멈칫했다가 그 밑의 편지를 읽는 순간 테일러를 바라봤다.

다리가 움직이지 않는다고 하지만, 네 머리, 팔, 눈, 입.
너의 모든 것은 살아 있다.
판단은 테일러 스텐. 스텐 후작가의 장남인 당신이 하도록.

테일러는 후원 구석의 어둠을 노려보며 입을 열었다.

"케이지."

"그래."

"여기는 집사에게 맡겨놓고 일단 수도로 가자."

"그래."

그녀는 살아 있는 테일러의 결정을 기꺼이 따르기로 했다. 죽음을 누구보다도 많이 느껴본 그녀였기에, 살아 있다는 것의 가치를 잘 알았다.

"똑똑한 네가 알아서 하겠지. 앞가림은 그럭저럭 잘하니까."

케이지는 테일러의 명석함을 믿고 있었다.

"맞아. 그랬었지."

'그랬었지'. 과거형에 케이지는 그를 바라봤다.

"내 앞가림을 할 줄 알았어야 했어."

하지만 테일러는 앞가림을 해야 함에도 방심하는 바람에 다리를 다쳤다. 그는 고개를 들어 작은 2층집을 바라봤다. 안 그래도 진짜 인지 모를 고문헌 하나 믿고 몇 달째 머물렀건만 아무것도 찾아낼 수 없어 갑갑하던 차였다. 이대로 있을 바에야 잠시 움직이는 것도 좋을 터.

신의 말을 한 번은 믿어봐도 되지 않을까. 죽음의 신은 친우 케이지를 아꼈다. 거짓을 말할 리 없었다. 테일러는 입을 열었다.

"왕실 행사 일정 맞추려면 서둘러야 돼."

"좋아. 빨리 가자고."

"괜찮겠어? 수도에 들어가려면 신전 사람들 마주쳐야 할 텐데?"

"지들이 어쩌게? 파문시키든가. 그러면 좋고. 네가 걱정이지."

"고맙다."

"고맙긴."

케이지는 손에 들린 편지를 들어 올렸다. 이 얇은 종이를 바라보던 두 사람은 이내 씩 웃으며 서로를 바라보며 입을 열었다.

"은인."

은인인지 아닌지 아직은 알 수 없지만, 두 사람의 감이 왠지 이 편지의 주인이 은인이라 말해주었다. 그렇다면 이 은인을 찾아 언젠가는 은혜를 갚아야 한다.

술에서 말끔히 깬 또렷한 눈동자 두 쌍이 편지를 가만히 쳐다봤다. 전환점을 맞이한 이들의 눈빛이었다.

그리고 이 모든 광경을 멀찍이 떨어진 다른 집 지붕에서 지켜보던 붉은색 아기 고양이는 누나 온에게 속삭였다.

"누나, 우리 이제 집에 가도 돼?"

"응. 다 했으니까 가서 야식 먹자."

"우아."

고양이 두 마리가 유유히 지붕을 넘나들며 자신들의 숙소로 돌아갔다.

다음 날, 케일은 영 께름칙한 표정으로 팔짱을 낀 채 서 있었다. 그의 시선이 앞에 선 이를 위아래로 훑어보았다.

오늘 케일은 평소보다 더 차림이 단정하고 화려했다.

'공자님! 아무리 이 한스 없이 나간다고 하셨어도 구르고 오시면 어떡합니까?'

'이 부단장이 공자님을 모셔야 했는데!'

'아이구, 도련님. 이 론은 마음이 아픕니다.'

케일은 어제 거지꼴을 하고 돌아왔을 때 쏟아지던 시선들이 짜증나 평소보다 더 차려입었다. 화려한 옷차림이 선명한 붉은색 머리칼과 어울렸다. 인물 하나는 어디 가서 꿀리지 않는, 오히려 튀는 케일이었다.

그런 그의 표정이 영 탐탁지 않은 심경을 고스란히 드러내고 있었다.

"너, 그러고 가게?"

케일 일행이 머무는 여관 입구. 그곳에서 케일은 팔짱을 낀 채 최한을 쳐다보았다. 최한은 작은 짐 가방과 평소 들고 다니던 철검을 허리에 차고서 차분하게 서 있었다.

"네."

떠나는 최한을 위한 특별한 식사나 송별회는 없었다. 케일은 그런 것을 챙기는 성격도 아닐뿐더러, 최한도 이를 원하지 않는 듯했다. 그래서 이별의 순간도 단출했다.

케일, 고양이들, 한스, 론, 비크로스, 부단장뿐이었다. 부단장의 존재가 의아했지만 그도 케일처럼 인상을 구긴 채 최한을 배웅 나왔다.

"어휴."

케일은 한숨을 내쉬며 품에서 주머니를 하나 꺼내 최한에게 던졌다. 최한은 이를 가볍게 받아 들었다. 최한에게는 익숙한 주머니였다. 검은 용에게 주었던 마법 주머니. 딱 그 크기였다.

최한은 그 주머니를 열어보았다. 마법으로 크기가 줄어든 포션과 여러 물건들이 보였다. 최한이 고개를 들어 케일을 바라보자, 그 시선에 케일은 뚱하게 말했다.

"뭐? 왜? 어쩌라고? 싫으면 버려."

최한은 아무 말 안 했지만 케일은 아무 말이나 지껄였다. 그리고 바로 뒤돌아 방으로 향했다.

"잘 가라."

짧은 인사를 남기고 돌아선 케일은 무표정했다. 앞으로 최한을 볼 일은 없을 것이다. 수도에서는 론과 비크로스를 최한에게 보내 몇 가지 지시를 내린 후, 그대로 흐지부지 관계를 끊어버릴 생각이었다.

"다녀오겠습니다."

웃음기가 담긴 듯한 최한의 말에, 케일은 등 뒤에 소름이 돌았지만 절대 뒤돌아보지 않았다. 최한은 뒤돌아보지 않는 그 등이 케일답다 여겼다. 그의 시선이 남은 일행에게로 향했다.

"나중에 수도에서 봐요!"

"크흠, 실력을 늘려놓을 테니. 수도에서는 내가 공자님의 호위 기사로서 있을 거네."

부집사 한스에 이어 부단장이 짜증이 가득한 목소리로 말했고.

"칼 갈아놓겠다."

"갔다 오거라."

비크로스가 퉁명스럽게, 론이 인자한 척하며 인사를 건넸다. 물론 고양이들도 앞발로 최한의 다리를 툭툭 건드리며 인사를 대신했다.

또한 밤마다 케일이 머무는 방의 창문 밖을 호위하듯이 웅크리고 있던 용이 여관 마당에서 투명화를 한 채 인사를 건네듯 은근슬쩍 마나를 움직여 바람을 최한에게 흘려보냈다.

"받은 게 많은데, 자꾸 받게 되네."

최한은 마법 주머니를 품에 넣으며 기분 좋은 미소를 그렸다. 케일은 그 미소를 보지 못했지만, 이 자리에 있는 다른 이들도 처음 보는 밝은 미소였다.

"수도에서 뵙겠습니다."

최한은 예의 바르게 인사하고는 여관을 벗어났다. 죽음보다 깊은 외로움으로 수십 년을 살아왔던 이에게 돌아갈 곳이 생겼다. 은혜를 갚아야 할 사람들도 생겼다.

'밥값을 제대로 해야겠어.'

최한은 케일 일행과 떨어져 홀로 퍼슬시를 벗어났다.

다음 날 오전, 케일 일행도 마차에 올라타며 퍼슬시를 떠날 준비를 했다.

"도련님, 출발하겠습니다."

"어."

론의 말에 케일은 고개를 끄덕였고, 곧 론이 열었던 창문이 닫히며 마차가 출발하기 시작했다. 다시 강행군이 시작되는 순간이었다.

"뭘 봐?"

케일은 자신의 눈치를 보며 꼼지락거리는 고양이 남매를 무심히 바라봤다. 고양이들은 흠칫하며 고개를 가로저었다. 케일은 피식 웃었다.

"왜. 용이라도 만났나?"

헉. 숨넘어가는 소리가 들렸지만 케일은 무시했다. 최한이 가니, 이제 용이 따라온다. 하지만 그는 그 사실 때문에 고민에 빠질 틈이 없었다.

퍼슬시 성문을 벗어난 뒤, 첫 야영지를 택해 하루의 마무리를 준비할 때.

"혹시, 괜찮으시다면 한쪽에 자리를 좀 차지해도 되겠습니까?"

마차 하나가 케일 일행 인근 야영지에 마차를 세웠고, 마부석에서 기사로 보이는 이가 내려 부단장에게 다가갔다.

"누구십니까?"

부단장은 질문을 던졌지만 기사의 견갑에 새겨진 붉은 뱀을 보는 순간 이미 답을 알아차렸다. 기사는 부단장과 그 너머 케일에게 고개를 숙이며 자신을 소개했다.

"스텐 후작가 소속 평기사 톰입니다."

제길. 케일은 튀어나오려는 거친 말을 삼키며 아무 문양도 없는 초라한 마차를 바라봤다. 마차의 창문이 열리며 테일러 스텐, 그의 얼굴이 드러났다.

"테일러 스텐입니다. 헤니투스 백작가의 문양을 보고서, 실례를 무릅쓰고 이렇게 부탁드리게 되었습니다."

테일러는 힘 있는 헤니투스 백작가의 야영지라면 오늘 밤은 안전할 수 있겠다 판단해 부탁을 한 것이었다. 케일에게는 좋지 않은 판단이었다.

케일은 스텐 후작가 장남 테일러와 미친 신관 케이지를 만나게 되었다. 그는 지금쯤 자신에게 줄 멧돼지나 사슴을 사냥하고 있을 용을 떠올리며 있는 대로 얼굴을 구겼다.

'제기랄.'

하나가 가니, 셋이 온다.

7장

도대체 당신은

7장
도대체 당신은

셋도 그냥 셋이 아니다. 하나는 띨띨한 용이요, 하나는 파문을 원하는 미친 신관이요, 하나는 스텐 후작가 놈이다.

"하."

케일의 입에서 깊은 한숨이 속절없이 흘러나왔다. 그는 고개를 푹 숙였다가 들었다. 그러자 조용해진 분위기를 느낄 수 있었다. 그 분위기가 의아해 케일은 한스를 쳐다봤다.

한스가 어색하게 웃으며 비통한 표정의 평기사 톰과 마차 창문에 얼굴을 드러낸 테일러 쪽으로 눈짓했다. 테일러는 씁쓸한 미소를 지으며 입을 열었다.

"불편하시다면, 자리를 비키겠습니다."

버려진 후작가의 장남. 하반신 마비가 된 후로, 가문에서 최소한의 지원만 받는 처지가 된 테일러의 인생은 하루아침에 나락으로 치달았다.

후계자가 아닌 스텐 귀족 자제들의 말로는 죽음뿐임을 아는 이들은 모두 테일러를 외면했고 불편해했다. 베니온이나 다른 형제에게 잘 보이려는 이들은 가끔씩 테일러를 대놓고 무시하기도 했다. 남작가 자제보다 못한 처지가 테일러의 처지였다.

테일러는 헤니투스가의 망나니 케일을 알고 있었다. 부유한 황금 거북이 문양에, 붉은 머리의 젊은 남자는 케일 헤니투스뿐이었다. 그러나 아무리 중립인 헤니투스 백작가라고 하더라도 자신과 섞이는 것을 불편해할 수 있었다. 몸이 이렇게 된 후 모든 이들이 그랬다.

테일러가 케일의 한숨 소리에 다시 한번 현실을 깨달은 그때.

"뭘 비킵니까?"

무미건조한 표정의 케일이 테일러의 마차로 성큼성큼 다가왔다.

"여기가 내 땅도 아니고. 같이 여행하는 처지에 그런 유치한 짓은 안 합니다."

마차 창문을 사이에 두고 케일은 테일러와 마주했다. 그리고 슬쩍 그 안을 들여다봤다.

'있네.'

미친 신관 케이지가 마차 안쪽에서 자신을 물끄러미 응시하고 있었다. 그녀의 저주술은 참으로 기괴하다고 했다. 저주술을 처음 본 다른 이들이 저주받은 존재, 네크로맨서의 재림이라고 할 정도였다.

케일은 케이지에게서 시선을 돌려 테일러를 보며 손을 내밀었다.

"헤니투스 백작가의 케일 헤니투스입니다."

테일러는 마차 밖에서 케일이 내민 손을 바라봤다. 그러다가 다시 무표정한 케일의 얼굴을 쳐다봤다.

달칵, 테일러는 마차 문을 열었다. 예법상 자신도 마차에서 내려 인사를 해야 했다. 그게 예의였다.

"제가 다리가 불편해서 마차 밖으로 나가기가 힘듭니다."

"압니다."

테일러는 그런 것에는 전혀 괘념치 않는 케일을 잠시 쳐다보다가 악수를 했다. 케일은 얼른 그 손을 잡았다가 놔버렸다.

"만나서 반갑습니다, 케일 공자."

전혀. 케일은 전혀 반갑지 않았다. 그는 케이지에 대한 소개도 받기 싫어 바로 뒤돌아서려 했다. 하지만 테일러는 과하게 예의 바른 사람이었다.

"여기는 제 일행인 케이지 신관님이십니다. 영원한 안식의 신을 모시는 분이죠."

영원한 안식. 죽음을 가리키는 표현이었다. 케일은 터져 나오려는 한숨을 꾹 참으며 케이지를 쳐다봤다. 케이지는 선량한 신관의 표본처럼 성스럽게 인사를 건넸다.

"반갑습니다, 케일 공자님. 신관 케이지라고 합니다. 밤의 편안함이 함께하시길 바랍니다."

밤의 편안함. 죽음의 신을 모시는 이들이 일반인들에게 건네는 인사말이었다.

'얼어 죽을.'

케일은 밤의 편안함은커녕 오늘 밤도 제대로 잠이 들지 못할 것 같았다. 그는 상냥하게 웃어 보이는 케이지를 보며 레모네이드를 마시는 기분을 느꼈다.

'착한 척, 신관인 척하는 게 제일 가증스럽고 귀찮아서 파묻되고 싶다더니.'

연기 하나는 잘했다. 케일은 선량한 신관의 표본이라 불릴 미소를 짓는 그녀에게 씩 웃으며 담담하게 말했다.

"전 신 안 믿습니다."

케이지의 눈빛이 묘한 빛을 띠었다. 신관 앞에서 뭐 이런 정신 나간 소리를 대놓고 하냐는 눈빛이었으나 케일은 그 눈빛을 반겼다. 계속 그렇게 생각하며 역시 망나니라고 여기길, 케일은 바랐다.

"재밌는 분이시군요."

"제가 좀."

케일은 그녀의 말에 대충 답하며 테일러의 마차를 둘러보았다. 후작가 장남이라기엔 초라한 행색이었다. 기사 한 명에, 마부로 따라온 수하, 그리고 케이지와 테일러 본인.

'아마 돈도 다 떨어졌겠지.'

퍼슬시에 위치한 저택에 마법 장치를 설치하느라 꽤 많은 돈을 썼을 것이다. 현재 후작가의 지원도 제대로 못 받는 처지니, 비상금을 쓸 수도 없을 테고. 돈이 늘 부족한 상태로 최대한 지출을 줄이려 할 것이다.

마차를 훑어보는 케일의 행동에 테일러는 초라함을 억누르려 눈을 꾹 감았다가 떴다. 케일은 그 모습을 별 의미 없이 보며 생각에 잠겼다.

'나 때문에 수도 가는 것 같은데.'

저들이 가는 방향이야 뻔했다. 수도, 왕세자 아니겠는가.

"한스."

"네, 공자님."

다가오는 한스에게 케일은 대충 지시했다.

"도와드려."

"네."

"식사도 따로 챙겨 드리고. 야영지도 우리 옆쪽에 하나 만들어 드리고."

밥도 같이 먹기 싫고, 괜히 야영지도 같이 쓰기 싫었다.

"그리고 나 찾지 마. 네 재량으로 알아서 도와드려."

괜히 얽힐 틈을 만들고 싶지도 않았다. 물론 마음대로 상황이 흘러갈 것 같지는 않지만.

"네, 공자님을 모시듯 모시겠습니다."

"그러든가. 그리고 술 좀 가져와."

얘는 또 왜 이렇게 갑자기 열정적으로 변했어? 케일은 열정적인 한스의 모습을 떨떠름하게 쳐다보고는 테일러에게 고개를 작게 숙이며 인사를 대신했다.

"그럼 가보겠습니다, 테일러 공자."

"네. 배려 감사합니다, 케일 공자."

"배려는 무슨. 아닙니다."

케일은 묘한 표정으로 인사를 건네는 테일러에게서 미련 없이 뒤돌아섰다. 그리고 곧장, 조금도 다른 곳에 시선을 두지 않고 자신의 마차로 향했다. 물론 옆에 따라붙는 부단장에게 지시를 내렸다.

"저쪽은 기사가 한 명인 것 같군. 부단장, 자네가 저쪽 불침번도 관리해."

"네, 공자님."

마차에 올라타기 전, 케일은 부단장이 테일러의 기사에게 뭐라 말하는 것을 확인했다. 불침번에 대한 것이리라. 기사의 얼굴이 환하게 밝아지는 것을 확인 후, 케일은 곧바로 마차에 올라탔다.

탁.

경쾌한 소리와 함께 마차 문이 닫혔다. 주변 이들은 황금 거북이가 새겨진 마차의 문을 잠시 쳐다보다가 이내 모두 제 할 일을 하기 시작했다. 마땅히 할 일이 없는 케이지와 테일러만이 닫힌 문을 빤히 바라봤다.

그리고 마차에 올라탄 케일을 두 고양이들이 반겼다.

"나 저 사람들 아는데."

"홍아, 누나도 봤던 사람들이야."

창밖으로 상황을 지켜보던 고양이들이 케일 곁으로 다가와 슬그머니 옆에 앉더니 저들끼리 대화를 나누었다. 케일에게 시선 하나 건네지 않고 나누는 대화였지만, 그 방향은 케일을 향해 있었고 자신들이 보았던 케이지와 테일러에 대한 물음이었다.

케일은 그래도 눈치가 빠른 고양이들에게 말했다.

"모른 척."

"용처럼?"

"어."

고양이들은 수긍한 듯 고개를 끄덕였다. 온과 홍은 이제 어젯밤 보았던 테일러와 케이지의 모습을 모른 척하리라. 케일은 팔짱을 낀 채 눈을 감았다.

'치유의 별.'

그가 테일러와 케이지에게 알려준 고대의 힘 이름이었다. 케일이 이 힘을 알게 된 것은 왕세자와 광장 테러 사건 때문이었다.

치유의 별. 단 한 번, 한 사람의 어떤 상처나 병도 이전의 건강한 상태로 돌릴 수 있는 일회성 고대의 힘. 그 힘을, 왕세자는 가지고 있었다. 그의 죽은 어머니가 건네준 힘이었다.

광장에 왕족들이 모습을 드러내는 순간 비밀 단체는 테러를 감행한다. 광장과 수도 여기저기에서 마법 폭탄이 터졌다.

그때 최한은 테러의 반밖에 막지 못했다. 그 또한 엄청난 일이었기에 왕국에서는 그를 대단하게 여겼지만, 최한은 나머지 폭발로 죽어간 이들을 떠올리며 비밀 단체에 대한 증오를 키워 나갔다.

'그때 비밀 단체는 폭탄 몇 개를 사람에게 설치하지.'

최한은 천재 마법사 로잘린과 함께 사람에게 설치된 폭탄부터 막으면서, 다른 이들의 대피를 도왔다. 그 당시, 최한이 유일하게 구하지 못한 노인이 있었다.

그 노인은 폭탄을 벗어 던지다가 오른쪽 팔과 다리가 터져 나갔고, 이에 최한은 상당히 괴로워한다. 그러다 노인의 다친 모습을 목도한 왕세자가 치유의 별에 대한 것을 떠올리고, 그때 책에 치유의 별이 언급된다.

당연하게도 왕세자는 그 힘을 노인에게 사용하지 않는다. 대신에 죽은 노인을 보며 죄책감을 가지는 최한을 위로하고, 그를 영웅으로 치켜세울 뿐이었다.

'어쩌면 당연한 거지.'

케일은 왕세자의 그 판단을 나쁘다고 생각하지 않았다. 본인 물건 본인이 알아서 쓰는데 자신이 뭐라 할 권리가 어디 있겠는가. 물론 최한이나 로잘린이라면 그 힘을 썼을 것이다.

"그런데 용 동생은 따라오는 거예요?"

홍의 물음에 케일은 건성으로 고개를 끄덕였다.

'이왕 이렇게 된 거 용도 잘 써먹어야지.'

구해주고 말려고 했으나, 은혜 갚은 까치나 호랑이 형님도 아니고 졸졸 쫓아다니는 용을 제대로 써먹어야 할 것 같다. 써먹을 방도도 이미 이틀 밤을 생각하며 정해두었다.

케일은 최한이 발견한 마법 폭탄 다섯 개의 위치는 알았지만, 발견하지 못하고 터진 나머지 다섯 개의 위치는 정확히 몰랐다.

발견한 다섯 개 폭탄의 경우, 최한이 로잘린의 천재적인 마나 감응력을 통해 하나씩 겨우겨우 발견해 낸 것이었다. 그런데 케일에겐 로잘린과 비교도 안 될 만큼 뛰어난 마나 감응력을 가진 존재가 어미 잃은 오리처럼 쫓아오고 있다.

"고생 좀 시켜봐야지."

고양이들이 흠칫했지만, 케일은 이를 모른 채 수도에서 용에게 시킬 노동을 하나씩 정리해 나갔다.

용 또한 이를 모른 채 그다음 날, 이른 아침부터 멧돼지 고기를 야영지에 배달해 놓았다.

수도에서의 계획을 세우느라 늦잠을 잤던 케일은 멧돼지 고기를 확인하러 나갔다가 묘한 분위기에 주위를 둘러보았다.

어젯밤, 그는 마차 안에서 밥도 먹고 잠도 잤다. 철저히 테일러 일행과는 엮이지 않으려 했다. 그렇기에 지금의 이 묘한, 어딘가 어두침침한 분위기를 이해할 수 없었다.

"한스, 무슨 일이야?"

한스가 난감한 미소를 지으며 케일을 맞이했다. 그를 비롯한 케일 일행은 이제 이 고기와 과일들에 대한 의심을 서서히 거두고 있었다.

론이야 어찌 생각하는지 몰라도, 다른 이들은 최한과 케일이 괜찮다고 한 부분이었기 때문에 그럭저럭 이해하고 넘어갔다. 더불어 요리사 비크로스가 최상급 재료라고 단언하기도 했다.

"하하, 공자님. 일어나셨습니까?"

한스는 슬금슬금 테일러 일행 쪽 눈치를 보더니 케일에게 다가왔다.

"저, 아무래도 테일러 공자님께서 오해를 하나 하신 듯합니다."

"오해?"

케일은 멧돼지와 그 근처에 있는 테일러와 케이지를 확인할 수 있었다. 테일러는 휠체어에 탄 채, 그리고 케이지는 그 휠체어를 잡은 채 멧돼지를 응시하는 중이었다. 케일은 죽은 멧돼지 앞으로 가 휠체어 옆에 서며 입을 열었다.

"무슨 일입니까?"

늘 그랬듯 용이 잡아온 멧돼지 크기는 어마어마했다. 거의 호랑이보다 더 큰, 비크로스가 기뻐할 멧돼지였다. 그리고 멧돼지 옆에는 늘 그랬듯 그림이 있었다. 포크 그리기가 귀찮았는지 나이프 그림이 그려져 있었다.

"……케일 공자, 죄송합니다."

아침부터 이건 무슨 귀신 씻나락 까먹는 소리일까.

테일러는 허무한 미소를 입가에 매단 채 멧돼지를 차마 쳐다보지 못하고 고개를 돌렸다.

"아무래도 제 행적이 다 들통났나 봅니다."

행적? 의아해하는 케일에게 신관 케이지의 중얼거림이 들려왔다. 그녀는 화가 나 있었다.

"비밀리에 왔는데, 어떻게 이런 일이! 나조차 알아채지 못할 힘을 지닌 존재라니, 이건 너무하잖아."

용을 네 힘 수준으로 어떻게 알아차려? 케일은 상황 파악을 끝냈다.

웬만한 힘으로 잡을 수 없는 거대한 멧돼지를 깔끔하게 죽인 솜씨. 케이지 신관에게 들키지 않고 몰래 놓아두고 간 은밀함. 엄청난 실력자임을 드러내놓고, 그 옆에 그린 칼 그림.

케일에게는 작은 나이프였으나, 저들에게는 거대한 칼로 보인 듯했다. 케일은 절망감과 미안함이 뒤섞인 표정으로 자신을 바라보는 테일러를 외면했다.

"……케일 공자, 이 일은-"

"비크로스."

그리고 비크로스를 불렀다.

스텐 후작가의 차남 베니온은 지금 상당히 바쁠 것이다. 그런 그가 뭐 하러 하반신 마비의 버려진 장남에게 모든 촉각을 곤두세우고 있겠는가. 베니온이 수도에 '치유의 별'이 있는 걸 아는 것도 아니고.

"네, 공자님."

아침 햇살에 번쩍이는 식칼을 들고 온 비크로스는 그 무뚝뚝한 얼굴에도 신나 있음이 드러났다.

"아침부터 스테이크 해야겠는데."

"공자님, 이번에도 최상급 스테이크가 나올 것 같습니다."

멍하니 이를 지켜보던 테일러의 입이 열렸다.

"……이번에도?"

케일은 고개를 끄덕이며 말했다.

"우리 일행 중에 식량 배달을 하는 이가 있습니다."

"……누구입니까?"

피식. 케일은 코웃음을 치며 기가 차다는 듯 답했다.

"보기와 달리 부끄러움이 많은 녀석이라. 볼 수는 없습니다."

그는 야영지 뒤편에 위치한 한 나무의 잎이 들썩거리는 것을 보며 고개를 절레절레 가로저었다. 그 행동에 테일러와 케이지의 얼굴이 벌겋게 물들어갔다.

"크흠. 그, 그렇군요. 저희가 오해를 한 듯합니다."

"그럴 수도 있죠. 비크로스는 훌륭한 요리사라 음식을 잘하니, 스테이크나 드시고 가세요."

비크로스가 멧돼지를 쓰다듬다 말고 케일을 쳐다봤다. 그러나 케일은 그 시선에 눈을 둘 수 없었다. 들려온 테일러의 말 때문이었다.

"케일 공자, 수도에 가는 길이라 들었습니다. 혹시 괜찮다면 가시는 길을 뒤따라가도 되겠습니까?"

역시. 이럴 줄 알았다. 케일이 예상하던 바였다.

"편한 대로 하십시오."

수도에 같이 간다고 해서 케일이 그 편지를 보낸 주인공인 것을 이들이 알 리도 없고. 이왕 이렇게 된 거 수도까지 잘 데려다주고 빚하나 지워놓아도 좋을 것이다.

잘 해결해 내면 써먹을 데가 많은 인재들이 아닌가.

"네, 수도 근처까지만 잠시 신세 지겠습니다."

케일은 테일러의 말에 슬쩍 입꼬리를 올렸다.

'눈치는 있어.'

수도 근처. 테일러는 후에 케일이 테일러, 케이지와 함께한 것을 베니온과 스텐 후작가에게 들켜도 곤란하지 않을 딱 적당한 위치에서 헤어지자고 말했다. 수도까지 함께 들어가면 여러모로 곤란한 일이 많을 테니까.

"그건 보고 결정하죠."

물론 케일은 그들과 생각이 달랐다. 마법 상자에는 아직 여러 물건들이 유용한 쓰임을 기다리고 있었다.

"네. 어디든 괜찮으신 데까지만 함께 부탁드립니다, 공자."

"그러죠."

테일러와 케이지가 평이하게 대답하는 케일을 묘한 눈빛으로 바라봤다. 하지만 케일은 그 시선을 외면하며 한스에게 말했다.

"식사는 마차로."

"네."

케일은 다시 마차로 향했다. 그때, 그를 불러 세우는 이가 있었다.

"케일 공자님."

케이지였다. 그녀는 두통이라도 오는지 미간을 잔뜩 찌푸린 채 그에게 다가왔다. 다가오는 그녀를 보며 케일은 영 찝찝한 기분을 느꼈다.

"왜 그러십니까, 신관님?"

"정말로 믿는 신이 없으십니까?"

이건 또 무슨 소린가.

"네, 없습니다."

"……알겠습니다."

알겠다는 케이지의 대답에 케일은 얼른 마차로 향했다. 그 모습을 지켜보던 그녀에게 테일러가 다가왔다.

"왜 그래?"

케이지는 친한 이들과 신전 사람들을 제외하고는 앞에 나서는 일이 극히 드문 이였다. 그런 그녀가 인상까지 찌푸리고 케일에게 말을 건 행동이 의아했다. 그녀는 고개를 가로저으며 상당히 찜찜한 표정으로 말했다.

"이상해."

"뭐가?"

"아니, 꼭."

케이지는 자신의 뒤통수를 매만졌다.

"꼭 죽음의 신이 안쓰러운 눈빛으로 내 뒤통수를 쓰다듬는 그런 찜찜한 기분이 들어."

"……무슨 그런 기분이 다 있어? 잠을 잘 못 잔 거 아냐?"

"그런가."

그녀는 케일을 볼 때 계속 그런 기분이 들었다. 꼭 어릴 적 신전에서 새 신전을 짓는답시고 어마어마한 노동을 시켰을 때, 이를 다 하고 뻗어버린 케이지에게 죽음의 신이 시선을 두면 이런 기분이었다.

'케일 공자가 테일러와 나를 악덕 신전처럼 부려먹을 리도 없고.'

케이지는 테일러의 말대로 잠을 제대로 못 자서 이런 기분이 드는 것이라 생각하며 그 기분을 털어냈다.

그렇게 케일의 일행은 늘어났고, 특별할 것 없이 편안하게 수도로 향했다.

케일이 잠시 찌뿌둥한 몸을 풀려고 마차 밖으로 나갈 때마다 테일러 일행이 그에게 시선을 두었지만, 그들도 케일도 별다른 대화를 하지 않았다.

그렇게 계속 이동하여 수도에 도착하기 하루 전 밤, 마지막으로 여관에서 머물게 되었을 때.

"케일 공자, 술을 좋아하시지요?"

테일러와 케이지가 케일을 찾아왔다.

"무슨 일이십니까?"

케일은 늦은 시각에 찾아온 그들에게 이유를 물었지만, 딱히 의아해하는 표정은 아니었다. 그 태도에 테일러는 미소를 그렸다.

"술이 없으면 하루도 살지 못하는 망나니 케일 헤니투스."

테일러는 유력한 소가주 후보였을 시절, 모든 귀족 자제에 대한 정보를 머릿속에 심어두고 있었다. 케일에 대한 정보는 특이했기에 모를 수가 없었다.

"하지만 그게 다가 아닌 것 같습니다."

직접 마주한 케일은 정보와 달랐다.

자신들을 생각해 늘 마차에서 지내면서 대우도 최상으로 해주는 배려심을 지녔으며, 수하들은 그를 믿고 따랐다. 무엇보다도 자신들을 평범하게 대했다.

"소문과 당신은 달랐습니다."

수도를 코앞으로 둔 이 시점. 테일러와 케이지는 내일 새벽부터 숨을 죽인 채 은밀히 움직여야 했다. 물론 왕궁에 들어갈 때는 당당히 들어가야겠지만, 그전에 숨어서 알아볼 것도, 준비할 것도 많았다.

그러나 조용히 움직이려던 그들은 원래 계획과 달리 케일과 이야기를 나누자고 결심했다. 일주일이 넘는 시간 동안 지켜본 케일 헤니투스. 이 사람이 테일러와 케이지의 머릿속에 꽤 깊숙이 들어왔으니까.

"케일 공자, 떠나기 전 술 한잔은 괜찮겠지요?"

"들어오세요."

케일이 들어오라 고갯짓하자, 케이지가 테일러의 휠체어를 밀며 안으로 들어섰다. 탁자에 세 사람이 둘러앉았을 때, 케일은 술에는 시선 한 번 두지 않고 물었다.

"용건이 무엇입니까?"

역시 차갑다고 느껴질 만큼 무미건조한 목소리. 케일의 그 목소리에 테일러는 확신했다. 이 사람은 망나니가 아니다. 오히려 생각보다 영리한 사람이다.

테일러는 그냥 술을 마시러 찾아오지 않았다. 술은 믿을 수 있는 사람들과 편히 즐길 수 있을 때 마시는 것이었다. 그 외에는 단지 탐색과 대화를 위한 수단이었다.

"케일 공자는 나를 어떤 사람이라 생각합니까?"

그 물음에 케일은 잠시 물끄러미 테일러를 응시하다가, 이내 침대로 다가가 위에 올려둔 주머니를 하나 들고 테이블에 올려두었다.

탁.

금속의 소리가 울려 퍼졌다. 주머니 안이 살짝 벌어졌다. 금화, 은화, 동화가 모습을 드러냈다.

케일의 담담한 목소리가 공간 안에 울려 퍼졌다.

"왜 귀족 자제들과 모든 이들의 시선이 모이는 지금 이때에 수도로 가려는지 모르겠지만. 호랑이 굴로 가는 이들이 나에게 다가온 용건은 하나겠지요."

케일은 이들이 따라온다고 했을 때부터, 이따금씩 밖에 나갈 때마다 쳐다보는 그 시선을 느낄 때부터 예상했다.

"부유한 헤니투스 가문. 용건은 돈이지요?"

하. 신관 케이지의 입에서 감탄에 가까운 탄성이 흘러나왔다. 테일러는 윗물에서 놀다가 나락으로 떨어진 사람이었지만 케이지는

원래부터 밑바닥에서 놀던 인간이었다. 그녀에게 케일은 특이한 사람이었다.

틈날 때마다 부집사에게 술을 달라고 말한다.

수하들이 하는 일에 조금도 신경 쓰지 않고 항상 최상급의 요리만을 먹는다.

여관은 최고급으로, 늘 여유로워 보인다. 그리고 말에 거침이 없다.

하지만 망나니는 아니다.

이는 그녀보다 친우 테일러가 더 잘 알았다.

"알고 계셨군요."

"알다마다요."

별것 아니라는 듯 케일은 말했다.

"행색을 보니 돈이 부족해 보이고. 수도에서 지내려면, 그것도 은밀히 지내려면 돈이 가장 필요할 것 아닙니까. 원래는 이럴 생각이 없었겠지만, 황금 거북이가 같이 가는 판국에 손 한 번 벌리는 거야 사람이라면 한 번쯤 행동해 보지 않겠습니까."

테일러는 케일의 말에 반박할 수 없었다. 그의 말대로였다. 버려진 장남인 자신을 외면하지 않는 케일 헤니투스. 그에게 부탁 한 번 하고 돈을 얻으면 그것만으로도 득이었다.

설사 거절하더라도 케일은 베니온에게 테일러의 부탁을 말할 것 같지도 않았다. 복잡한 일을 싫어하는 이로 보였으니까.

자발적으로 숨는 인재. 테일러에게 케일은 그렇게 보였다.

"케일 공자, 고맙습니다."

케일은 그 인사에 괜찮다는 겸양의 말은 하지 않았다. 대신 그는 이들이 따라올 거라 예상했을 때부터 했던 생각을 실행하고자 했다.

"오늘 새벽에 떠날 겁니까?"

"네. 은밀히 떠날까 하다가 이리 왔습니다. 이제부터는 저희 스스로 해야지요."

휠체어에 앉은 테일러의 눈빛은 또렷했다. 그러나 그 또렷함을 마주한 케일은 긍정적인 반응을 보일 수 없었다.

"신전을 통해서 들어갈 겁니까?"

테일러의 표정이 어떻게 그걸 알았냐는 듯 감탄과 함께 흐려졌을 때, 케이지가 나섰다.

"네, 신전을 통해서 들어갈 겁니다."

신전 소속 인원으로 위장해 들어갈 생각이리라. 그렇게 되면 케이지는 죽음의 신전에 자신의 위치를 알리게 될 터. 케이지는 테일러를 위해 그런 위험을 감수하고 있는 것이다.

하지만 그렇게 들어가도 완전한 은막은 불가능했다. 케일은 그 문제점을 꼬집었다.

"그렇게 들어가도 삼 일 안에는 베니온이나 후작가의 귀에 들어가겠지요. 죽음의 신전 안에도 정치를 하는 분이 계실 테니까요."

"……정말이지, 잘 아시네요."

케이지, 그녀의 입꼬리가 올라갔다. 그녀는 케일에 대해 파악한 것이 하나 있었다.

"케일 공자님, 지금 이렇게까지 저희 일을 궁금해하는 것은 따로 이유가 있으시겠죠?"

톡. 톡. 케일의 검지가 테이블을 두드렸다.

"테일러 공자의 일행은 내일 하루 더 묵는 것으로 하세요. 이 돈으로 예약하십시오."

케일은 검지를 들어 두 사람을 가리켰다.

"그리고 두 분은 제 마차에 타십시오. 테일러 공자의 나머지 일행은 하루 뒤에 들어오는 것으로 하죠."

드르륵. 의자 끌리는 소리와 함께 케일은 자리에서 일어섰다. 그는 마법 상자에서 꺼내둔 물건을 탁자 위에 올려두었다.

"5분 동안 지정한 장소의 생명체를 투명하게 만드는 마법 장치죠."

빌로스의 이름으로 빌려야 했던 두 번째 물건.

'공자님, 뭐 훔치러 가십니까?'

'훔치긴. 부수려는 거지.'

'……부순다고요?'

광장 테러 사건 때 쓰려고 준비해 둔 물건을 미리 써야 할 일이 생겼다. 케일은 이 마법 장치가 일회성이 아니라 다행이라 생각했다.

케일이 입을 닫자, 정적이 내려앉았다. 케이지와 테일러는 그 물건과 케일을 번갈아보며 입을 달싹였으나 아무런 말도 할 수 없었다. 그렇게 침묵이 꽤 지속되었을 때.

"왜―"

한참 동안 말이 없던 테일러 공자의 입이 천천히 열렸다.

"왜 이렇게까지 하십니까? 아무런 이득도 없으실 텐데."

케일은 그 물음에 할 말이 꽤 많았다.

'왜 이렇게 하긴. 내가 벌인 일이니 내가 어느 정도 도와줘야지. 나한테 피해가 오는 것도 아닌데.'

그리고 테일러가 후작가를 장악하면 후에 타국과의 전쟁 시, 스텐 후작가의 야욕으로 골치 아파지는 일은 없을 것이다. 그리되면 헤니투스 영지도 조용할 것이고, 케일의 남은 삶이 여유로울 터.

"답을 꼭 해야 합니까?"

"네, 듣고 싶습니다."

테일러는 케일의 답을 듣고 싶었다. 그런 그에게 케일은 무미건조한 목소리로 답했다. 잔인하리만큼 차가운 어조였다.

"불쌍해서요. 다리도 망가지고 언제 죽을지 모르는 버려진 장남이 뭘 생각하길래 이러나 싶어서요. 이렇게 후작가 장남이 백작가 망나니한테 돈 달라고 하면서 노력하는, 애쓰는 모습이 불쌍해서요."

테일러의 입이 열리며 소리 없는 웃음을 흘렸다. 그는 두 손으로 자신의 무릎을 쓰다듬었다. 무릎에서는 아무런 감각이 느껴지지 않았다.

하지만 테일러 자신은 눈, 코, 입, 손, 모든 것들이 아직 살아 있었다. 테일러는 환히 웃었다.

"동정 감사합니다. 그런 동정이 저는 필요했습니다."

"대신 이 모든 것들에는 조건이 하나 있습니다."

감사하다는 말에 케일은 귀 하나 기울이지 않았다.

"무엇입니까?"

"잊으십시오."

케일은 돈주머니를 그의 앞으로 밀며 말했다.

"모든 것들을 잊으십시오."

도와주지만 더 이상 엮이기 싫다는 태도. 테일러도 예상한 바였다. 케이지가 나섰다. 그녀가 이곳에 온 이유였다.

"저와 테일러 공자는 어떠한 것도 발설하지 않겠다고 맹세하겠습니다. 죽음의 신에게 한 맹세를 어길 시 죽음이 내려진다는 것은 알고 계시겠지요?"

"압니다. 맹세하세요."

케일은 그녀의 말에 미소를 그렸다. 죽음의 신 앞에서 하는 약속의 맹세. 그 유명한 맹세를 믿었기에, 케일도 이들을 도울 생각을 할 수 있었다.

신관 케이지는 죽음을 건 맹세를 한다는 말에 미소 짓는 케일을 보며 결국 웃음을 터뜨렸다.

"케일 공자님은 안 하실 거죠?"

"네, 저는 할 생각 없습니다. 나중에 이 일로 곤란해지면 저희 쪽은 다 불어버릴 생각입니다."

"베니온에게 말인가요?"

"네."

그녀가 웃음기를 머금고 건넨 물음에 케일은 담담히 답했다. 그 광경을 보며 테일러는 차라리 마음이 편안해졌다. 케일의 불리하면 다 불어버린다는 말이 오히려 마음에 들었다.

"케이지, 하자."

"어."

테일러와 케이지, 두 사람은 어느새 케일 앞에서 말을 놓았다. 케일 앞에서 어느 정도 자신들의 본모습을 드러낸다는 신호였다.

"시작할게요."

어두운 밤. 달이 뜨지 않는 그믐은 어느 때보다도 죽음의 신의 힘이 강해지는 때였다.

케이지는 눈을 감으며 두 손을 앞으로 모았다. 기도를 하는 것과는 다른 형태였다. 그녀의 두 손바닥이 각각 케일과 테일러에게로 향했다.

우우웅. 작은 진동이 공기 중에 울려 퍼졌다. 그녀의 손끝에서 검은 연기가 실처럼 흘러나와 세 사람을 감쌌다.

'신의 기운인가?'

케일은 그 기운을 느끼며 묘한 기분에 사로잡혔다. 고대의 힘과는 확실히 달랐지만 어둠의 빛깔을 지녔음에도 따스했다.

"나 케이지, 영원한 밤의 딸은 테일러 스텐과 함께 밤의 이름을 빌려 맹세를 하고자 한다. 맹세는 목숨을 거는 것, 맹세를 어긴 자는 영원한 어둠이 내려앉을 것이다."

눈을 뜬 케이지가 두 사람을 보며 말을 이었다.

"오늘 밤, 이 자리에서 나눈 모든 것들을 나 케이지와 테일러 스텐은 평생의 비밀로 간직하며, 증인 케일 헤니투스를 제외한 어느 누구에게도 발설하지 않는다."

"발설하지 않는다."

테일러가 그 끝말을 뒤따라 읊었다. 케이지는 그의 목소리를 듣고는 다시 눈을 감았다. 검은 연기가 손을 지나 세 사람을 휘어 감았다. 그리고 마침내.

우우웅. 한 번의 진동과 함께 연기는 사라졌다.

맹세가 끝이 났다.

"간단하군요."

케일은 감상을 말하면서도 손에 맴도는 묘한 기운을 느낄 수 있었다. 고대의 힘과 비슷했다. 직감적으로 맹세에 관한 것들이 느껴졌다.

"지금 느껴지는 감각들이 맹세의 힘입니다. 저희가 맹세를 어길 시 증인인 케일 공자께 우리의 파멸을 알려줄 거예요."

"그렇군요."

케일은 그녀의 짧은 설명에도 불구하고 간단히 수긍했다. 그럴 수밖에 없는 힘이 느껴졌기 때문이었다. 그는 몸 안의 기운들을 느끼며 신의 힘과 고대의 힘, 그 차이에 대해 탐색했다.

그때, 테일러가 들고 온 술병을 들어 올렸다. 탁. 경쾌한 소리와 함께 술병이 탁자 정중앙에 놓였다.

"케일 공자, 술 한잔하시겠습니까?"

"술이요?"

케일은 그냥 얼른 갔으면 좋겠다는 속내를 감추고 물어봤다.

"네, 술이요. 좋은 날에는 술이지요."

테일러는 자신이 생각했던 모습과는 달랐지만, 그래도 아직은 완전히 믿을 수 없는 사람인 케일과 술을 마시고 싶었다. 그 행동에 케이지는 무언가 알아차린 것인지 씩 웃더니, 신관복 넓은 소매에 손을 쑥 집어넣었다.

"짜잔!"

그녀의 소매에서 술잔이 세 개 나왔다.

"허."

케일은 진심으로 기가 찬 표정으로 술잔과 술병, 그리고 신관을 쳐다봤다. 신관이 술잔을 소매에 넣어 가지고 다니다니.

"신관님."

"네."

"훌륭하십니다."

진정한 술꾼이었다. 케일은 그녀가 건넨 잔을 받았고 테일러가 그 잔을 채웠다. 세 사람의 잔이 모두 다 가득 찼을 때, 케이지는 케일에게 물었다.

"케일 공자님, 신관이 술 마시는 것 안 이상해요?"

케일은 고개를 한쪽으로 살짝 기울이며 물었다.

"그게 제 알 바입니까?"

마시든 말든. 케일이 신경 쓸 바가 아니었다.

"이야, 진짜 마음에 드네."

케이지는 감탄하며 술잔을 쥐지 않은 손으로 제 무릎을 쳐댔다.
그러고선 은근슬쩍 케일에게 물었다.

"케일 공자님, 성격 좋은 누나 한 명 알고 싶은 마음 안 듭니까?"

"안 듭니다."

케일은 단호히 답했고 테일러가 슬그머니 물었다.

"……성격 좋은 형은 어떻습니까?"

"더 안 듭니다."

케이지와 테일러, 두 콤비는 그 대답에 실망하기는커녕 낄낄거리
며 웃어댔다. 케일은 자신의 말이 뭐가 웃긴지 알 수 없었으나 술잔
을 들어 올리며 말했다.

"건배."

챙. 세 개의 잔이 부딪쳤다. 그믐. 달은 뜨지 않았지만, 달보다 깊
은 술이 세 사람 사이의 끈을 만들었다.

그리고 다음 날.

"공자님, 출발할까요?"

대범한 것인지 아니면 재밌는 것인지, 부집사 한스는 은밀히 대강의 이야기를 다 들었음에도 케일의 마차 구석에 자리한 두 사람을 못 본 척하며 밝게 물었다.

"어. 출발하지."

물론 케일도 여유롭게 출발 신호를 내렸다.

두 시간. 이제 두 시간 뒤면 수도의 성문에 도착한다.

덜컹거리는 소리와 함께 마차는 출발했다.

냐아옹.

온과 홍은 맞은편에 앉은 케이지와 테일러를 힐끔힐끔 쳐다보면서 케일의 근처에 옹기종기 달라붙어 있었다.

"케일 공자, 이번 왕실에서 주최하는 행사에 대해서 잘 아십니까?"

케일은 후작가 장남 테일러가 말을 꺼내자 그를 쳐다봤다. 숙취에 쩔쩔매는 신관과 달리 테일러는 케일보다 말짱했다. 이 유약해 보이는 귀족이 제일 술이 셌다. 케일은 자신을 쳐다보는 테일러에게 입을 열었다.

"왕실에는 처음 가봅니다. 몇 년 전 동북부 귀족 자제 모임은 가봤지만요."

테일러가 이 이야기를 입에서 꺼낸 것은 단순히 케일에게 말을 붙이고 싶어서가 아니었다. 고마운 이에게 정보를 하나 주고 싶어서였다.

"그러셨군요. 이번 왕실에서 여는 행사는 현 국왕 전하의 50주년 탄신일을 기념하는 행사입니다."

"왕국민들을 위한 즐거운 축제지요."

마치 나는 그 안에 포함되지 않는다는 듯 말하는 케일의 모습에, 지켜보던 테일러의 눈빛에 이채가 감돌았다.

"케일 공자에게는 축제가 아닌가 봅니다?"

축제는 무슨. 테러 때문에 심장이 두근거리는데. 케일은 뒷말을 속으로 삼켰다. 그는 아마 비밀 단체 인물들과 더불어 앞으로 일어날 테러 사건에 대해서 아는 유일한 이일 것이다.

아는 것은 무거운 책임감과 쓸데없는 고민을 안겨주기 마련이었다. 물론 책임감과 고민은 어느 정도 연관 관계가 있었다.

'테러를 막기는 할 건데. 그렇다고 내가 다치거나 힘들 것 같으면 빠져야지.'

테러 사건에 대한 케일의 마음가짐이었다. 적당히, 내가 손해 보지 않는 한도에서 할 만큼 하면 된다. 아예 모른 척하기에는 죽음이 가지는 무서움을 아는 케일, 김록수였다.

"테일러 공자에게도 축제는 아니잖습니까?"

케일이 무심하게 건넨 말에 테일러는 물론이거니와 술병에 쩔쩔매던 케이지조차도 씩 웃어 보였다.

"축제를 위한 마지막 고비라고 생각하고 있습니다."

유약한 외양과 달리 테일러는 담이 큰 이였다. 그러니 올곧은 성정을 지니고도 후작가에서 불구가 되기 전까지 베니온보다 앞섰으리라.

"케일 공자."

"네."

"왕세자 저하를 조심하십시오."

테일러는 케일을 보며 말을 이었다.

"제가 비록 버려진 장남이라 해도 스텐 후작가 안에서 정보를 얻을 방도는 있습니다. 이번 50주년 탄신일 기념은 원래 있던 행사지만, 귀족가 자제들을 모두 부르는 것은 왕세자 저하가 건의하여 진행한 것으로 압니다."

테일러는 왕세자에 대해서 안다.

"왕세자 저하는 어떻게 설명을 드려야 할지 모르겠지만."

어떻게 말할지 모르겠다는 듯 망설이는 그를 보며 케일은 툭 내뱉었다.

"기름칠이 잘된 혀를 지니고 계시죠."

"아, 맞습니다! 아니, 그게 아니고."

정답이라는 듯 격하게 동의하던 테일러는 곧 당황한 표정으로 그 말을 부정하려 했으나 이내 인정했다.

"네, 맞습니다. 알고 계셨군요."

"알고자 하면 알 수 있는 정보 아닙니까."

"그렇죠. 하지만 케일 공자처럼 그렇게 적절한 표현은 처음 들어 보는지라."

테일러가 긍정하듯 고개를 끄덕였고, 이를 지켜보던 케일은 왕세자를 떠올렸다.

기름칠 잘된 혀.

그 말 그대로 왕세자는 사람에 대한 칭찬을 엄청나게 잘했다. 더불어 그 사람을 띄워주는 일도 잘했다.

그러고 나서 써먹었다.

물론 상대는 자신이 써먹히는 줄도 모르고 이용당한다. 그 대표적인 인물 중 하나가 왕세자가 친우이자 영웅이라며 띄워주었던 최한이었다.

평민인 최한에게 친우라며 살갑게 대한 왕세자를 최한은 꽤 좋게 생각했다. 하지만 책으로 읽는 케일에게는, 김록수에게는 영 마음에 들지 않는 인간일 뿐이었다.

'문제는 그 이용하는 방향이 올바르다는 거지.'

자신의 이익을 위해, 권력을 위해 사람을 이용하지 않았다. 그는 왕국, 왕국민. 혹은 더 넓은 범위를 위해 사람을 이용했다.

'사실 이용이라고 하기에도 그렇고.'

이용보다는 부탁이 맞았다. 상하의 관계에서 하는 이용이 아니고 수평적으로 전하는 부탁이었으니까.

기름칠 잘된 혀로 칭찬을 엄청나게 하면서 도울 수밖에 없는 슬픈 이유를 대며 부탁을 하니, 최한은 거절도 못 했다. 냉정하지만 최한만큼 착한 로잘린도 결국 그 부탁을 들어주었고.

물론 그런 혀를 지닌 이도 약점이 있었다.

"아무튼 케일 공자, 왕세자 저하는, 음, 아시는 대로 그런 분이니 엮이면 많이 피곤해지실 겁니다."

"걱정 안 하셔도 됩니다. 최대한 조용히 있다 올 생각입니다. 저는 눈에 띄는 걸 싫어합니다."

케일은 테일러의 말에 물 흘러가듯 대답했다. 하지만 그는 그 말 뒤, 마차 안에 정적이 내려앉은 것을 깨달을 수 있었다. 고양이 온과 홍도, 숙취로 힘들어하던 케이지도, 잔잔한 미소를 띠고 있던 테일러도 다들 빤히 케일을 쳐다봤다.

"……왜 그렇게 쳐다보십니까?"

"음, 조용히 있다 오는 것이 가능할, 아닙니다."

"아니에요."

케이지와 테일러는 아니라며 시선을 거두었다. 고양이들은 도리도리 고개를 가로저었다. 그 분위기에 케일은 살짝 미간을 찌푸리며 덧붙였다.

"설사 엮인다고 하더라도 공자와 신관님이 생각하는 일은 없을 겁니다."

순간 테일러와 케이지는 케일이 씩 입꼬리를 올리며 웃는 것을 볼 수 있었다. 케일의 미소는 상당히 음흉하고 악동 같아 보였다. 그는 그것을 아는지 모르는지 여유로이 말했다.

"저도 꽤 기름칠이 잘된 혀거든요."

왕세자는 동류를 만나면 물러서며 피했다. 동족 혐오였다.

왕세자가 상대에게 칭찬을 하며 살살 그 사람을 써먹는 자라면, 케일 자신도 그렇게 행동하면 될 일이다.

케일은 숙취가 조금 가신 듯 편안한 얼굴의 케이지가 자신을 빤히 바라보자, 그녀와 시선을 마주했다.

"케일 공자는 지금 이 모습이 더 어울리는 것 같아요. 아주 나빠 보였어요."

"착해 보이는 것보다는 낫죠."

역시. 케이지가 혼자서 고개를 끄덕이며 무언가를 납득하였으나 케일은 이를 신경 쓰지 않았다. 대신 마차 창문의 커튼을 살짝 걷어 내 그 밖을 살폈다.

어느새 수도 성문이 멀지 않았다. 케일의 마차가 향하는 성문은 일반 평민들이 사용하는 곳과는 그 입구부터 달랐다. 귀족들이 주로 이용하는, 그래서 빠르게 지나갈 수 있는 입구로 향하고 있었다.

"확실히 수도는 다르군요."

창밖으로 살짝 보이는 광경에 케일의 입에서 저절로 흘러나온 말이었다. 테일러는 그 반응을 이해한다는 듯 고개를 끄덕였다.

"로운 왕국은 '바위'의 나라죠."

케일의 눈동자에 담긴 수도를 감싸는 거대한 성벽. 그 성벽에는 각기 다른 조각상들이 세워져 있었다.

로운 왕국은 조금 특이한 나라였다. 서대륙 최대 대리석 생산지이며, 더불어 서북부와 서부에 화강암이 많이 존재하고 있어 바위의 나라라고 불렸다.

왕국 내 북부로 갈수록 산의 높은 곳은 대부분 돌로 이루어져 있었다. 돌산이 참으로 많은 왕국이었다.

테일러는 문득 떠올랐다는 듯 말을 이었다.

"고대의 이야기를 살펴보면 이 로운 왕국이 존재하기 전부터 이 땅은 '바위'와 관련된 이야기가 많았죠. 그중에 하나로, 이 땅 위에는 '바위'와 같은 수호신이 있었다고 합니다."

로운 왕국은 서대륙에서 동북부에 위치했다.

"어떠한 공격이 와도 모든 것을 지킬 수 있었던 수호신. 대륙에 어둠이 내려앉았을 때, 그 어둠을 가장 앞에서 막았던 존재."

이 세계엔 고대와 그 이후를 구분 짓는 신화가 있었다. 신화는 한 가지의 형태가 아니었으며 곳곳에서 다른 형태로 존재했다.

그 내용으로는, 세상에 어둠이 내려앉아 이를 물리쳤을 때가 고대의 끝이라는 이야기도 있었고, 서로의 힘을 탐하고 질시하던 고대의 힘 소지자들 간의 알력 다툼 끝에 고대가 끝났다는 이야기도 있었

다. 또한 신의 분노로 그 시대가 종말을 맞이했다는 이야기도 존재
했다.

테일러의 입에서 흘러나오는 신화도 로운 왕국에 존재하는 여러
신화의 갈래 중 하나였다.

"테일러, 그 신화를 좋아하나 봐?"

케이지의 물음에 그는 고개를 끄덕이며 긍정했다.

"어, 좋아해."

케일이 창밖을 보던 시선을 돌려 테일러를 바라봤다. 다리를 다치
기 전부터 테일러는 체격 자체가 호리호리했다. 테일러는 제 무릎을
매만지며 말을 이었다.

"수호신은 온몸이 부서져도 바위처럼 굳건히 서 있었다고 해. 그
래서 바위로 둘러싸인 이 동북부 땅을, 사람들을 지켜냈다고 하지."

대륙에 내려앉은 어둠과 관련된 신화는 그 내용이 무궁무진하게
많았다.

대륙의 중심에서 어둠이 시작되었을 때, 다른 신화에서는 그 어둠
과 싸운 이야기가 존재했다. 하지만 테일러가 말하는 신화 속 인물
은 유일하게 지키는 것에 중심을 두었다고 한다.

테일러는 그런 존재가 영웅이라고 생각했다.

"그런 존재가 현실에서는 존재할 수 없으니까. 그래서 나는 이 신
화를 좋아하지."

"믿지는 않나 봐?"

케이지의 물음에 테일러는 고개를 끄덕였다.

"자신이 다치면서, 몸이 부서져 나가면서 무언가를 지킬 이는 아
주 드무니까."

"그렇죠."

테일러의 말에 동의하듯 케일은 고개를 끄덕였다. 나 자신을 지키는 것이면 몰라도 남을, 그것도 이 동북부 땅을 지켰다니. 케일로서는 도저히 이해할 수 없는 신화였다.

"그런데 그 신화는 처음 들어보는군요."

고대의 힘과 관련된 내용이 '영웅의 탄생'에 나오는 만큼, 케일은 5권까지 읽으면서 꽤 다양한 형태의 전설과 신화들을 볼 수 있었다. 하지만 로운 왕국의 바위 수호신에 관한 이야기는 처음 들어보았다.

"네, 아마 유명하지 않을 겁니다. 저도 고대 서적이나 고대의 힘에 대해서 깊이 조사하다가 알게 된 신화거든요. 케이지에게도 제가 말했었고."

케일은 그의 말에 고개를 끄덕이며 커튼을 다시 내렸다. 그리고 품에서 동그란 펜던트를 꺼내 던졌다.

"준비하십시오."

테일러와 케이지는 그 말에 고개를 끄덕이며 펜던트를 같이 잡았다. 마법 장치가 작동하기 시작했다. 케일은 한숨을 내쉬며 마차 한 구석에 있는 술병을 집어 들었다.

잠시 뒤 귀족 전용 성문 입구에 마차가 섰고, 밖에서 부단장의 목소리와 함께 다른 목소리가 들려왔다.

똑똑똑.

"공자님, 수도 방위 기사가 확인을 한다고 합니다."

탕. 케일의 발이 대충 마차 문을 찼다. 그러자 태연한 얼굴의 부단장과 당황한 왕실 기사의 얼굴이 나타났다.

케일은 한 손에는 술병을, 다른 한 손에는 술로 가득 채운 잔을 들고서 왕실 기사를 쳐다봤다.

"확인해."

마차 안은 술 냄새가 진동했다. 케일은 시뻘겋게 물든 얼굴은 물론이거니와 어젯밤부터 술을 마신 사람이라는 게 느껴질 만큼 술에 찌들어 보였다.

아직 시간이 남았지만, 일주일 뒤에 있을 행사를 위해 꽤 많은 귀족 자제들이 이 입구를 지나갔다. 그때마다 왕실 소속 기사 두 명이 마차 안을 눈으로 확인했다. 겉치레 절차라도 해야 할 일이었다.

하지만 왕실 기사에게 이런 광경은 처음이었다. 그런 그에게 부단장은 단정한 미소를 지으며 말했다.

"저희 공자님께서는 해장을 해장술로 하시지요. 해장에 있어 아주 최고의 경지에 다다른 분이십니다."

왕실 기사의 당황한 얼굴과 어떻게든 케일의 모습을 칭찬하려는 부단장을 보며 케일은 생각했다.

'아, 피곤하다.'

그래서 그는 말했다.

"빨리 좀 끝내지?"

왕실 기사는 동료를 불러 술병이 나뒹구는 마차 안을 같이 눈으로 확인했고, 이내 통과를 허가했다.

"통과이십니다."

그 말에 부단장이 천천히 문을 닫았고, 닫히는 문 사이로 왕실 기사가 인사했다.

"수도에 오신 것을 환영합니다."

끼이익. 탁. 문이 완전히 닫히고 잠시 뒤, 마차가 성문 안으로 움직였다.

케일은 가득 채우고 있던 술잔을 앞으로 내밀며 말했다.

"수도에 오신 걸 환영한다는데요?"

투명화 마법을 푼 테일러가 웃으며 케일에게 장치를 건넨 후 빈손에 잔을 받아 들었다.

"환영 인사는 오랜만에 받아보는군요."

케일 일행은 수도에 도착했다.

마차는 여유로이 수도의 서쪽으로 향했다.

수도 휘스는 곳곳이 아름답게 단장 중이었다. 일주일 앞으로 다가온 탄신일 기념 축제 준비로, 도시 전체가 바빴다.

케일은 살짝 들춘 커튼 사이로 비치는 밖을 보며 생각했다.

'최한은 3일 뒤쯤에 도착하겠군.'

미친 듯이 빨리 이동하지 않는 이상, 최한은 케일 일행보다 3일 늦게 도착할 것이다. 로잘린과 라크까지 데리고 오는 데다, 라크를 데리고 올 때 비밀 단체와 엮이게 되니 이래저래 시간이 지체되리라.

최한은 푸른 늑대족의 유일한 생존자이자 늑대왕의 자질을 가진 라크와 엮이며 그와 함께 수도로 오다가 비밀 단체와 한 번 더 부딪친다. 이로써 최한은 수도 테러 사건까지 합쳐 네 번 비밀 단체와 엮인다.

최한이 어둠의 숲에서 나와 처음 지냈던 해리스 마을을 몰살한 비밀 단체. 최한은 두 번이나 단원들과 마주치지만 그들에 대해서 정확히 알지 못한다.

'암살 단체 옷에는 별이 없었거든.'

해리스 마을도, 푸른 늑대족도 멸살이 목표였기에 비밀 단체는 산하의 암살 단체를 파견했고, 암살 단체는 만약을 대비해 그저 검은 옷만을 입었다. 그들은 사로잡히면 자결을 택하는 이들이었다.

하지만 수도에서부터는 달라진다.

'그 피 좋아하는 놈이 나올 텐데.'

최한은 로잘린과 함께 이번 테러 사건을 막으며 비밀 단체 '간부'를 보게 된다. 그 간부와 수하들의 심장께에는 하얀 별과 함께 다섯 개의 붉은 별이 새겨져 있으리라.

케일은 용을 만나러 갈 때 입었던, 자신이 만들었던 조잡하지만 꽤 훌륭한 별 자수 옷을 떠올렸다. 그 옷과 비밀 단체의 옷. 케일은 이 부분에 대해 다른 이에게 말할 변명거리도 생각해 두었다. 그는 무감각한 눈동자로 창밖을 보다가 도로 커튼을 쳤다.

들뜬 얼굴로 거리를 장식하는 사람들, 화려해져 가는 거리. 그 모든 것들은 일주일 뒤 아비규환의 현장으로 바뀐다.

"테일러 공자."

수도 휘스 서쪽, 귀족들의 저택이 모인 곳. 마차는 한 저택 앞에 멈춰 섰고, 케일은 자리에서 일어나 나갈 채비를 했다.

"저택에 도착하면 론이 알아서 길을 내어줄 겁니다. 그리로 나가시면 됩니다."

그는 마차 문만을 보며 덧붙였다.

"잊으세요."

자신과의 만남을 잊으라 말하는 케일의 귓가로 두 사람의 목소리가 들려왔다.

"감사합니다."

"나중에 웃으면서 봐요."

케일의 입꼬리가 살짝 올라갔다. 그런 그를 케이지와 테일러가 바라봤다. 하지만 케일도 그의 고양이들도 두 사람에게는 시선 한 번 주지 않았다.

달칵. 마차 문이 열렸다.

"공자님, 도착했습니다."

케일도, 한스도, 고양이들도 테일러와 케이지가 보였지만 보지 않았다. 케일은 그들이 없다는 듯 마차에서 내렸다.

케일은 마차에서 내려 발이 땅에 닿는 순간 마부석으로 시선을 돌렸다. 론이 인자한 척 미소를 지으며 고개를 끄덕여 보였다. 그는 부집사 한스에게 수도 저택에 대한 설명을 들었으니, 알아서 두 사람을 밖으로 빼낼 것이다. 곧 론은 마부와 함께 후문의 마구간으로 사라졌다.

케일은 그 모습에 미련을 두지 않고 시선을 돌렸다.

"오."

그리고 짧은 감탄을 흘렸다. 아기 고양이 온과 홍은 엄청 놀란 듯 금안을 동그랗게 뜨고 있었다.

"……생각 이상인데?"

역시 돈 많은 백작가. 거대한 철문 너머로 5층짜리 저택이 자리해 있었다. 정문과 저택 사이에는 정원도 존재했다. 하지만 화려하거나 번쩍이지는 않았다. 다만 근처 다른 귀족가의 저택들보다 훨씬 더 비싸 보였다.

진정 제대로 돈을 쓰면 느껴지는 고급스러움과 아우라가 있지 않은가. 헤니투스 백작가는 황금 거북이가 그려진 조각상과 함께 그 고급스러움을 은은하게 뿜어내고 있었다.

끼이익―!

황금 거북이 문양이 조각된 거대한 정문이 천천히 열렸다. 정문을 여는 경비병, 그리고 열린 문 너머로 총관리자와 고용인들이 양쪽에 서서 케일을 맞이했다.

"케일 헤니투스 공자님! 오신 것을 환영합니다!"

과하게 예의 바른 인사였다. 그들은 머리가 땅에 닿을 듯 허리를 숙였다. 총관리자로 보이는 노인은 목에 핏대라도 세울 요량으로 우렁차게 말했다.

"모든 역량을 총동원해 모시겠나이다!"

왜 이래?

케일은 한스를 쳐다봤다. 한스는 과하게 영문을 모르는 척을 했다.

'아는 것 같은데.'

왜 이러는지 아주 잘 아는 것 같은 제스처였다. 케일은 물어보기도 귀찮아 총관리자에게 다가가 그의 어깨를 잡아 일으켰다. 그리고는 다른 고용인들을 보며 말했다.

"다들 고개 들도록."

고용인들이 재빠르게 고개를 들었다. 그들은 이 저택에서 일하며 케일을 한 번도 본 적이 없었다. 하지만 그간 수도 저택을 방문하는 영지 사람들에게 케일에 대해 들었다.

　망나니 케일. 그는 가문에서 일하는 이들을 귀족 아니면 모두 버러지, 혹은 그 이하로 나누는 이라고 했다. 그들은 이어질 케일의 말을 긴장한 채 기다렸다.

　"앞으로 예의는 과하게 차리지 말도록. 난 자신의 일을 열심히 하는 사람에게 딱히 예의로 시비를 거는 사람은 아니니까."

　순간 고용인들의 눈빛이 케일에게로 향했다. 여전히 딱딱하게 굳은 그들의 표정이 느껴져 케일은 살짝 미간을 찌푸렸다.

　"어머니가 뽑은 이들이라 들었다. 직업에 대한 자부심이 뛰어나다 들었으니, 그 자부심에 맞게 알아서 하겠지."

　고용인들의 표정이 묘해져 갔다.

　"앞으로 관련된 일은 한스에게 물어보고."

　안 그래도 할 일이 많은데, 모든 일은 한스에게 떠맡기는 편이 나았다. 그리고 얼마 머물지도 않을 저택에 대해 신경 써봤자 뭐 하겠는가. 케일은 대충 표정이 풀어지고, 간혹 밝아진 고용인들을 보며 앞으로 걸음을 내디뎠다.

　"가지."

　케일이 맨 앞에 서서 정문 안 5층짜리 저택으로 향했다.

　집의 주인이 처음으로 집에 들어설 때, 그때 주인은 정문부터 현관까지 직접 걸어가야 했다. 이것은 자신의 영역이라는 것을 뜻했다.

　왕세자가 왕위에 오를 때, 그때 왕세자는, 아니, 왕은 왕궁 정문에서부터 자신의 집무실이 있는 중앙궁까지 걸어 들어간다. 그것과 같은 의식이었다.

　이전엔 데르트 백작과 백작 부인이 이렇게 걸어 들어갔지만, 이제

이 거대한 저택의 주인은 케일 헤니투스, 그였다.

끼이익—

황금 거북이가 새겨진 거대한 철문이 닫혔다. 그와 동시에, 이곳에서 정보가 퍼지는 형태가 늘 그렇듯 주변 귀족가에도 헤니투스 백작가의 귀족 자제가 도착했다는 소식이 알려졌다. 이는 케일이 도착보고를 위해 왕실에 사람을 보내는 것보다 빨랐다.

그 덕에 동북부 귀족 자제 모임의 회원 중 일찍 도착한 세 사람은 깊은 고민에 빠지게 되었다. 한가로이 차를 마시고 있던 그들의 얼굴빛이 흐려졌다.

"하……. 정말로 바센 공자가 아니라 케일 공자가 올 줄이야. 이거 골치 아프네."

"그래도 우리 사람이니 안고 가야죠."

"그렇긴 합니다. 뭐, 망나니라도 우리 앞에서 추태를 부리지는 않잖아요?"

중립에 온순한 편인 헤니투스 백작가. 융통성 없지만 착한 바센 공자. 그리고 그곳의 망나니.

동북부 모임 귀족 가문 중 헤니투스 백작가와 친한 편인 그들은 결국 향후 미래를 생각하며 결정했다.

"허튼짓 못 하게 우리가 제대로 지키면서 보호합시다. 일단 만나서 이야기부터 해보죠."

그들에게 케일은 깽판의 위험이 있지만 물가에 내어놓은 아이처럼 보호해야 할 존재였다. 그들은 곧바로 케일의 저택으로 초대장을 보냈다. 그 초대장은 당연히 그날 저녁 케일의 손으로 빠르게 전해졌고.

"하."

케일은 굉장히 귀찮은 표정으로 그 편지를 탁자로 던져 버렸다.

"안 가실 겁니까?"

"안 갈 수가 있나?"

"아뇨. 동북부 모임이잖습니까."

"그렇지."

귀족가 인간들은 참 정보에 빨랐다. 물론 이는 케일도 마찬가지였다. 한스는 총관리자에게 받은 문서를 케일에게 건넸다.

"현재 수도에 도착한 귀족 자제 가문들이라고 합니다."

"그래. 론은 일을 잘 처리했다나?"

무슨 일인지는 언급하지도 않는 무심한 케일의 물음에 한스는 짧게 답했다.

"네."

그 답이 케일은 만족스러웠다. 케일은 테일러와 케이지에게 가발에, 로브, 문양을 가린 휠체어, 그리고 돈까지 제대로 단단히 준비해 넘겨주었다. 물론 돈을 제외하면 모두 한스가 한 일이기도 했다.

"수고했어. 오늘은 너도 쉬어."

"네, 푹 쉬겠습니다."

쉬라는 말에 괜찮다고 하지 않는 한스였다. 케일은 바삐 나가려는 한스에게 덧붙였다.

"아, 대신 나 먹을 것 좀 올려 보내."

"알겠습니다."

식당에 내려가지 않겠다는 말에 한스는 바로 답했고, 잠시 뒤 케일의 침실에는 꽤 풍족한 상차림이 준비되었다. 케일은 고기는 물론

이거니와 다양한 디저트, 그리고 와인까지 준비된 테이블 위를 꽤 만족스럽게 쳐다보다가 테라스로 향했다.

그의 침실은 3층으로 가장 햇볕이 잘 드는 자리였다. 그는 테라스로 통하는 큰 유리창을 거침없이 열어젖혔다.

"들어와."

그리고 문을 열어둔 채 식탁 앞 의자에 앉았다. 그가 테라스를 쳐다보자 곧 나뭇잎 몇 개가 둥둥 날아와 케일의 맞은편 기다란 의자에 떠 있었다.

용이 나뭇잎을 붙이고 들어왔다.

그 투명한 용을 사이에 두고 온과 홍이 같이 의자에 앉았다. 케일은 이를 물끄러미 바라보다가 와인 병을 따며 말했다.

"먹어라."

붉은 와인이 잔에 채워졌다.

"그동안 재료를 구해다 줬지만 정작 너는 못 먹었잖아."

케일은 와인 잔을 입으로 가져가며 말했다.

"따라오느라 고생했다."

그 순간, 투명화 마법이 풀리고 검은 용이 모습을 드러냈다. 온이 용의 몸에 붙은 나뭇잎들을 떼어주었다. 그리고 홍이 용의 입안에 비크로스가 만든 스테이크를 쑤셔 넣어버렸다.

평균 나이 7세 동물들이 먹는 모습을 물끄러미 지켜보던 케일은 음식을 그들 앞으로 밀어주었다. 그 모습에 온과 홍이 흠칫했고, 검은 용이 물끄러미 씹던 것도 멈추고 쳐다보았다. 케일은 다시 와인 잔을 마시며 생각했다.

'앞으로 고생할 테니까.'

자신 대신에 고생할 녀석들이니, 많이 먹여 놓아야겠지. 나이가 어려서 그렇지 웬만한 전력보다 강한 이들을 지켜보던 케일은 오랜만에 여유를 즐겼다.

　"이만하면 좋을 텐데."

　딱 이만한 집에, 이렇게 맛있는 음식과, 편안한 여유. 그 세 가지를 누리며 삶을 살아가면 얼마나 좋을까.

　바센이 소가주가 되면 이렇게 살고 말 것이다. 케일은 다시 한번 다짐했다. 그는 한쪽 구석에 놓인 마법 음향기까지 켰다. 알 수 없는 음유 시인의 음악이 흘러나왔다. 와인을 한 모금 머금었다. 점점 어두워지는 하늘의 모습이 테라스 너머로 보였다.

　"좋네."

　이게 인생이지. 케일의 입가에 편안한 미소가 맺혔다.

　똑똑똑.

　그때, 노크 소리가 들려왔다. 검은 용은 곧바로 투명화 마법으로 모습을 감췄고 고양이들은 고양이 세수를 해댔다. 케일은 자리에서 일어서 문으로 향하려 했다.

　"아."

　챙그랑!

　일어서다가 와인 병을 치는 바람에 병이 바닥으로 떨어져 산산조각이 났다. 카펫이 붉은 와인색으로 물들어갔다.

　'……불안한데.'

　케일은 왠지 모를 불안감이 밀려왔다. 그는 서둘러 문으로 향했다. 이건 무슨 불안함일까. 케일은 문으로 향하며 고민했다.

　'최한인가?'

아니다. 최한이 미친 듯이 오지 않는 이상 3일 안에는 수도에 오는 것이 불가능하다.

상처 입은 라크를 최한이 강행군으로 데리고 올 리는 없지 않은 가? 포션을 주었지만 신에게 버림받은 늑대족에게는 신의 힘이 담긴 포션이 먹히질 않는다.

그리고 처음에 마법 실력을 숨기던, 그 조심성 많은 로잘린이 고위 마법인 이동 마법을 바로 드러내 그들을 수도로 데리고 올 리도 없었다.

무엇보다도 케일은 최한에게 일단 수도에 있는 특정 여관에 묵고 있으라고 분명히 말해두었다. 거기로 케일이 한 번 만나러 간 후, 그 뒤는 론과 비크로스를 통해 해결할 생각이었다.

그래. 이 불안함은 그냥 론이나 최한 같은 녀석들과 함께해서 생긴 만성 두통과 같은 것이다. 케일은 마음을 가라앉혔고, 힘껏 문고리를 돌려 문을 열었다.

"……너-"

케일은 순간 심장이 철렁 내려앉았다. 그의 귓가로 다급하고 절박한 목소리가 들려왔다.

"케일 님, 죄송합니다. 생각나는 분이 케일 님뿐이었습니다."

다급한 얼굴의 최한이 서 있었다. 미친 듯이 뛰어온 듯 몰골이 엉망이었다.

케일은 인생사 가장 큰 호러를 마주한 기분이었다. 그러나 최한과 비슷한 표정이지만 의아함까지 더한 부집사 한스의 얼굴, 그리고 최한과 함께 온 사람과 최한의 등에 업힌 이의 얼굴까지 본 순간 케일은 문을 활짝 열었다.

"일단 들어와."

최한의 등에 업힌 이는 늑대족의 라크였다.

"그 애 데리고."

푸른 늑대족의 라크. 늑대왕의 후계자 소년의 상태가 심각했다.

라크는 생애 첫 광폭화 직전의 고열 상태였다. 1년 뒤에 나타나야 할 첫 광폭화가 왜 지금 일어난 것인지 케일은 알 수 없었다.

다만 그는 사람들을 보며 말했다.

"걱정 마."

최한과 라크, 그리고 함께 온 로잘린까지. 세 사람이 케일의 방 안으로 들어섰다. 최한과 로잘린의 표정은 다급함으로 가득했다.

"한스, 마실 거라도 좀 챙겨와."

"네? 아, 네!"

케일은 부집사 한스에게 지시를 내리며 그를 방에 들이지 않고 문을 닫았다. 그는 자신을 바라보는 최한에게 침대를 가리켰다.

"애부터 눕혀."

"네."

최한은 조심스럽게 라크를 침대에 눕혔다. 케일은 천천히 라크에게로 다가갔다. 눈앞의 소년은 확실히 늑대족 순혈 중에서도 순혈인지라, 연약해 보이는 평범한 인간의 모습을 하고 있었다. 하지만 키는 소년이라기엔 꽤 컸다.

"허억, 헉, 헉."

라크는 고열로 헉헉거리며 눈을 뜨려 애쓰고 있었다. 잔뜩 찡그린 얼굴, 힘이 들어가지 않는 듯 축 늘어진 몸. 광폭화는 이미 찾아올 수밖에 없는 상황이 되었다.

케일은 애써 뜬 눈으로 자신을 쳐다보는, 키만 어른처럼 큰 소년에게 말했다.

"그냥 눈 감고 있어. 애쓰지 말고."

단호한 말투에는 강압은 없었지만 따르게 만드는 힘이 있었다. 라크는 천천히 눈을 감았다. 눈을 감는 그에게 모르는 이의 목소리가 들려왔다.

"다 괜찮아질 거다."

라크는 고열에 들뜬 숨을 내뱉으며 소리 없이 한 사람을 불렀다. 삼촌. 푸른 늑대족의 족장이자 위대한 늑대왕의 자리를 한발 앞에 두고 부족을 위해 죽은 사람. 삼촌은 라크를 숨기고는 침입자들에게로 향했다.

'다 괜찮아질 거다.'

삼촌은 그리 말했었다. 열에 들뜬 라크의 얼굴이 처참하게 일그러졌다. 이를 무심하게 훑어본 케일은 고개를 돌렸다.

"케일 님, 라크가 왜 이러는 겁니까?"

최한은 다급해 보였고 당황스러워 보였다. 원래 책 속에서 이 시기의 그는 차츰 마음을 열어갈 뿐 이렇게 완전히 라크에게 마음을 열지 않는다.

'무슨 일이 있었던 거지?'

케일은 최한의 상태가 자신 때문에 조금 바뀌었다는 것은 바보가 아닌 이상 알고 있었다. 그래서 더욱더 연을 끊으려고 했건만. 그는 의문을 삼키며 최한을 쳐다봤다.

"포션도 듣지가 않습니다. 로잘린이 말하길, 늑대족은 포션이 듣지 않는 종족이라고 하더군요. 치유 마법도 안 통하고. 어떻게 해야 할지를 모르겠습니다. 지켜야 하는데, 제가 지켜야 하는데."

"진정해."

이러다가 네가 각성하겠다. 그것은 저 구석에 있는 검은 용이 각성하는 것만큼 무서운 일이었다. 홀로 수십 년을 살았기 때문인지, 아니면 홀로 수십 년을 살았음에도 본래 성정이 이러한 것인지 최한은 정에 약했고 참 착했다.

"케일 님."

"일단 나를 믿는다면 나에게 맡겨라."

"……믿습니다."

"그래."

케일은 최한이 진정하는 것을 확인한 후 로잘린에게로 시선을 돌렸다.

로잘린. 브렉 왕국의 왕위 제1계승자. 하지만 그 자리를 버릴 준비를 하고 있는 천재 마법사. 그녀는 붉은 장미가 떠오르는 사람이었다. 케일보다 더 밝은 붉은 머리칼과 묘하게 올라간 붉은 입꼬리. 그러나 그 성정은 장미보다는 태양에 어울리는 사람이었다.

로잘린은 라크도, 최한도, 케일도 보지 않은 채 방구석을 보며 굳어 있었다.

"……이 기운은, 이런 장대한 마나의 힘은!"

그녀는 차마 말을 다 잇지 못한 채 정확히 식탁 의자, 용이 투명화를 하고 있는 그 자리를 보며 떨리는 손으로 주먹을 꽉 쥐고 있었다.

"하아."

케일의 입에서 한숨이 흘러나왔다. 아무래도 용이 마법사에게 호기심을 느낀 듯했다.

분명 검은 용은 로잘린에게만 자신의 마나를 흘려보내는, 로잘린으로서는 상상하기 힘든 마나 기술을 선보이고 있을 것이다. 원래 용은 인간들 중 논외로 마법사는 꽤 좋아했다.

지금 용은 좋아서 저러는 거다.

케일은 아무런 생명체도 보이지 않는 식탁 근처를 쳐다보며 낮게 말했다.

"가만히 있어라."

그 순간, 허억, 로잘린이 깊이 숨을 들이마시며 빠르게 몸의 안정을 찾아갔다. 용이 마나를 거둔 듯했다. 로잘린은 흔들리는 동공을 감추지 못한 채 케일을 쳐다봤다.

"이게 무슨-"

케일은 그녀의 말을 자르며 라크를 가리켰다.

"이쪽이 먼저입니다만."

"아."

로잘린의 표정이 빠르게 이성을 찾아갔다. 그녀는 눈을 감은 채 축 늘어진 라크를 보며 케일에게 물었다.

"지금 라크에게 무슨 일이 생긴 거죠?"

케일은 그녀의 손에 들린 작은 스태프를 쳐다봤다. 아마도 이들이 3일 만에 수도에 온 것은 로잘린이 이동 마법을 사용했기 때문일 것이다. 로잘린은 케일의 예상과 달리 스스로의 마법 실력을 이미 드러냈다.

"마법사시죠?"

"네, 그렇습니다."

"광폭화에 대한 이야기 들어보셨습니까?"

아. 로잘린의 입에서 탄성이 흘러나왔다. 하지만 그녀는 이내 의문을 얼굴에 드러냈다.

"늑대족의 광폭화에 대해서 책에서 읽어본 적이 있어요. 하지만 이렇게 고열과 통증을 동반하는 경우는 처음 보는데요?"

"처음이라 그렇습니다."

"네?"

케일은 자신을 바라보는 방 안의 이들에게 말했다.

"처음으로 광폭화할 때 수인들은 버거운 신체적 변화에 괴로워하며 이성을 잃습니다. 이 처음을 거치면 광폭화를 자신들의 무기로 사용할 수 있게 되죠."

수인이 가장 강력할 때는 광폭화했을 때였다. 케일은 라크의 상태를 살피며 말을 이었다.

"광폭화가 얼마 남지 않았습니다."

그와 시선이 마주친 로잘린은 그의 눈빛에 고개를 끄덕이며 단호히 답했다.

"당신이 어떤 사람인지 알 수 없지만, 상황 파악과 눈치쯤은 있어요."

단호한 말투와 달리 그녀의 눈빛은 간절했다.

"어린아이입니다."

"압니다."

그녀는 부탁했고, 케일은 그 부탁에 응했다.

냐아아옹. 그때 그들 사이로 아기 고양이 두 마리가 등장해 침대 위로 훌쩍 뛰어올랐다. 온과 홍은 라크를 뚫어질 듯이 바라보았다. 그 순간.

"크윽."

라크가 이를 드러내며 아기 고양이 온과 홍에게 으르렁거렸다. 이성보다 본능이 앞서가는 중이라 늑대족으로서 다른 수인에게 반응한 것이다. 그 모습이 꽤나 살벌해 최한이 침음을 삼켰을 때.

냐아옹.

툭. 홍은 앞발로 그 으르렁거리는 입을 툭 쳐버렸다. 까불지 말라는 듯 칼같은 앞발 공격이었다. 그리고 케일을 쳐다봤다. 얼른 구해주라는 눈빛이었다.

"괜찮다."

케일은 홍에게 짧게 답해주었고, 똑똑똑, 문을 두드리는 소리에 바로 문을 열었다. 한스가 마실 음료와 물수건 등을 가지고 문 앞에 서 있었다. 케일은 그런 그에게 지시했다.

"한스."

"네."

"들것 좀."

"네?"

케일은 침대 위의 라크를 가리켰다.

"들것에 애 실어서 저택 지하 연무장에 데리고 가. 연무장에 기사들 다 내보내고, 사람 한 명도 두지 말고."

아픈 애를 연무장에요? 한스의 표정이 과하게 그렇게 말했지만, 케일은 무시했다.

"어서 가."

"……네."

한스는 의문에 가득 찼지만, 그리고 케일을 이상하게 바라봤지만,

일단 말은 잘 들었다. 들것을 챙기러 한스가 나가고, 케일은 뒤돌아서서 혼란스러워하는 두 사람을 가리켰다.

"최한, 그리고 당신."

"로잘린이에요."

"그래요. 로잘린."

두 사람은 라크가 있던 침대에서 케일 쪽으로 몸을 틀었다. 걱정과 염려, 절박함, 진지함. 그 모든 것들이 담긴 두 사람의 얼굴은 영웅보다는 그저 착한 사람으로 보일 뿐이었다. 그 두 사람에게 케일은 무심히 말했다.

"둘이서 좀 맞읍시다."

"······네?"

몇 초간의 정적 뒤에 로잘린은 의문을 드러냈고, 최한은 말없이 이어질 케일의 말을 기다렸다.

"원래 늑대족과 호랑이족, 곰족처럼 맹수의 피를 담은 수인의 경우 처음 광폭화를 겪게 되면 그 부모가, 형제가 해결해 줍니다. 광폭화된 녀석의 공격을 다 받아주고, 아이가 상처 입지 않도록 보호하죠. 그렇게 아이를 지켜줍니다."

순간 최한과 로잘린의 표정이 흐려졌다. 라크에게는 부모도 형제도 없었다. 케일은 라크를 힐끗 보고는 말을 이었다.

"딱 보니, 이 아이는 그건 힘들 것 같고."

짝. 케일은 박수를 한 번 치더니 최한과 로잘린을 한 번씩 가리켰다.

"자, 아빠 엄마라 치고. 그게 싫으면 형 누나라 대충 치고. 둘이서 알아서 보호하세요."

케일은 '부서지지 않는 방패'가 있었지만 굳이 라크의 광폭화를 자신이 해결하고 싶지 않았다. 자신보다 강한 이가 있는데 왜 자신이 나서겠는가.

로잘린과 최한은 서로를 바라봤다.

"그러다가 저 아이는 제풀에 지칠 것이고, 이내 광폭화가 약해지며 이성이 돌아올 겁니다. 처음 광폭화의 끝에 이성이 돌아오는 것이 중요합니다. 그래야 다음 광폭화 때부터 이성을 잃지 않아요."

결국 이성이 본성을 이기는 시점. 그 시점이 수인에게 찾아와야 했다.

최한은 잠시 고민하더니 케일에게 물었다.

"케일 님, 광폭화 지속 시간은 얼마나 걸립니까?"

"순혈 중에서도 순혈이야."

"……오래 걸린다는 말씀이시군요."

"어. 한 두 시간?"

케일은 라크의 침대로 다가가 침대 옆에 서 있는 최한의 어깨를 두드렸다.

"다른 이들은 힘들겠지만. 최한, 너라면 간단할 거다. 믿는다."

"……해내겠습니다. 제가 라크의 형입니다."

로잘린은 최한을 묘한 표정으로 바라봤다. 로잘린의 기억 속 암살자들을 무자비하게 베어내며 살아남은 이들을 지키던 최한. 그는 늘 주변 탐색으로 신경이 곤두서 있었다. 그런 그가 지금은 급박한 상황인데도 불구하고 편안해 보였다.

최한을 지켜보던 그녀의 귓가로 케일의 여유로운 목소리가 들려왔다.

"그래. 다 하고 나면 밥 맛있는 것 먹자고."

미처 못 먹었던 밥과 와인이 생각나는 케일이었다. 그때 문이 열리며 한스가 론과 함께 들것을 챙겨 들고 왔다.

"공자님, 연무장은 비웠습니다."

"빠르네."

케일은 최한에게 이제 가만히 숨을 몰아쉬면서도 으르렁거리기 시작하는 라크를 들것에 옮기도록 지시한 후, 말했다.

"가자."

케일은 대충 마법 주머니에 물건들을 챙겨 들고 연무장으로 향했다.

저택 지하 연무장. 헤니투스 백작가는 부유함으로 유명했지만 그 원류는 무武가였다. 위험한 괴물이 포진하고 있는 어둠의 숲과 맞닿아 있는데 약하면 그게 말이 되겠는가.

그렇기에 저택 지하에는 웬만한 공후작가보다 좋은 연무장이 마련되어 있었다. 넓은 지하 공간에 들어선 케일은 한스와 론에게 지시했다.

"너희도 나가 있도록. 1층에서 아무도 이곳으로 들어오지 못하게 지키고 있어."

"네, 공자님."

"알겠습니다, 도련님."

케일은 론이 과하게 인자한 미소를 짓고 있는 것이 영 찝찝했다. 하지만 군말 없이 사라지는 두 사람을 보며 이내 고양이들을 데리고 연무장 구석으로 갔다. 물론 최한과 로잘린에게는 저 멀리 가라 손을 훠이훠이 젓는 것도 잊지 않았다.

"두 사람은 중앙으로!"

최한과 로잘린은 케일의 말에 따라 움직였다. 최한은 라크를 데리고 연무장 중앙으로 향했고, 로잘린은 심각한 표정을 유지한 채 조금씩 라크에게서 떨어졌다.

"크윽!"

라크는 이제 작은 발작까지 일으키고 있었다. 손발이, 온몸이 점점 더 강하게 떨렸다. 하지만 로잘린도, 최한도 그에게 쉬이 다가가지 않았다.

라크의 손톱이 자라나고 있었다. 날카롭게. 마치 맹수의 발톱처럼.

"크아악!"

바닥에 누워 있던 라크의 몸이 들썩였다. 활처럼 몸을 휘던 그의 몸이 서서히 변하기 시작했다. 케일은 연무장의 거대한 철문이 잘 닫힌 것을 확인하고는 슬금슬금 더 구석으로 갔다. 온과 홍도 슬금슬금 구석으로 갔다.

'장난 아니네.'

케일은 호리호리하고 큰 키의 라크가 점점 변해가는 모습을 볼 수 있었다.

"크윽, 아아악!"

라크는 날카로운 송곳니가 자라난 채로 고함을 지르며 서서히 일어섰다. 비틀거리며 일어선 그는 찡그린 얼굴로 눈을 떴다. 그리고 천장을 향해 고함을 내질렀다.

"크아아악!"

그 순간, 케일의 눈앞에 반투명한 막이 하나 생겼다. 실드였다. 온과 홍이 두리번거리며 놀랄 때, 케일은 무심히 입을 열었다.

"용, 너는 역시 대단해. 이거 소리 차단도 좀 시켜주라."

실드가 한 겹 더 생겼다. 로잘린이 힐끗 이곳을 보더니 중첩 실드에 흠칫 놀라는 모습을 보였다. 케일의 귀로 이 실드 안 어딘가에 있을 검은 용의 목소리가 들려왔다.

"너는 아주 약하다. 그러니 보호해야 한다."

온과 홍이 검은 용의 존재를 알고 반가워하다가 그 말에 동의하듯 안쓰러운 눈빛으로 케일을 올려다봤다. 케일은 그 시선을 무시하며 평이하게 답했다.

"그러든가."

"왜 그 힘을 안 쓰는지 모르겠다."

"몰라도 돼."

그 힘. 검은 용은 케일이 고대의 힘을 다른 이들에게 보이지 않았음을 알아채고, '그 힘'이라 칭하며 의문을 제기했다. 케일은 어깨를 으쓱였다. 결국 실드가 한 겹 더 겹쳐져, 총 세 겹의 실드가 생겨났다.

'실력이 급속도로 느는군.'

용은 인간과 마법을 쓰는 방향이 달랐다. 용은 의지로 마법을 다뤘다. 케일은 검은 용의 실력 향상 속도가 놀라우면서도 써먹기 참 좋겠다는 생각을 했다.

케일은 땅바닥에 털썩 주저앉아 광폭화하는 라크의 모습을 편안하게 지켜보았다.

"크윽, 아아아악!"

연무장이 울렸다. 방음이나 충격파와 관련된 마법이 없었다면 저택의 기사들이 모두 이 소리에 놀라 연무장으로 내려왔을 것이다.

고함을 한 번 내지를 때마다 라크의 신체는 거대해져 갔다. 없던 근육이 생겨났고 눈이 시뻘겋게 물들어갔다. 이성을 잃고 있다는 증거였다.

왜 저 늑대족 소년은, 라크는 광폭화가 된 것일까.

'영웅의 탄생' 속 라크는 일 년 후 첫 광폭화를 겪는다. 이유는 한 존재의 죽음 때문이었다.

'힐러 펜드릭.'

그 엘프는 전투 중 죽게 된다. 그는 라크에게 죽은 족장, 삼촌을 떠올리게 하는 인물이었다. 그에 라크는 눈이 돌아버린다. 미쳐 버렸고, 그대로 눈에 보이는 것들을 죽이고자 한다.

"온, 홍."

케일은 실드 안에서 찰싹 붙어 있는 두 남매를 내려다봤다.

"너희는 아직 광폭화를 겪어보지 않았겠지?"

고양이들은 고개를 끄덕였다.

"광폭화에 대해서는 아나?"

"잘 모르는데."

"가르쳐 주는 어른이 없었는데."

그럴 줄 알았다. 온과 홍은 순혈로 추정되기에 광폭화도 심할 터. 케일은 다시 앞을 보며 말을 이었다.

"늑대족과 호랑이족, 그리고 곰족, 고래족의 경우 광폭화를 하면 가장 많이 이성을 잃는다. 그래서 우리는 대개 이 네 종족을 몬스터에 가까운 수인이라고 생각하지."

고양이족에 대해서는 잘 모른다.

"묘족은 나도 정확히 모르지만, 광폭화가 될 것 같거나 열이 나거나 갑자기 아프면 무조건 나한테 바로 와."

사고를 치면 골치 아프니까. 그 뒷수습은 누가 하겠는가. 케일 자신이 해야지.

케일은 자신의 영역 안, 거둔 것에 대해서는 책임을 졌다.

그는 아무런 대답이 들려오지 않자 시선을 옆으로 돌렸다. 금안 두 쌍이 케일에게 박혀 옴짝달싹도 안 하더니, 고양이들이 이내 그의 다리로 다가와 몸을 비벼댔다.

'왜 이래?'

케일은 그 치대는 모양새가 영 찝찝해, 앉은 채로 슬쩍 옆으로 이동했다. 그때, 허공에서 소름 돋는 말이 들려왔다.

"용은 광폭화 없나?"

"없다."

미쳤다고 용 광폭화가 있겠는가. 용이 광폭화되면 산 몇 개는 그냥 기본으로 날아가 버릴 것이다. 끔찍한 소리다. 케일의 표정이 어느 때보다도 굳은 채 정면을 응시했다. 더 듣기도 싫다는 제스처였다.

"쳇."

허공에서 혀 차는 소리가 들렸다. 이 용이 왜 이러나. 케일이 도통 알 수 없는 용의 변덕스러움에 대해 고민할 때, 광폭화가 제대로 발현하기 시작했다.

쿵. 두 다리로 선 늑대인간이 발을 굴리자, 연무장 바닥이 울렸다.

푸른 늑대족은 털의 빛깔이 검푸른색이었다. 더 이상 소년이라 할 수 없는, 흉포한 늑대인간이 검푸른 털로 덮여갔다. 그리고 날카로워진 손톱과, 이 자리의 최한은 비교도 할 수 없는 근육으로 이루어진 팔을 휘둘렀다.

"라크!"

"라크, 정신 차려!"

최한과 로잘린이 애타게 그를 불렀으나, 이성을 잃은 라크에게는 공격해야 할 생명체일 뿐이었다.

"크르륵."

짐승의 짓씹는 듯한 거친 소리가 라크의 입에서 흘러나왔다. 최한보다 1.5배는 됨직한 몸집의 늑대가 최한에게 달려들었다.

"라크, 정신 차려라! 나 최한이다!"

최한은 공격도 못 하고 늑대의 공격을 그저 방어하며 연신 라크를 애절히 불러댔다. 그런다고 이성이 돌아오겠는가? 케일은 고개를 가로저으며 그 광경을 지켜보았다.

"그냥 대가리를 쳐서 기절시키는 게 제일 빠르지."

헉. 고양이들이 숨을 들이마시며 케일에게서 멀어졌다. 하지만 케일은 말과 달리 그럴 생각이 없었다. 그렇게 기절한 수인은 후에 광폭화를 하면 또 이성을 잃고 마니까.

"이야."

광폭화한 늑대인간의 공격력은 상상을 초월했다. 그저 본능에 따라 움직이는 것임에도, 근육을 쓰는 느낌부터 달랐다.

"온, 홍."

케일은 고양이 남매를 불렀다. 그가 둘을 데리고 온 이유가 있었다.

"저 늑대족 아이의 움직임을 봐라."

그는 온과 홍이 늑대인간 라크를 잘 보도록 그를 가리켰다. 라크는 끊임없이 최한과 로잘린에게 달려들었다. 뒤가 없는 싸움. 늑대족다웠다. 케일은 고양이들에게 속삭이듯이 말했다.

"저게 본능에 의한 수인의 움직임이야. 인간과 달리 본능에 따라 움직일 수 있다는 것. 그것이 수인의 아름다움이자 위대함이다."

콰앙! 라크의 주먹이 바닥을 내려쳤고 돌로 된 바닥이 부서졌다. 어마어마한 괴력이었다.

"광폭화는 두려운 것도, 무서운 것도 아니다. 가장 그들이 강할 때이지."

툭. 케일의 손이 고양이 두 마리의 머리를 두드렸다.

"묘족과 늑대족은 다르지만 너희도 수인이다. 저 본능에 의한 움직임, 야생의 움직임을 보고 배워. 그래서―"

금안 두 쌍이 케일의 눈동자와 마주했다.

"너희들 것으로 만들어. 아니면 곰, 호랑이, 늑대, 저런 맹수들의 목을 물어뜯을 방법을 생각하거나."

고양이, 묘족의 아이들은 곧바로 케일에게서 시선을 돌려 라크를 응시했다. 고양이들은 어느새 일어서서 날카롭게 라크를 관찰했다. 은색, 붉은색, 각기의 털이 일어서며 고양이들의 몸에 긴장감이 맴돌기 시작했다.

맹수에 비하면 약한 종족인 고양이. 은밀한 그들은 케일이 말한 바를 정확히 알아들었다. 케일은 고양이들을 지켜보다가 용을 불렀다.

"야."

허공에 검은 용이 모습을 드러냈다. 로잘린과 최한은 아예 이쪽은 보지도 못하고 라크에게만 온 신경을 쏟고 있었다. 케일은 용에게 그 두 사람을 가리켰다.

"로잘린이 상대가 다치지 않게 마법을 쓰는 모습을 확인해. 최한이 공격을 위한 오러가 아닌, 저 늑대 아이를 다치지 않게 하기 위해 오러를 사용하는 방법을 지켜봐."

탕, 탕, 탕! 무자비하게 빠른 라크의 주먹이 로잘린의 실드를 파괴하려 했다. 그 모습에도 로잘린은 애타게 라크를 불렀다.

"라크, 누나 기억하지? 넌 이제 내 가족이라고 했잖아. 어서 정신 차려!"

최한이 로잘린이 아닌 자신 쪽으로 라크의 시선을 끌었다. 그는 일부러 살기를 피워 올렸다.

"나를 공격해라, 라크. 너를 지킬 사람은 나다."

살기에 반응한 라크는 최한에게 발톱을 휘둘렀다. 그 공격에는 오러 따위는 없어도 되는, 육체적인 강함이 담겨 있었다.

케일은 그 광경을 멀찍이서 지켜보며 용에게 말했다.

"다치게 하는 것보다 다치지 않게 하는 것이 더 어려운 법이야. 하지만 넌 용이니 금방 할 줄 알겠지."

용은 답했다.

"난 용이다. 못 하는 게 없다."

"그래. 그러니 보고 네 나름대로 판단해."

용은 고양이들 옆에 내려앉더니 다시 투명화했다. 아마 고양이들처럼 로잘린, 최한, 라크의 공방을 눈에 새겨 넣을 것이다.

'와인이라도 챙겨 올 걸 그랬나?'

케일은 와인이 없는 아쉬움을 누르며, 한쪽은 공격하고 두 명은 방어하는 지루한 광경을 가만히 감상했다. 두 시간. 한 편의 영화가 끝날 시간 동안, 두 종족의 아이들은 눈길 한 번 떼지 않고 지켜보았으며 최한과 로잘린은 지쳐갔다.

"……헉, 헉. 헉."

하지만 가장 많이 지친 이는 늑대인간이었다.

"허억, 헉. 형-"

"라크!"

최한은 '형'이라는 단어에 반색했다. 그는 쓰러질 듯 휘청거리는 늑대인간에게 다가갔다. 아직 광폭화가 완전히 풀리지도 않았건만, 다가가는 최한의 그 모습을 케일은 탐탁지 않게 쳐다보면서도 이내 자리에서 일어섰다.

"누, 누나-"

라크는 로잘린까지 알아봤다.

"아, 라크!"

로잘린도 달려가 아직 검푸른 털로 덮인, 하지만 눈동자의 빛을 찾아가는 라크를 안았다. 라크는 하나도 다치지 않았다. 오히려 로잘린과 최한만이 자잘한 상처를 입었다. 두 사람은 가족처럼 라크를 보호했다.

"미, 허억, 헉, 미안해."

소년은 이성이 돌아왔다. 모든 과정을 인지하는 완벽한 첫 광폭화였다. 라크는 자신보다 반은 작은 로잘린의 어깨에 얼굴을 묻었다. 13살의 소년은 울었다. 짐승의 소리가 뒤섞인 울음이었다.

"라크!"

마침내 광폭화가 끝난 라크는 서서히 인간의 몸으로 변하며 쓰러졌다. 최한이 얼른 다가가 그 몸을 잡았다. 라크는 쓰러지며 흐려져

가는 정신을 다시 한번 붙잡았다. 또 광폭화가 될까 두려웠다.

연신 눈을 깜박이며 흐려져 가는 시야를 막으려던 소년에게 고양이 두 마리를 품에 안은 남자가 다가왔다.

'삼촌.'

삼촌의 말을 했던 그 남자였다. 그 남자는 라크에게 말했다.

"이제 쉬어도 된다."

남자는 씩 웃으며 전처럼 라크의 눈을 감겼다.

"다 끝났다."

그제야 라크는 안심하며 눈을 감았고 최한에게 기댄 채 정신을 잃었다. 최한은 조심스레 라크를 도로 들것에 눕혔다.

이를 보고 있던 케일은 아까 챙겨 왔던 주머니에서 포션 병을 꺼내 로잘린에게 던졌다. 대충 던졌음에도 이를 낚아챈 로잘린은 포션 병을 보며 물었다.

"라크는 포션이 몸에 듣지 않는데요?"

케일은 무슨 그런 당연한 질문을 하냐는 듯한 얼굴로 로잘린을 무심히 쳐다보다가, 여전히 의문을 드러내는 그녀에게 말했다.

"늑대족에게 포션을 왜 줍니까. 당신에게 주는 겁니다. 고생했잖아요."

로잘린은 케일을 빤히 바라봤다. 그녀는 마법 삼중첩이라는 어마어마한 광경을 보았고, 케일에게 묻고 싶은 것이 많았다. 하지만 그녀는 다른 말을 했다.

"고마워요."

이게 먼저였다.

"별말씀을."

케일은 가벼이 답하며 고개를 돌려 최한을 바라보았다. 이미 최한은 케일을 바라보고 있었다.

"최한."

도대체 어쩌다가 이런 일이 일어났는지, 얘기를 들어둘 필요가 있었다.

"너는 나랑 얘기 좀 하자."

케일은 최한을 데리고 지하 연무장을 빠져나왔다.

"한스, 론. 밑에 두 사람 안내 부탁해."

1층 문에 서 있는 한스와 론에게 라크와 로잘린에 대한 처리를 맡긴 그는 다시 제 방으로 돌아와 최한과 마주했다. 아직 치우지 않은 음식들이 차갑게 식어 있는 식탁을 사이에 두고, 케일은 최한에게 말했다.

"얘기해 봐."

"네."

두 사람은 딱히 다른 말 없이 바로 본론에 들어갔다. 최한은 자세를 바로 하며 입을 열었다.

"로잘린을 만나는 과정까지는 수월했습니다."

"계속."

"케일 님이 말씀하신 도시까지 갔습니다. 그곳에서 말씀하셨던 대로 수도로 향하는 상단을 찾았습니다. 상단이라기보다는 사람 다섯 명의 작은 무리더군요."

상단보다는 상인 일행이라고 보는 편이 맞는 작은 무리였다.

"그들은 마침 호위를 부탁할 용병 두 명을 찾고 있었습니다. 원래 함께하던 호위 무사가 다쳤더군요."

그 용병 두 명의 빈자리를 최한과 로잘린이 채운다. 그게 원래 이야기의 흐름이었다.

"그곳에 케일 님이 말씀하셨던 인상착의의 로잘린이 있었습니다."

로운 왕국의 서북부 경계와 맞닿아 있는 브렉 왕국. 로잘린은 로운 왕국 밑에 위치한 위퍼 왕국의 마탑으로 가다가, 로운 왕국에서 암살 위험에 처한다.

절반 정도 실력을 숨기고 있던 그녀는 마법으로 그 위험을 벗어난다. 그리고 흉수를 알 수 없는 상황에서 왕국으로 바로 돌아가는 것보다는, 일단 로운 왕국의 수도로 가 정보 길드에서 정보를 얻고자 했다.

'그리고 브렉 왕국에 가서 한바탕 뒤엎어 버리지.'

상단에서 용병으로 로잘린을 만났다는 최한은 말을 이었다.

"그녀도 수도로 향하는 중이었고, 잘됐다 싶어 친하게 지냈습니다."

뭐라고?

"음? 친하게?"

"네."

최한은 쑥스럽다는 듯이 말했다.

"먼저 말을 거는 성격은 아니지만, 그래도 이왕 친하게 지내면 좋지 않겠습니까."

"굳이. 성격대로 하면 될 텐데."

케일의 표정이 떨떠름해졌다. 원래 이야기대로라면 로잘린과 최한은 라크를 만나기 전까지는 친해지지 않는다. 경계심이 한층 강해진 로잘린이 누군가와 먼저 친해질 리 없었고, 최한은 해리스 마을 사건 이후 친분을 위해 누군가에게 먼저 다가가지 않는 상태였다.

최한은 케일의 말에 고개를 끄덕이면서도 씩 웃으며 덧붙였다.

"성격에 안 맞는 짓이긴 했지만. 밥값을 제대로 하고 싶어서요."

하. 케일이 한숨을 내쉬며 고개를 절레절레 가로저었다. 그럴 줄 알았다는 듯, 최한은 그 행동을 담담히 넘기며 이내 굳은 표정으로 말을 이었다.

"그 상단은 케일 님이 라크를 만날 장소라고 하셨던 곳 근처 마을에 잠시 머물렀다 가는 상단이었습니다."

그럴 수밖에. 다섯 명의 그 작은 상단은 푸른 늑대족에게 은혜를 입은 상인이 꾸린 상단이었다. 다친 호위 무사가 푸른 늑대족의 전사였다.

상인은 퍼슬시에서 수도로 향하는 짧은 길 대신, 굳이 돌아가는 길을 택해 푸른 늑대족에게 생필품을 전달해 주고 그들에게서 약초를 얻었다. 물론 깊은 산기슭에 사는 푸른 늑대족 마을까지 가서 장사하는 것은 손해가 컸다. 대신 거래는 그 산 아래 시골 마을에서 조용히 이루어졌다. 그 상인은 60대로, 자그마치 30년 동안 이어진 인연이었다.

"그러다 그 시골 마을에 도착하고 나서 일이 벌어졌습니다."

케일은 신경을 곤두세웠다. 지금부터 벌어지는 이야기가 중요했다.

"마을에 도착했을 때쯤, 저는 호위 무사가 수인임을 알게 되었습니다. 또한 상단이 거래를 위해 만나야 할 사람이 바로 케일 님이 말씀하신 산골 마을에서 오는 사람이라는 것도요."

최한의 말에 케일은 고개를 끄덕였다. 최한이라면 충분히 그 정도는 파악하리라 생각했다.

"그래서 저는 그 산골 마을에서 내려온다는 이를 만나 그 뒤를 따라가면, 라크라는 이를 만날 것이라 생각했습니다."

하지만 그 산골 사람이 오지 않았겠지.

"그런데 거래를 할 산골 사람이 내려오지 않았습니다. 그때, 상인은 저희에게 한 가지 요청을 더 합니다."

케일은 그 요청을 떠올렸다.

호위 무사와 함께 그 마을에 갔다 와라.

"호위 무사와 함께 그 산골 마을에 다녀올 수 있냐는 것이었습니다."

"그래서 수락했고?"

"네, 수락했습니다. 로잘린도요."

본래 이야기 흐름과 같았다. 그러면 무엇이 달라졌을까.

'영웅의 탄생'에서는 호위 무사와 함께 깊은 산속 푸른 늑대족 마을에 도착한 최한과 로잘린이 초토화된 마을을 목격하고, 도망가는 암살단과 절묘하게 마주한다.

최한은 그 광경에서 해리스 마을을 떠올리고 바로 그들에게 공격을 가한다. 함께 간 호위 무사 역시 이성을 잃고 암살자들에게 살초를 펼친다. 그 과정에서 이미 다쳐 있던 호위 무사는 한 번 더 크게 다치게 되고, 결국 죽는다.

'로잘린은 그때 최한의 힘을 알게 되지.'

당시 로잘린은 초급 마법사 행세를 하며 힘을 숨기다가, 최한의 힘을 알고서 그에게 정식으로 왕국까지의 호위를 의뢰한다. 물론 그 금액이 어마어마했다.

'그리고 망가진 마을에서 숨어 있던 라크를 발견하지.'

겁쟁이 늑대 소년 라크. 그는 족장의 말대로 숨죽인 채 숨어 있다가 최한에 의해 발견된다. 이때 라크는 겁 많고 연약하고 좀 어벙하고, 쉽게 말해 보는 독자들이 답답하게 여기는 포지션의 캐릭터를 담당한다.

하지만 타고난 신력과 신체 능력이 그 분야의 다섯 손가락 안에 꼽히는 이로, 첫 광폭화 후 그 힘을 개화한다.

"케일 님."

"어."

그런데 왜 그 광폭화의 시간이 앞당겨졌을까.

"그곳에서 제가 익숙한 무언가를 봤습니다."

"뭘 봤다고?"

케일의 물음에 최한은 고개를 끄덕였다. 두 사람 사이에는 식은 음식들이 놓여 있었지만, 주변 공기에는 긴장감이 서서히 퍼지기 시작했다. 최한의 입이 열렸다.

"하얀 별에 붉은 별 다섯 개."

케일의 표정이 굳어졌다. 심장이 철렁 내려앉았다.

'지금, 비밀 단체의 암살단이 아닌 정단원이 거길 갔단 말인가? 왜?'

'영웅의 탄생'에서 푸른 늑대족은 멸살의 대상이었다. 그렇기에 암살단이 가야 할 곳이지, 정단원은 가지 않아야 했다.

최한은 차가워진 케일의 표정을 보며 그때를 떠올렸다. 그는 저도 모르게 주먹을 쥐었다. 분노로 손이 떨려왔다.

깊은 산기슭 마을에 지어진 집들은 생각보다 단란했고 아담했다. 하지만 그 모든 것들은 부서져 있었고, 무엇보다 늑대족 시체는 불에 탄 것처럼 까맣게 그을린 채 죽어 있었다.

까맣게 그을린 시체. 불에 탄 것처럼 매캐한 냄새. 벌어진 상처로 흘러나오는 시뻘건 핏물. 늑대족의 대부분은 눈을 뜬 채로 죽어 있었다.

"산골 마을은 이미 초토화되어 있었습니다. 또한 도착했을 땐 이미 수많은 늑대족 사람들이 죽어 있었습니다."

강력한 신체의 힘을 지닌 푸른 늑대족. 암살단은 그들을 어떻게 죽였는가?

늑대는 가족을, 무리를, 친구를 제 목숨보다 소중히 여겼다.

첫 광폭화 전의 나약한 어린 늑대인간. 암살단은 그들을 인질로 잡아, 신의 힘이 담긴 물건을 사용해 성인 늑대들을 약화시켜 죽였다. 그리고 후에 어린 늑대들도 죽였다. 몇몇 미친 듯이 덤벼드는 성인 늑대들에게는 성수를 사용했다.

신에게 버림받은 늑대족. 그 사실을 이용한 비밀 단체는 신의 물건까지 소유하고 있을 정도로 막강한 단체였다. 그리고 어린아이를 인질로 삼아 그 앞에서 어머니, 아버지, 어른들을 죽이는 잔인한 이들이었다.

'그때 사용한 신의 물건이 무엇인지는 나오지 않았지.'

그걸 안다면 비밀 단체의 정체에 한 걸음 다가갈 수 있을 텐데. 아쉽게도 그 신의 물건에 의해 약화된 늑대인간의 모습만 책에 서술되었을 뿐 비밀 단체의 정체는 알 수 없었다.

케일은 나직이 물었다.

"모두 죽어 있던가?"

최한이 고개를 가로저었다. 케일의 표정이 굳었다. 그 굳은 얼굴을 보며 최한은 말을 이었다.

"그들이 살아남은 어린 늑대족을 잡아가려고 하더군요."

잡아가? 원래는 말살인데? 왜 굳이 어린 늑대인간을? 케일은 머릿속이 복잡해지기 시작했다. 최한은 깊은 고뇌에 빠진 듯한 케일과 시선을 마주했다.

"푸른 늑대족 마을 입구에 당도했을 때, 족장이 죽어가고 있었습니다."

푸른 늑대족은 인구가 100명이 채 되지 않았다.

"납치되려던 어린 늑대족은 총 10명이었습니다."

……이거 이야기가 너무 달라지는데.

"그리고 족장이 쓰러지는 순간, 어린아이들을 데려가려는 자들 앞에 한 소년이 나타나더군요."

"……라크인가?"

"네, 라크였습니다."

원래 어린 녀석들이 죽을 때도 숨어 있던 놈이, 왜 이번에는 나타났을까. 죽음과 납치는 다르다고 생각한 것일까. 저보다 약한 제 가족, 제 동생, 친구의 죽음은 보지 못하는 늑대. 무엇이 라크에게서 늑대의 본성을 드러나게 만들었을까.

"저는 그들을 막았습니다. 아니, 죽이려고 했습니다."

최한은 그 말을 하며 케일을 쳐다봤다. 케일은 별다른 표정 변화 없이 채근했다.

"계속해."

"……별 모양이 없는 검은 옷의 자들은 제가 해리스 마을에서 겪었던 암살자들과 동일하다는 것을, 그들이 사용하는 검은 힘에서 깨달았습니다."

케일이 놀란 얼굴로 되물었다.

"해리스 마을을 몰살한 자들과 같은 힘이었다고?"

"네."

"……이런."

케일은 머리를 한 손으로 짚으며 탄식을 흘렸다. 마치 처음 들었다는 듯 놀란 표정이었다. 물론 이건 연기다.

"그들 사이에서 유일하게, 하얀 별에 붉은 별 다섯 개를 가슴에 새긴 이가 있었습니다. 그자가 호위 무사를 죽였습니다."

최한의 눈가가 찡그려졌다.

"그리고 그 늑대족의 피를 마신 쓰레기 같은 놈이었습니다."

케일은 눈을 감았다.

피를 마시는 마법사. 현재 수도에서 테러 사건을 주도하는 그 미친 간부 놈이다. 케일은 여전히 눈을 감은 채 최한의 말을 마저 들었다.

"결국 그들을 사로잡거나 죽이지 못했습니다. 사로잡으면 모두 자결을 했고, 나머지들은 그 여섯 개의 별을 새긴 자가 이동 마법으로 데리고 사라졌습니다."

최상급 마법사이자 피에 환장한, 피를 마시는 마법사는 왜, 무엇 때문에 원래라면 몰살할 푸른 늑대족의 아이들을 데려가려고 한 것일까.

'……용을 구출한 것으로 어딘가가 틀어진 건가?'

케일이 생각할 수 있는 변수는 자신이 저지른 짓뿐이었다.

"그 마법사가 그러더군요."

최한이 짓씹듯이 내뱉는, 담담하려 하지만 분노에 가득 찬 목소리가 들려왔다.

"아쉽네. 씨앗으로 딱 좋았는데. 어린것들이 피 맛도 더 좋을 텐데."

씨앗. 케일은 의미는 알 수 없지만 그 단어를 머릿속에 새겨 넣으며, 감았던 눈을 떠 최한에게 물었다.

"그래서 그 아이들은?"

호위 무사, 족장, 늑대족의 어른들이 다 죽고 남은 10명의 아이들.

최한은 슬쩍 케일의 시선을 피했다. 식탁 앞에서 마주한 이후 처음 보이는 행동이었다. 그 행동에 케일은 직감했다. 최한은 작은 목소리로 보고했다.

"여관에 있습니다."

그럴 줄 알았다. 최한은 입을 몇 번 달싹이다가 이내 작게 덧붙였다.

"로잘린의 마법으로 함께 왔습니다."

……이거 이러다가 동물 농장 하겠는데. 케일은 머리가 아파 왔다. 푸른 늑대족과 오랫동안 거래를 해온 그 상단의 상인에게 아이들을 맡기면 될 텐데. 그자도 지금은 권력에서 멀어져서 그렇지 뛰어난 상인이었다.

"케일 님, 참고로 그, 함께 왔던 상인도 여관에 있습니다."

이렇게 이야기가 흘러가는 건가. 케일은 딱 그 생각이 머릿속에 들었다. 최한은 이야기가 다 끝났는지, 그제야 의자 등받이에 등을 기대며 가만히 얕은 한숨을 내쉬었다. 그런 그에게 케일이 물었다.

"궁금하지?"

최한이 식은 음식들을 보며 답했다.

"네, 궁금합니다."

무엇이 궁금한지 굳이 말하지 않아도 되었다.

계속해서 사람들의 목숨을 빼앗는 그들이 누구인지.

그들이 왜 그런 짓을 하는지.

그리고 케일이 왜 그들을 아는지.

그 모든 것들이 궁금하리라. 케일은 음식을 바라보는 최한의 눈동자를 보며 생각했다.

'이 자식 화가 많이 났는데.'

자신을 향한 화가 아니었다. 최한은 비밀 단체를 향한 분노를 날카로운 검처럼 갈고 또 갈며 다듬고 있었다. 해리스 마을에, 학대받는 용의 모습에, 푸른 늑대족 일에. 그 모든 것들에 최한의 성격상 피하기보다는 부딪치는 게 먼저일 터.

케일은 식어도 맛있는 빵을 하나 집어 들어 한입 크기로 떼어내며 입을 열었다.

"나는 두 가지 사실을 너에게 말해줄 생각이다."

"……다가 아니고 말입니까?"

"그래."

케일은 빤히 바라보는 최한에게 시선을 두지 않은 채, 빵을 든 그대로 자리에서 일어섰다. 카펫 위에서 의자가 소리 없이 밀렸다.

"일어나."

"……어디 가는 겁니까?"

따라 일어서는 최한을 보며 케일은 시계를 확인했다. 저녁 시간을 훌쩍 넘어 이제 밤을 향해가는 시간. 케일이 가려는 그곳은 밤이 되면 더 환하게 빛나는 곳이었다.

케일은 문으로 걸어가며 최한의 물음에 답했다.

"죽음의 신 신전."

케일은 밤이 내려앉은 시각에 가장 빛나는 그곳으로 최한과 함께 갈 생각이었다.

죽음의 신 신전에는 다른 신전에서는 볼 수 없는 특이한 사제가 있었다.

　귀머거리 신관.

　그들은 듣지 못한다. 그래서 죽음의 신 신도들은 그들을 찾았다. 케일 역시 신도는 아니지만, 대부분의 귀족이 그러하듯 그들을 찾아갈 생각이었다.

　문 앞에 도착하고 나서야 케일은 뒤돌아섰다. 최한은 여전히 식탁 앞에 선 채로 가만히 있었다. 케일은 그에게 씩 웃어 보였다.

　"나는 너에게 두 가지의 진실을 말할 생각이다."

　그러나 나오는 말은 가볍지 않았다.

　"내 죽음을 걸고서."

　최한의 눈동자가 살짝 흔들렸다. 하지만 그런 그와 달리, 케일은 여전히 미소를 띤 채로 그에게 말했다.

　"따라와."

　최한이 천천히 식탁을 지나 문으로 다가왔다. 어느새 최한의 눈빛은 진정되어 있었고, 얼굴은 굳어 있었다. 케일은 문고리를 돌리며 입을 열었다.

　"목숨을 걸고 진실을 말해줄 테니까."

　케일은 최한과 함께 죽음의 신 신전으로 향했다.

　갑작스럽게 케일이 밖으로 향한다고 해서 의문을 표하는 이들은 없었다. 시종 론은 어디로 갔는지 보이지 않았다. 다만 한스만이 케일에게 어디로 가는지 행선지를 물었다.

'공자님, 어디 가십니까?'

'신경 쓰지 마.'

'네! 다만 오늘은 수도에 오신 첫날이니, 술병은 깨지 말고 들고 오시면 어떨까요?'

'……막 나가자는 건가?'

'절대 아닙니다. 조심히 다녀오십시오, 공자님.'

마차에 탄 케일은 갈수록 막 나가는 한스를 어찌해야 하나 고민하다가, 마차가 멈추자 자리에서 일어섰다.

"내리지."

"네."

최한은 마차에 탄 이후로, 아니, 케일의 방을 나선 이후로 다른 말이 없었다. 생각이 복잡한 듯 보였다.

케일은 '영웅의 탄생' 5권까지 묘사된 최한의 성격밖에 모른다. 하지만 하나는 안다. 착하지만 마냥 착하지 않고 똑똑한 놈이라는 사실이다.

'말도 안 되는 변명을 하려고 하면 처음에는 믿겠지만 결국은 의심할 놈이야.'

최한은 홀로 수십 년을 살아와 외로움이 많았지만, 그 시간을 홀로 버틸 만큼 똑똑하고 집착이 강한 사람이었다.

지금이야 최한이 자신을 좋게 보고 따르지만 '영웅의 탄생' 5권쯤에서 나왔듯이 이놈은 결국 제가 우두머리가 되고자 하는 놈이다. 자신이 생각한 정의를 위해 살아갈 녀석이다.

"······너무 하얀데."

케일이 마차에서 내려 마주한 죽음의 신 신전은 건물이 너무나도 하얬다. 죽음 하면 하얀색이라며 매일매일 먼지 하나, 얼룩 하나 없도록 닦고 또 닦는다고 들었다.

'희한한 곳이야.'

밤. 죽음의 신 신전은 인간이라면 대개 두려워하는 밤이 사실은 그렇지 않다고 말하고 싶은 듯했다. 그 때문인지 그들은 신전을 해가 지기 시작할 때 신도와 외부인에게 공개했다.

'낮에 오면 신관들이 다 잔다지?'

케일은 참으로 희한하다고 여겼다. 이윽고 그는 신전 입구에서 인사하는 두 신관을 마주할 수 있었다.

"편안한 안식이 함께하시길!"

"편안한 안식이 함께하시길!"

죽음의 신 신관들은 대부분 힘이 넘쳤다. 죽음이라고 하면 정적일 것이라 생각할지도 모르겠으나, 오히려 죽음으로 향해가는 삶의 시간을 활발하게 보내자는 쪽이 이 교단의 자세였다.

"신관님."

케일은 천천히 신관에게로 다가갔다. 신관은 묘한 표정으로 케일을 살펴봤다. 귀족가 중에서도 꽤 잘사는 자제이거나 혹은 부유한 상인인 듯한 옷차림. 그리고 그 뒤의 거지꼴인 남자. 하지만 칼을 차고 있어 상당히 강해 보였다.

"왜 그러십니까?"

"빈 죽음의 방이 있습니까?"

입구에 서 있던 신관 두 사람의 표정이 굳어졌다. 케일이 말을 걸었던 신관은 최한과 케일을 한 번씩 보더니 입을 열었다.

"누구의 죽음을 거시는 겁니까?"

그렇게 말하면서도 신관의 표정은 힐끗힐끗 최한을 향했다. 어디 산을 굴러온 듯한 옷차림, 한 이틀은 밥도 제대로 먹지 못하고 마음 고생 심하게 한 인상, 그리고 사기를 치면 당할 것 같은 선한 인상. 아무래도 찜찜했다.

신관은 부유해 보이는 이에게로 시선을 돌렸다. 화려한 적발, 그리고 잘생긴 얼굴. 진하게 잘생겼기보다는 어딜 가나 눈에 들어오는 얼굴이었다. 거기다가 지금 남자는 웃고 있었다.

남자는 웃으며 신관에게 손을 살짝 들어 보였다.

"저요."

"네?"

멍하니 되묻는 신관에게 케일은 미소를 띠었다.

"제 죽음을 겁니다."

그때 최한이 케일의 어깨에 손을 올렸다.

"케일 님."

"왜?"

뒤돌아본 케일은 굳은 표정이지만 묘하게 조마조마해 보이는 최한을 마주할 수 있었다.

"이렇게까지 하지 않으셔도 저는 믿습니다."

케일의 미소가 묘한 빛을 띠었다. 그는 나직이 말했다.

"안 믿을걸?"

최한은 못 믿을 수밖에 없을 것이다.

케일은 아무것도 말하지 않을 생각이었으니까. 그래서 진실과 죽음을 내걸었다.

'뭐 하러 다 말해? 엮이게.'

행복한 내 삶을 위한 철칙 안에서 보았을 때, 케일은 최한과 그 정도로 엮일 필요가 없었다. 지금도 봐라. 늑대 아이들을 데리고 오지 않았는가?

'나중에 고래족이 부리는 고래 타면서 인어와 싸우는 놈이야.'

인간 중심의 세상. 그 속에서 최한은 인간과 인간이 아닌 자들, 둘 모두를 포용하려는 인물로 위치가 변해간다. 그 시발점이 고래족이었다. 5권 말미에 나온 고래족은 실로 끔찍했다.

'최악의 포식자지.'

고래족은 가장 강한 수인이었다. 또한 가장 아름다운 수인이었다. 이 세상 속 인어가 두 다리에 물갈퀴가 달린 비늘로 뒤덮인 인간의 형태라면, 고래야말로 물을 닮거나 검은색과 회색, 분홍색의 아름다움을 드러내는 수인이었다.

'하지만 용에게도 수그리지 않는 성깔을 지녔어.'

겁나는 녀석들이었다. 개체 수가 적은 만큼, 슬쩍 내미는 주먹 한 방으로 인간의 머리는 그냥 터져나가는 힘을 지녔다. 라크도 고래족 앞에서는 숨도 쉬지 못했다.

'성미가 포악하거든.'

아무튼 그 외에도 온갖 사람과 온갖 사고에 다 엮이는 놈이 최한이다. 더 이상 이 녀석과 엮이는 것은 질색이었다.

"신관님, 방 있죠?"

"있습니다. 곧 준비해 드리겠습니다. 지하로 가시죠."

"네."

케일은 신관을 따라 걸음을 옮겼다. 최한이 영 탐탁지 않은 얼굴로 뒤를 따랐다. 그 움직임을 느끼며 케일은 여유로이 신전의 가장 안쪽으로 걸어갔다.

한참을 안으로 들어가니 한쪽 벽면을 차지한 여러 개의 문이 나타났다. 신관은 그 문 중 하나를 열어 지하로 향하는 계단에 내려섰다.

"맨 아래에 죽음이 기다리고 있습니다."

"좋습니다. 가죠."

신관은 여유롭게 지하로 내려서는 케일을 신기하게 바라봤다.

죽음의 신전에서 말하는 '죽음'은 '맹세'의 의미를 품기도 했다. 언젠가 반드시 찾아오는 죽음. 그것은 피할 수 없는 것이며, 교단은 그 과정을 인간에게 삶과 함께 내려진 일종의 숙명, 혹은 맹세처럼 받아들였다. 그렇기에 맹세를 어기면 죽음이라는 끝을 가져다주는 것이, 죽음의 신 교단이 하는 일이었다.

그래서 이 죽음의 방, 혹은 맹세의 방으로 향하는 이들은 대개 엄숙하고 진지하게 마련이었다. 신관은 저 여유롭고 부유해 보이는 이가 신기하기만 했다.

'케이지 신관이 떠오르는군.'

늘 여유롭게 교단 욕을 하지만 신에게 사랑받는 사람, 케이지. 신관은 문득 그녀가 떠올랐으나 이내 머릿속에서 지웠다. 그 시각 케이지는 신의 목소리를 또 듣고, 있는 대로 짜증을 내고 있었다.

신관은 케이지에 대한 생각을 지우고는, 계단을 완전히 다 내려서자 눈앞에 등장한 문의 문고리를 돌렸다.

"잠시만 기다려 주십시오. 준비하겠습니다."

그 말과 함께 신관은 케일과 최한을 둔 채 방 안으로 홀로 먼저 들어섰다. 케일은 닫힌 문을 보며 입을 열었다.

"정 네 마음이 그러하다면, 하나는 내가 미리 말해보지. 어떤가?"

최한은 곧바로 답했다.

"네, 말씀하세요. 전 믿습니다."

"그래?"

케일은 한 손으로 턱을 쓸어 넘기며 툭 던졌다.

"두 가지 중 첫 번째."

그의 눈동자가 최한을 향했다.

"나는 비밀 단체의 정체와 목적을 모른다."

"……그게 무슨-"

최한의 눈동자가 흔들렸다. 그때였다. 달칵, 문고리 돌아가는 소리와 함께 신관이 밖으로 나왔다.

"들어가시면 됩니다. 죽음을 거신 분께서는 들어가서 신관님께 손을 들어 보이면 돼요."

"네, 알겠습니다."

평온하게 대답하는 케일과 달리 최한은 심히 심사가 복잡하고 당황스러워 보였다. 신관은 그 모습에 갸웃하면서도 이내 자리를 벗어났다. 자신이 상관할 영역이 아니었기 때문이다.

케일은 문고리를 잡으며 최한을 돌아봤다.

"믿기 힘들지?"

"아니, 그게."

살짝 당황한 듯, 혹은 불신하는 듯, 최한은 드물게 횡설수설하는 모습을 보였다. 다 믿는다고 했지만 그는 케일의 말을 믿을 수 없었다.

'그 단체에 대해 모른다니. 그게 말이 돼?'

그때 담담한 목소리가 최한의 귓가로 들려왔다.

"이해한다."

최한은 케일을 바라봤다. 평소처럼 여유로운 얼굴이 어른스러워 보였다. 그 얼굴은 말했다.

"들어가자."

최한은 케일의 뒤를 따라 하얀색 문 너머, 죽음의 방으로 들어섰다.

역시나 하얀색으로 도배가 된 방은 탁자부터 의자, 벽지까지 모든 것이 하얬다. 그리고 그곳에서 유일하게 하얀색이 아닌, 다른 색을 지닌 신관이 서 있었다. 그는 입과 귀를 가리고 있었다.

귀머거리 신관. 케일은 그 명칭을 썩 좋게 보지 않았지만, 나름 존중받으며 살아가는 이들이었다. 귀족과 왕족, 누가 들어서는 안 될 계약 혹은 밀담이 필요한 이들이 이 신관들을 찾았다.

케일은 말없이 고개를 숙여 인사하고 이내 손을 들어 올렸다. 그 행동에 신관은 고개를 끄덕이더니 두 사람에게 각각 테이블 앞 의자를 하나씩 가리켰다.

케일은 오른편에 앉았고, 최한은 맞은편인 왼쪽에 앉았다. 신관은 테이블의 상석에 자리하며 종이를 하나 내밀었다.

죽음을 거시는 분, 그분과 함께하는 분께 죽음의 신의 손길이 닿을 겁니다.

그때 맹세에 대해 말씀하시면 됩니다.

맹세를 어길 시 죽음을 거신 분은 죽음을 맞이하게 됩니다.

거참, 살벌한 문구였다.

최한이 내용을 다 읽은 것을 확인한 케일은 종이를 다시 신관에게 내밀었다. 신관은 이내 이전 케이지처럼 두 팔을 살짝 앞으로 내밀었다. 그 순간.

우우우웅—

우우웅—

하얀 방이 진동하기 시작했다. 신을 모시는 곳이라 그럴까. 진동과 함께 신관 주위로 검은색 연기가 피어오르기 시작했다. 검은 연기는 이내 케일과 최한까지 감쌌고, 점점 하나의 선을 만들어갔다.

"……이게 신의 힘입니까?"

"그래."

케일은 최한의 물음에 답하며 몸을 감싼 검은 연기를 느꼈다. 케이지와의 맹세 때도 그러했지만 신의 힘은 굳이 알려고 하지 않아도 머릿속에 인지됐다.

'맹세를 어기면 내가 죽는다 이거지.'

아마 최한도 이를 느꼈을 것이다. 그러니 그의 표정이 굳어진 것이겠지. 케일은 신의 손길을 느끼며 맹세를 시작했다.

"눈앞의 이 신관은 듣지 못하는 것이 진실이며, 아닐 시 신관은 죽음으로 그 거짓의 대가를 치른다."

듣지 못하는 신관과 함께할 때 늘 관습처럼 붙이는 말이었다.

"또한 나 케일 헤니투스는 영원한 안식의 신 앞에서 최한에게 진실을 말할 것이며, 그 말이 조금이라도 거짓일 시 이 자리에서 즉시 죽음으로 맹세에 대한 대가를 치른다."

즉시. 그 단어에 최한은 표정이 더욱더 굳었다. 긴장한 것이다.

처음엔 케일도 최한에게 모든 것을 말할까 고민했다.

읽고 있던 책 속으로 들어왔어. 나도 한국인이야. 그래서 5권까지의 내용을 알아. 이 비밀 단체는 대륙 곳곳에서 사건을 일으켜. 그리고 대륙 전체는 곧 여러 이권 때문에 전쟁이 일어나서 황폐화돼.

이리 말해야 할까? 아니면.

읽고 있던 책에 들어왔는데, 부자 귀족 아들이더라고. 그래서 편하게 먹고살려고 하는데 내용이 기억나서 조금 개입했지. 세상이 전쟁통이 되지만 나는 편하게 살려고.

이렇게 말해야 할까.

어느 쪽을 말하든 그 결과로 펼쳐질 여파가 끔찍했다. 첫 번째는 잘못하다간 대륙 전쟁에 끼어들어 전쟁판에서 죽을 것이고, 두 번째는 그냥 최한의 경멸을 받으며 죽게 되지 않을까.

케일은 둘 다 싫었다.

"하나."

두 가지 중 첫 번째.

"나 케일 헤니투스는 그 단체의 정체를 모른다."

하아. 최한은 깊은 한숨과 함께 두 손으로 얼굴을 가렸다. 그러나 두 손을 치운 그는 이내 살아 있는 케일을 볼 수 있었다.

"나는 진실로 그들의 정체를 모른다."

사실이었다.

케일은, 김록수는 5권까지 '영웅의 탄생'을 읽었지만 그 비밀 단체가 한 짓을 알았을 뿐 그들의 목적, 정체, 무엇 하나도 제대로 알지 못했다.

"그리고 또 하나. 이것 또한 무엇보다도 명백한 진심이다."

두 가지 중 두 번째.

"나는 그들을 싫어하며 없어지길 바란다."

역시 케일은 살아 있었다. 그는 사건 사고를 일으키고, 대륙 전쟁에도 개입할 것으로 추정되는 그들이 싫었다. 그들이 없어지고 평온한 대륙이 되어 케일도 평온히 살기를 바랐다.

최한은 갈피를 못 잡는 표정이었다. 그는 자신과 신관, 케일을 연결한 검은 선을 보면서 주먹을 쥐었다 폈다를 반복했다. 그 표정이 꽤 살벌해 케일이 살짝 주춤했을 때 최한은 말했다.

"그들을 모른다면서 어떻게 그들을 싫어할 수 있습니까?"

"그들이 저지르려는 몇몇 일에 대해서는 알고 있으니까. 검은 용이 그러했고 라크가 그러했지. 최한."

케일은 검지로 자신을 가리켰다.

"나는 망나니로 살아왔다. 그게 내 꿈이거든."

망나니가 꿈이란 말에 최한의 표정이 묘해져 갔다.

"나는 가문의 후계자가 될 생각이 없어. 나의 동생 바센 헤니투스, 그 아이가 후계자가 되길 바란다."

이 또한 진실이었다. 그래서 케일은 최한에게 물었다.

"그런데 어째서 내가 헤니투스 가문의 대표로 수도에 왔을까? 후계자는 바센이 되길 바라는데. 가주인 아버지께서 가라고 하셨지만 내가 거절할 수 있는 일이었다."

한참 만에 최한이 답했다.

"……모르겠습니다."

"수도에서 비밀 단체가 저지르려는 짓을 알고 있기 때문이야."

최한의 눈동자가 다시 한번 커졌다.

"왜 아는지는 답해줄 수 없어. 다만 그들은 수도에 있는 수많은 사람들을 죽이려고 하지. 그래서 나는 바센을 이곳으로 보낼 수 없었고, 또한 나는 이 사건을 막고 싶다.”

물론 열과 성을 다해, 목숨을 내놓고 막고 싶은 건 아니다.

“그리고 이 모든 것들을 최대한 조용히 해결하고 난 후, 영지로 돌아갈 생각이다.”

“……어떻게 아시는지 저에게 말해주실 수 없는 겁니까?”

“그래. 어느 누구에게도. 이 세상의 어느 누구에게도 나는 말할 수 없어.”

최한의 눈동자에는 의문이 가득했지만, 그 입은 꾹 닫혀 있었다.

단체의 정체를 모른다. 하지만 그들이 하려는 일 몇 개를 안다. 그리고 그들을 싫어하며 없어지길 원한다.

최한은 점점 고개를 숙이며 깊은 고민에 빠졌다. 머릿속이 복잡했다. 그러면서도 검은 연기가 보내는 신의 힘이 그에게 인지시켜 주었다. 거짓을 말하면 저자는 이 자리에서 죽는다.

“하지만 너를 위해 한 가지를 더 말하지.”

한 가지. 그 단어에 최한은 빠르게 고개를 들어 케일을 바라봤다.

“마지막 하나.”

새로이 덧붙이는 세 번째. 케일은 말했다.

“나는 너에게 해를 끼칠 생각이 없다.”

케일은 담담했다. 하지만 그는 살아 있었고, 이는 곧 진실이란 소리였다.

최한의 얼굴이 일그러지기 시작했다.

툭 툭. 그는 주먹 쥔 손으로 제 허벅지를 툭툭 두드렸다. 허벅지를 두드리는 힘은 약했으나, 꽉 쥔 주먹은 핏줄이 불거져 있었다. 최한은 살짝 고개를 들었다. 여전히 케일은 살아 있었다.

"……믿습니다."

한참 만에 나온 답에 케일은 이 문에 들어서기 전 했던 말을 그대로 최한에게 했다.

"이해한다."

그리고 웃어 보였다.

"하아."

하얀 테이블 위로 최한의 탄식이 내려앉았다. 그는 고개를 들어 케일을 바라봤다. 어느새 눈빛은 평소와 같이 선했고, 또한 고집스러워 보였다.

"케일 님, 한 가지 더 맹세를 해주십시오. 그러면 완전히 믿을 것입니다."

……이건 생각 못 했는데.

케일은 최한의 반응에 찝찝해져 왔다. 맹세야 진실을 교묘하게 짜 기워 말하면 되는 문제라 어려울 것은 없지만, 완전히 믿는다는 말이 걸렸다. 하나 싫다고 할 수도 없는 문제였다.

"그래, 하지."

"케일 님."

"그래."

"저는 그들에게 복수를 해야 합니다. 이렇게 누군가를, 한 집단을 증오한 적은 처음인 것 같습니다."

선한 눈동자에 증오가 새겨졌다. 언뜻 증오를 넘어선 광기도 보였다. 해리스 마을 사건을 떠올리고 있으리라.

'음.'

케일은 침음을 삼켰다. 이래서 케일은 최한이 자신을 따라도 옆에 두기 싫었다. 최한은 착하지만 한번 하기로 마음먹은 일은 했다. 케일은 긴장된 마음으로 이어질 최한의 말을 기다렸고, 최한은 담담하게 말했다.

"그들의 정체를 알게 되면 무조건 저에게 말씀해 주십시오."

"아- 뭐, 그래."

난 또 무슨 어려운 부탁인 줄 알았네. 케일은 떨떠름한 얼굴로 맹세했다.

"나 케일 헤니투스는 그들의 정체를 알게 되면 최한에게 말한다. 이를 어길 시 죽음을 대가로 받는다. 됐나?"

"네, 됐습니다."

그제야 최한은 웃어 보였다. 속이 시원해 보였다. 그 모습을 보며 케일은 생각했다.

'내가 그들의 정체를 알 일이 있겠어?'

그들의 정체를 알려면 최한이 걸어갔던 루트를 그대로 밟아야 그나마 실마리가 보인다. 미쳤다고 그러겠는가. 수도, 로운 왕국을 벗어나면 그때부터 온갖 영웅들과 이종족을 마주한다. 끔찍하다.

"그럼 끝이지?"

"네."

탕! 케일은 손을 들어 테이블을 내려쳤다. 그 손길에 테이블이 살짝 진동했고 신관이 눈을 뜨며 고개를 끄덕여 보였다. 이내 한 번 더 공간이 진동했다.

우우우웅-

그와 함께 검은 연기가 각자의 몸에 스며들었다. 미친 신관 케이지 때와는 조금 달랐다. 케일은 죽음의 맹세가 몸에 담기는 것을 느끼며 안주머니에서 종이를 한 장 꺼냈다.

천만 젤론짜리 수표였다. 케일은 근엄하게 앉아 있는 신관의 앞에 돈을 놓고, 자리에서 일어섰다. 그리고 인사 후 방을 나왔다.

돈과 케일을 번갈아 보던 최한이 뒤따라 방을 나와 문을 닫고는 의아한 얼굴로 케일을 바라봤다. 그 시선에 케일은 툭 내뱉었다.

"세상에 공짜가 어디 있냐?"

"그렇군요."

케일은 지상으로 다시 올라왔다. 1층 문 앞에 있던 신관이 살아 있는 케일을 보며 인사했다.

"계속 삶을 이어나가시길 바랍니다."

맹세 어겨서 죽지 말고 계속 살라는 인사였다. 이 얼마나 살벌한가.

"고맙습니다, 신관님."

케일은 그 인사에 미소와 함께 감사 인사를 했다. 신관이 그 미소와 여유로운 목소리를 요상하게 봤지만, 케일은 그를 지나쳐 신전을 빠져나왔다. 그리고 마차에 올라탔다. 서서히 마차가 움직이자 케일이 최한에게 말했다.

"참고로 피를 마시는 그 미친 마법사. 그자가 수도에 일어날 사건을 주도하고 있다."

"……보면 죽여도 됩니까?"

"당연한 걸 왜 물어? 네 마음대로 해."

죽이든 말든. 다만 최상급 마법사에 이동 전문이라 소설 속 최한은 그를 만날 때마다 죽이지 못했다.

"네, 반드시 꼭 죽일 겁니다."

선한 얼굴로 증오하며 집착하는 최한에게서 케일은 슬그머니 시선을 돌렸다. 너무 살벌했기 때문이다. 스스로의 담이 작다 생각하는 케일로서는 감당할 수 없는 스케일이었다.

그리고 여기. 케일이 감당하기 힘든 인물이 하나 더 있었다.

"도련님."

"론."

저택에 도착해 침실에서 쉬려던 케일에게로, 인자한 미소의 암살자 론이 찾아왔다.

8장
가만히

8장
가만히

케일은 가만히 론이 내민 찻잔을 들여다봤다.

"……자기 전에 레몬차?"

"그렇습니다."

취침 전에 레몬차라니. 아직 이 경지까지는 쉽지 않은데. 케일은 영 마뜩하지 않았지만 군말 없이 찻잔을 집어 들었다. 그는 론의 시선을 느끼며 레몬차를 한 모금 머금었다.

"도련님, 긴히 부탁을 하나 드려도 되겠습니까?"

"크흡, 뭐? 부탁?"

케일은 론의 입에서 나온 '부탁'이라는 단어에 눈을 크게 뜨고 그를 쳐다봤다. 론은 여전히 부드러운 미소를 입가에 띠고 있었다. 케일의 눈이 가늘어지며 그의 머릿속이 빨리 움직이기 시작했다.

'이 음험한 노인네가 부탁이라고? 그것도 하찮게 여기는 나한테?'

알 수 없는 불길함이 한가득 케일에게로 밀려왔다. 혹을 떼려다가

혹을 두 개 붙여 온 혹부리 영감의 마음이라고 해야 할까. 아니면 금도끼가 탐나 은도끼도, 금도끼도 내 것이라고 하여 쇠도끼도 못 받게 된 나무꾼의 마음이라고 해야 할까.

케일은 마음을 가다듬고 최대한 담담히 물었다.

"그래, 말해봐."

곧바로 론이 부탁을 말했고.

"제가 잠시 이틀만 휴가를 가져도 되겠습니까?"

"오."

케일은 저도 모르게 감탄사를 내뱉었다. 갑자기 혹이 떼어지고 금도끼, 은도끼를 세트 상품으로 받은 기분이 들었다. 케일은 찻잔을 내려놓고 론의 손을 덥석 잡았다. 그의 입에서 드물게 속사포처럼 말이 흘러나왔다.

"그래. 잘 생각했어. 론, 자네가 몇십 년 동안 고생을 했잖아. 이 망나니 돌본다고 말이야. 쉬고 싶으면 얼마든지 쉬어도 좋아. 론은 얼마든지 그래도 돼."

그래. 아주 푹 쉬어도 좋았다. 하지만 최한과 엮어주려면 수도 테러 전이나 바로 직후에는 와야 하기에 이틀이 딱 좋았다. 이틀 동안 저 암살자의 얼굴을 안 본다면, 이 얼마나 좋단 말인가.

케일에게 손을 잡힌 론이 묘한 표정으로 그를 바라봤다. 하지만 케일은 론에게서 시선을 돌려 침대 옆 협탁 서랍을 열었다. 그 안에는 돈주머니가 덩그러니 놓여 있었고, 케일은 이를 꺼내 들었다.

수표를 비롯한 큰 금액은 저택 금고에 넣어두었지만, 이 돈주머니 안에도 꽤 많은 돈이 있었다.

케일은 주섬주섬 그 돈주머니를 꺼냈다. 돈 많은 집 아들이고 그

것 외에는 쥐뿔도 없어서, 줄 게 돈밖에 없었다.

"자, 이거 얼마 안 되지만. 맛있는 것 많이 먹고 편히 쉬고 즐거운 휴가 보내."

론은 케일이 자신의 손을 놓으며 올려둔 돈주머니를 가만히 바라봤다.

'맛있는 것 먹고, 즐거운 휴가라.'

론은 숨죽여 보내야 했던 시간들을 떠올렸다. 그 시간이 이 망나니, 강아지 도련님과 보낸 시간들이었다.

이제 그는 그 시간을 깨고 다시 움직이려던 참이었다. 그런 그의 앞날에 주어진 것은 혼돈일 확률이 높았다. 만약 그들이 서대륙까지 넘어온 것이라면, 혼돈보다 더 끔찍하리라.

'그러면 아들도 여기 두고 가야 되겠지.'

론은 눈앞의 속 편한 도련님을 응시했다.

"도련님, 제가 그리해도 되겠습니까?"

즐거운 휴가를 보내도 되냐는 물음에 케일은 흔쾌히 답했다. 휴가가 너무 즐거워서 론이 케일 자신 같은 망나니의 곁을 떠나고 싶어지길 바라는 마음을 듬뿍 담은 답이었다.

"당연한 소릴. 론은 그럴 자격이 있어."

자격이라.

론은 본래 며칠 뒤 말없이 혼자, 혹은 비크로스를 데리고 떠나고자 했다. 하지만 이놈의 미운 정이 문제였다. 그래서 이틀의 휴가를 신청했다. 이 꼬맹이가 뭐라고 할지, 그게 궁금했다.

이제 이 강아지 도련님은 최한에게 들어 자신이 어떤 인간인지 알고 있다. 론은 여전히 부드러운 표정이었으나 눈빛은 서늘해져 갔다.

"도련님, 너무 많은 돈입니다. 이걸 들고 제가 도망치면 어쩌려고 그러십니까?"

아니면 도망치길 원하십니까? 최한에게 내가 강자임을 듣고, 음습한 힘을 지녔다는 것을 알게 되었으니 말입니다.

세월로 인해 주름진, 몸에 맞지 않는 웃음을 짓느라 더 깊어진 주름 사이로 본성을 담은 눈빛이 케일에게로 향했다. 그때, 케일은 코웃음을 쳤다.

"내가 론의 성격을 몰라? 도망칠 거면 말없이 도망치거나 아예 간다고 말하고 가겠지. 안 그래?"

'영웅의 탄생' 책 속에서 론은 실제로 그렇게 떠났다. 백작가에는 말없이, 최한 일행과 잠시 떨어져야 할 때는 최한에게 계약의 조건을 말한 후 멀어졌다.

"……맞습니다. 정답입니다."

론은 인자한 미소를 그리며 고개를 끄덕였다. 그러고 보니 제 아들 비크로스보다 론 자신을 많이 본 이가 이 눈앞의 강아지 도련님이었다. 어쩌면 지금의 론을 가장 잘 아는 사람.

'나도 다 늙었군.'

노인은 자신의 나이와 함께 새겨진 시간을 인정했다. 나뭇결이 한 번에 생기는 것이 아니듯, 세월의 결이 본성 위에 덧그려졌다.

"왕궁에 가실 때는 제가 모시겠습니다."

"그러든가."

론은 무심히 답하는 케일을 보며 돈주머니를 챙겼다.

케일을 왕궁에 다른 왕족이나 귀족들보다 못해 보이게 들여보낼 수는 없는 일. 그가 돌본 이 강아지 도련님이 누군가에게 얕보이는 꼴을 보고 싶지 않았다.

그 일을 마지막으로 하고 자신은 떠나면 될 터.

"그럼 이만 나가보겠습니다."

"그래, 그래."

케일은 론이 나가는 것을 침대에 앉아 배웅한 후, 실로 오랜만에 꿀 같은 잠에 빠져들었다.

물론 다음 날 점심때가 다 되어 케일이 눈을 떴을 때는 이미 론이 이른 새벽부터 휴가를 떠나고 난 후였다. 그 덕에 케일의 시중을 들게 된 이는 부집사 한스였다.

"론 씨가 제가 아니면 불안하다고 하시더군요. 하하, 역시 제가 좀 대단하죠?"

"그냥 조용히 하자."

케일은 한스를 외면하며 열린 침실 문 밖을 쳐다봤다. 문 앞에는 이른 아침부터 최한이 서 있었다. 이건 또 뭔가 싶어 케일이 최한을 빤히 쳐다보자, 최한은 믿음이 가득한 눈빛으로 묻지 않아도 답했다.

"론 씨가 맡기셨습니다."

론이 무슨 생각으로 이런 짓을 하고 간 것일까. 케일은 심각한 얼굴로 한스가 내미는 잔을 받았다. 그리고 얼굴을 구겼다.

"한스, 왜 레모네이드지?"

"네? 공자님, 레모네이드를 좋아하시지 않습니까?"

하. 케일은 깊은 한숨을 내쉬며 레모네이드를 마셨다. 물론 레모네이드가 냉수보다 정신이 번쩍 들고 속 차리기에는 좋았다.

최한은 문밖에서 케일과 한스의 모습을 지켜보며 지난밤 론과의 대화를 떠올렸다.

'어딜 간다고?'

'그래.'

'어딜 가지?'

'애송이 네 녀석이 알 바는 아니다.'

'나한테 온 이유는 케일 님 때문인가?'

'알아서 생각해.'

론은 그렇게 말하고는 새벽이 되어 해가 뜨자마자 저택을 떠났다. 최한은 저택을 떠나는 론에게서 시종 론이 아닌, 암살자로서의 론을 보았다.

"최한."

생각에 잠겨 있던 그는 부름에 고개를 들었다. 케일이 침대에서 일어나 욕실로 향하고 있었다.

"라크는 깨어났나?"

"네."

확실히 늑대족은 회복력이 남달랐다. 케일은 시간을 가늠했다. 아마 조만간 플린 상단의 서자, 우리의 돼지 저금통 빌로스가 수도에 도착할 것이다. 케일은 그와 술을 마시기로 약속했다.

그리고 그 장소는 이미 케일이 정해두었다. 바로 최한에게 머무르라 지시했던 그 여관이었다. 여관은 술집도 병행했는데, 술맛으로 더 유명했다.

'그리고 최한과 빌로스가 엮이게 되는 고리가 거기에 있지.'

지금쯤 10명의 늑대와 함께 있을 상인을 떠올리며, 케일은 최한에게 물었다.

"여관에 있는 애들이랑 상인은?"

"나중에 케일 님 모임 끝나고 돌아오시는 길에 들를까 합니다."

"……모임?"

의아해하는 케일에게 한스가 다가와 말했다.

"공자님, 동북부 자제분들이 보낸 초대장이요."

"아."

그것들이 있었지. 별 중요하지도 않은 녀석들이라 새까맣게 잊어 버리고 있었다. 케일은 살짝 얼굴을 구긴 채 고민했다. 어떤 망나니 짓을 하고 와야 할까? 케일, 김록수로서는 처음 보는 인간들이지만 그게 무슨 상관인가. 망나니 케일인데.

"그리고 손님 한 분께서 케일 님을 뵙길 청하십니다."

"로잘린 씨 말인가?"

"네, 어느 시간이든 괜찮으니 맞추겠다고 하시더군요."

하긴 로잘린은 눈치가 좋은 사람이었다. 아마 어제 느꼈던 마나의 기운이 용이라 짐작하고 있을 것이다. 그녀는 용을 한 번도 본 적이 없겠지만, 그런 마나의 힘은 용밖에 존재하지 않았다.

케일은 욕실 문을 열고 그 안으로 들어서며 한스에게 지시했다.

"방에서 아침 먹을 거니까, 여기에 준비해 놔. 그리고 난 후 로잘 린 씨에게 아침 식사 함께하면 어떻겠냐고 묻고."

"네, 알겠습니다. 그리고 지금 한낮이라 이제 점심입니다."

"……한스."

"열심히 준비하겠습니다!"

우렁차게 답하는 한스를 영 탐탁지 않게 바라본 케일은 마지막 지 시를 내리며 욕실 문을 닫았다.

"아, 그리고 테라스 문 열어놔."

검은 용이 언제든지 들어와야 할 테니까. 희한하게도 꼭 잠은 바깥에서, 그것도 창문 근처 나무 위에서 자야 속이 편한 놈인 듯싶었다.

"그럼 로잘린 님을 모시고 오겠습니다."

"그래."

잠시 후, 케일은 누군가에게는 아침, 혹은 누군가에겐 점심일 식사가 준비된 테이블 의자에 앉으며 한스를 밖으로 내보냈다. 비크로스가 꽤나 신경 썼는지 테이블 위 음식들은 화려했다. 코스식으로 내오지 말고 한꺼번에 내오라고 해서인지, 테이블 위는 음식들로 가득 차 있었다.

"케일 님."

최한이 다가왔다.

"저는 식사 시간 동안 라크에게 가 있겠습니다."

"두 사람이 번갈아 가면서 간호를 하나 보군."

케일의 말에 최한은 쑥스럽다는 듯 씩 웃어 보였다. 현재 기력을 회복했다지만, 라크는 침대에 누워서 로잘린과 최한의 간호를 번갈아 받고 있었다. 물론 대부분 로잘린이 간호하고 있었다.

"온과 홍도 함께 간호하고 있습니다."

"간호는 무슨."

케일의 말에 최한은 난감한 표정을 지을 뿐 딱히 부정하지 않았다. 온과 홍은 라크의 방에 머물고 있었다. 두 아기 고양이는 케일에게 은밀히 말했다.

'우리는 늑대족을 죽이기에는 약한 것 같아요. 광폭화해도 질 것 같아요. 저런 녀석들 깔아뭉갤 방법을 알아야 하는데.'

'맞아. 그래야 하는데. 그래서 공부하고 올게요.'

간호가 아니라, 저런 녀석들을 적으로 만났을 때 죽일 방법에 대해 수양하러 간 온과 홍이었다.

"그래도 귀여운 두 녀석이 함께 있으니, 라크도 마음이 편한 것 같더군요."

"……그렇다면 다행이고."

케일은 굳이 최한과 라크에게 진실을 말해줄 마음이 없었다. 최한은 주위 기운을 탐지해 아직 검은 용이 들어서지 않은 것을 확인한 후 은밀히 말했다.

"라크와 로잘린에게는 케일 님의 명으로 그들을 데려왔다는 이야기는 하지 않았습니다."

"잘했어."

"비밀은 지킵니다."

최한은 케일에게 한결 믿음직한 모습을 보였다. 아마 어제의 맹세 때문이리라. 하지만 최한은 알 수 없을 것이다. 말이라는 것이 얼마나 교묘하고, 청자와 화자 사이에 간극이 존재할 수 있는 부분인지를.

죽음의 맹세는 오로지 화자인 케일의 말과 그의 해석에 따른다. 그가 당사자이기 때문이다.

'그래서 보통 귀족들이 죽음의 맹세를 할 때는 논의만 최소 일주일이요, 내용이 기본 열 장은 넘지.'

케일은 이를 이용할 순간을 떠올리며, 자신에게 믿음을 뿜어내는 최한에게 말했다.

"최한, 그 피 마시는 마법사 보면 죽일 거라고 했던가?"

"네."

조금의 망설임도 없는 대답에 케일은 고개를 끄덕이며 말했다.

"그를 찾을 방법을 알려주지."

최한의 눈빛이 바뀌었다. 케일은 그런 그에게 덧붙였다.

"물론 테러 사건부터 막고."

최한이 당장에라도 알려달라는 듯한 표정을 짓고 입을 열려는 찰나, 똑똑똑, 문을 두드리는 소리와 함께 곧바로 한스의 목소리가 들려왔다.

"공자님, 로잘린 님을 모셔왔습니다."

케일은 그 말에 최한을 향해 고개를 끄덕여 보이며 일어섰다. 최한은 입을 꾹 다물며 자리에서 일어나 문을 열었다. 열린 문 안으로 로잘린과 한스가 들어섰다. 한스는 더 안으로 들어서지 않고 문 근처에 살짝 몸을 걸친 채 단정히 말했다.

"공자님, 로잘린 님. 필요한 부분이 있으시면 언제든지 불러주십시오."

그러고는 허리를 숙여 인사하고 방 밖으로 나갔다. 그 뒤를 최한도 따랐다.

"로잘린, 내가 라크에게 가 있을게."

"그래."

최한까지 방을 나갔고, 방에는 로잘린과 케일만이 남았다. 로잘린은 한결 안색이 편해 보였다. 동시에 그녀의 냉철한 눈동자가 눈에 띄었다.

"초대해 주셔서 감사합니다, 케일 공자님."

"아닙니다, 로잘린 씨."

케일은 그녀에게 자신의 맞은편 자리를 가리키며 툭 말을 던졌다.

"우리는 해야 할 말이 있을 테니까요."

"공자님은 돌려 말하는 걸 싫어하는 분이신가 봐요?"

로잘린이 입꼬리를 은근히 올린 채로 물었고, 케일은 열린 테라스 창문을 향해 말했다.

"들어와."

그 순간 로잘린은 빠르게 휙 몸을 돌렸다. 둥실둥실 들어오는 나뭇잎 몇 개. 그 광경을 보며 로잘린은 잘게 떨리는 손끝을 맞잡았다.

하지만 오늘의 그녀는 어제보다 이성적이었다. 지난 밤 동안 라크를 돌보며 생각했다. 삼중첩 마법 실력, 그리고 마나를 다루는 실력. 답은 하나였다.

그녀는 이 식탁으로 다가오는 나뭇잎에게서 시선을 떼어 케일을 보며 물었다.

"용. 드래곤님이신가요?"

역시 마법사들은 용을 존경했다. 그것이 어휘에서 드러났다. 케일은 씩 웃으며 나뭇잎을 향해 말했다.

"네 소개는 네가 해라."

그 순간이었다. 나뭇잎이 식탁 위에서, 정확히는 스테이크 앞에서 둥둥 떠다니다 이내 그 자리에 검은 용이 나타났다. 투명화를 푼 것이다.

"음."

로잘린은 감탄도 탄성도 흘리지 않고 그저 무거운 침음을 흘렸다.

동서대륙 전체를 통틀어 스무 개체가 넘지 않는 존재.

드래곤.

그들은 자신들의 영역과 레어에서 나오지 않으며- 우아하게, 이 세상 가장 뛰어난 존재로서 삶을 살아간다. 또한 용은 마나와 자연의 왕이었다.

드래곤은 고고한 존재였다.

용은 현재 약 스무 개체가 있는 것으로 확인되지만, 모두가 색이 다르고 저마다의 성격, 습성, 특징도 달랐다. 이를 마탑에서는 신기하게 여겼다. 어째서 같은 부모 밑에서 태어나는데도 피부색과 성질이 다른 것일까.

그에 대해 내려진 답은 하나였다.

'용은 스스로의 존재를 가장 귀이 여긴다.'

살아 있는 동안 용은 자신이 다른 존재들과 다른, 유일한 존재이기를 바란다. 그건 같은 '용'이라는 종족 안에서도 해당되는 말이었다.

그런 고고한 존재가 로잘린의 눈앞에 나타났다.

어린 용이지만, 저 마나의 힘과 용 특유의 눈빛. 분명 고고한 용이었다.

검은 용은 가만히 로잘린을 쳐다보다가 무심히 고개를 돌렸다. 그 행동에도 로잘린은 아무 말도 못 했다. 검은 용은 스테이크 앞에 자리를 잡으며 말했다.

"배고프다."

"……그래, 먹어라."

케일은 고개를 절레절레 가로저으며 답하고는 로잘린에게 앉으라 권했다.

"우리도 식사를 하죠."

"아…… 네."

로잘린은 멍한 얼굴로 자리에 앉았다. 그런 그녀의 눈앞에 스테이크를 먹는 어리고 검은 용이 있었다. 그리고 동북부 모임에 참석해야 해서 평소보다 더 화려하고 멋지게 차려입은 케일이 나른하면서도 우아한 몸짓으로 수프를 떠먹고 있었다.

마탑에 이 광경을 설명한다면 어느 누구도 믿지 못할 것이다.

하지만 로잘린은 눈에 보이는 것, 오감을 믿었다. 자연은 오감으로 느껴지는 모든 것이었다.

"……마법사로서 이런 광경은 정말 놀랍네요. 드래곤께서 인간과 함께 있다니."

로잘린은 보이는 것을 믿으며 솔직한 감상을 말했다.

케일은 그 말에 딱히 답을 하지 않았지만, 검은 용은 스테이크를 먹다 말고 로잘린을 쳐다봤다. 그리고 고개를 돌려 케일을 쳐다봤다. 파충류의 얼굴이었지만 표정이 여실히 드러났다.

검은 용은 수프나 깨작깨작 먹고 있는 케일을 찡그린 얼굴로 보며 말했다.

"엄청 약하다. 무력이 쓰레기 수준이다. 그래서 그렇다."

"그렇지."

케일은 수긍했고, 용도 수긍했다. 로잘린만이 이를 기묘한 표정으로 바라봤다. 하지만 이내 그녀는 고개를 크게 끄덕였다.

"케일 공자님에, 드래곤님과 함께하는 식사라니. 영광이군요."

우아하게 포크를 집어 드는 로잘린은 담담했다. 케일은 그 모습을 확인하며 수프를 떠먹었다.

'확실히 담이 큰 사람이야.'

다른 마법사였다면 아마 손발을 덜덜 떨며 드래곤을 찬양했을 것이다. 그리고 마나 좀, 마법 좀 가르쳐 달라고 할 것이다. 용의 마법,

그 체계에 대륙의 모든 마법사들이 환장했으니까.

케일은 샐러드부터 먼저 먹는 로잘린에게 말했다.

"언제든 머물고 싶은 만큼 편히 머무르세요."

"케일 공자님."

"네."

"세 가지 궁금한 점이 있었습니다. 하지만 한 가지는 해결했고, 두 가지가 남았습니다. 혹 질문을 드려도 될까요?"

"그러세요."

해결한 한 가지는 용에 대한 것이리라. 케일은 고민 끝에 로잘린에게 용의 존재를 확인시켜 주었다. 그게 이득이 될 것 같았기 때문이다.

그리고 그는 이어질 두 가지 질문도 내용을 알 것 같았다.

"첫 번째입니다."

로잘린은 여유로이, 하지만 정중히 물었다.

"초대하지 않은 이를 함부로 저택에, 이곳에 머무르게 해도 되나요? 귀족이시니 위험에 민감하실 텐데."

케일은 그 말에 가벼이 답했다.

"최한이 데려온 사람이니 괜찮고."

케일은 힐끗 스테이크를 먹고 있는 검은 용에게 시선을 주었다가 로잘린을 바라보며 이어 말했다.

"이 녀석이 있으니 괜찮습니다만."

검은 용은 그 말에 아무런 말도 하지 않았다. 하지만 스테이크 그릇에 얼굴을 처박고 고개도 들지 않은 채 아주 빠른 속도로 스테이크를 뜯어 먹었다.

로잘린은 그 광경을 한참 동안 바라보았다. 그녀의 붉은 눈동자가 연어 스테이크를 먹는 케일에게로 향했다.

"……그렇군요. 그럼 마지막 궁금한 부분입니다."

케일은 연어를 먹던 것을 멈추고 그녀를 바라봤다. 그와 그녀의 시선이 부딪쳤다. 원래 소설에서 본 로잘린은 수도로 들어서며 붉은 눈동자를 검은색으로 바꾼다. 머리칼도 마찬가지였다. 하지만 지금은 그렇지 않았다.

그녀는 물었다.

"귀족이신데 왜 저에게 말을 높이시나요?"

케일은 생선 스테이크 옆에 있던 와인 잔을 들어 화이트 와인을 한 모금 삼켰다. 그리고 로잘린에게 말했다.

"붉은 머리칼, 붉은 눈동자. 마법사. 스스로 밝히신 이름 로잘린."

자신을 드러내고 있는 사람 앞에서 그 사람을 모르는 게, 모르는 척하는 게 이상했다.

케일은 미소를 띤 채, 물었다.

"왕녀님이시야말로, 제게 말씀을 낮추셔야 하지 않겠습니까?"

로잘린의 입가에 환한 미소가 걸렸다.

"상단주 말로는 공자가 망나니로 유명하다고 하던데, 아니었네."

케일은 바로 말을 놓는 그녀를 보며 역시나 싶었다. 저택 일반 사람들이 옆 나라 브렉 왕국 왕녀의 모습까지 알기는 힘들었다. 하지만 귀족이라면 달랐다.

몰락 귀족이야 정보를 파악하기 힘들겠지만, 백작위 정도면 주변 나라 왕족과 대귀족에 대한 정보는 기본이었다. 귀족이란 자리는 마냥 편한 자리가 아니었다.

케일은 로잘린의 말에 답했다.

"망나니로 유명한 건 사실입니다. 하지만 마법사는 오감으로 판단해야 하지 않습니까."

"맞아요, 케일 공자. 우리는 우리가 파악한 것만을 믿죠."

케일은 로잘린의 화법이 교묘하다는 생각이 들었다. 왕녀로서는 반말을, 하지만 '우리', 마법사라는 정체성을 가질 때는 존댓말을. 로잘린은 마법사로서의 자의식이 강해 보였다.

"그럼 왕녀님."

"로잘린."

역시 왕녀로 대우받기는 싫은 듯했다.

"그래요. 로잘린 씨, 궁금한 건 다 끝났습니까?"

"네, 끝났어요."

그녀는 싱긋 미소를 그리며 말했다.

"케일 공자는 나와 썩 엮이기 싫은 것 아닌가요?"

케일은 로잘린이 왕녀임을 알았음에도 그저 편히 머물다 가라고만 했다. 물론 로잘린은 그 점이 괘씸하다거나 싫지 않았다. 그녀가 특별한 대우를 원했다면 모든 풀 네임과 정체를 밝혔을 터. 그녀는 그런 대우를 원하지 않았다. 또한 케일은 그녀의 은인이었다. 라크에 대해 알려준 은인.

"글쎄요. 저는 왕녀님께서 원치 않으신 것 같아서 그런 것뿐이었습니다."

거짓말. 로잘린은 케일의 말이 그저 좋은 변명이라 생각했다.

용과 함께하는 인간. 망나니로 알려졌지만 실상은 그렇지 않았다. 그가 마음만 먹었으면 브렉 왕국 왕녀가 이 나라에 나타난 상황을 왕실에 알리며 나섰을 터.

그녀는 아무것도 모른다는 듯 미소 짓는 케일에게 고마움을 전했다.

"로운 왕실에 연락하지 않은 듯한데. 고마워요."

"별말씀을. 그런 건 본인의 의사에 따라 해야 하지 않겠습니까."

케일은 연락했다간 왕세자 녀석이 좋은 먹잇감을 발견했다는 듯이 저택에 쳐들어올 거란 생각이 들었다.

"케일 공자의 말이 맞아요. 전 원치 않아요. 후에 이 부분으로 왕실에서 공자에게 뭐라 언급하는 일이 생긴다면 제가 싫다고 말했다고 전해주세요. 제가 서신을 보내든가 하죠."

"네."

"머무를 장소만 빌려주시는 걸로 고마워요. 제 일은 제가 알아서 할 테니. 피해 안 가게 할게요."

피해 안 가게 한다. 케일은 딱 원하는 답을 내놓는 로잘린에게 가볍게 인사했다.

"감사합니다."

"별말씀을. 당연한 거죠."

가벼이 응수하며 로잘린은 식사를 이어갔다. 케일과 로잘린. 두 사람 사이에 더 이상의 대화는 필요 없게 되었다. 다만 로잘린은 힐끗 용을 쳐다봤다.

어쩔 수 없이, 마법사라 용에게 자꾸만 시선이 갔다. 용은 케일 몫으로 나온 수제 소시지를 먹다 말고 로잘린에게 시선을 돌렸다. 자꾸 힐끗거리는 그녀를 무심히 응시하던 검은 용은 말했다.

"네 거 먹어. 이건 내 거야."

검은 용은 수제 소시지 접시를 품에 안았다. 그런 그의 접시 위로 케일이 다른 음식들을 여유로이 쌓아주고 있었다. 검은 용은 생고기와 다른 스테이크의 맛에, 다른 음식들의 맛에 서서히 빠져들고 있었다.

로잘린은 슬쩍 케일을 쳐다봤고, 케일은 검은 용 몰래 손가락을 네 개 펼쳤다. 네 살. 그 의미에 로잘린은 싱긋 웃으며 답했다.

"네, 드래곤님. 당연하죠."

검은 용은 다시 음식을 먹기 시작했고, 로잘린과 케일도 여유로이 식사를 이어갔다. 한가롭고 평화로운 시간이었다.

그 시간이 끝난 후, 케일은 동북부 귀족 자제들을 만나러 마차에 탔다.

동북부 귀족 모임은 대략 10개가 조금 안 되는 귀족 가문으로 구성되어 있었다.

물론 가신인 남작이나 준남작, 몰락 귀족까지 포함하면 사람이 더 많았으나, 그 기둥은 10개의 가문이라 할 수 있었다. 그중 오늘 케일이 만날 세 명은 그의 가문인 헤니투스 백작가와 오랫동안 우호적이었던 가문의 사람들이었다.

"고민이네."

그렇기에 케일은 고민했다. 그의 호위로 따라나선 최한이 그에게 조심스레 물었다.

"무엇이 말입니까? 고민이 깊으시면 저한테 말씀해 주십시오. 제가 조금이라도 돕고 싶습니다."

"아냐. 몰라도 돼."

대충 답한 케일은 다시 고민했다. 최한은 그런 그를 보며 같이 고민에 빠졌다. 케일이 저렇게 고민하는 모습은 처음 보았기 때문이었다.

정말로, 케일은 고민이었다.

어떻게 깽판을 쳐야 망나니 같아 보일까.

그는 최한과 검은 용을 짐덩이로 얻게 되며 크게 깨달은 바가 있었다. 그는 망나니의 삶에 대해 고민했다.

동북부 귀족 자제들은 과거 케일의 망나니스러운 모습을 보았을 것이고, 또한 케일의 망나니스러운 사건 사고들을 영지에서 많이 전달받았을 것이다. 그러니 더 조심해야 했다. 아니, 막 나가야 했다.

"흐음."

그는 두 손을 내려다봤다. 개처럼 굴어봐? 망나니 중에서도 상 망나니가 개망나니 아닌가. 케일이 개망나니에 대해 한창 깊이 고민하고 있을 때, 마차가 한 저택 앞에서 멈춰 섰다.

확실히 동북부 귀족가들은 수도에서도 근처에 모여 있는지라 거리가 가까웠다.

"어서 오십시오, 케일 헤니투스 공자님."

케일은 정문에서 자신을 맞이하는 노집사를 보며, 그의 어깨 너머 저택을 대충 눈으로 훑어보았다.

이곳은 휠스만 백작가의 저택이었다. 휠스만 백작가. 동북부 초입에 위치한 영지를 지닌 가문으로 그리 부유하지도, 그리 무력이 뛰어나지도 않은 고만고만한 가문이라 할 수 있었다.

그렇기에 공후작이 없는 동북부 모임에서 같은 백작인 헤니투스 백작가와 두터운 친분을 쌓을 수 있었다. 헤니투스 백작가의 입장에서는 구석에 처박힌 자신들과 달리 수도에 가장 가까운 휠스만 백작가와 우호적인 관계를 쌓는 것이 이래저래 좋았다.

케일은 휠스만 백작가의 후계자를 떠올렸다.

'에릭 휠스만.'

이 저택으로 오기 전 부집사 한스는 케일에게 조심스레 말했다.

'공자님, 에릭 공자님과 편히 지내시는 것은 좋지만, 그래도 다른 귀족분들도 계시니 너무 편한 모습을 보이지 않으시면 어떨까 조심스레 말해봅니다.'

그 말로 케일은 에릭과 이 몸 주인이 꽤 친한 사이임을 알 수 있었다. 하지만 귀족 자제 보고서에 적힌 에릭은 망나니는 아닌, 건실하고 조금은 깐깐한 이라 표현되었다.

"공자님, 안으로 모실까요?"

"그러지."

케일은 노집사의 안내를 받으며 휠스만 저택 안으로 들어섰다.

이곳엔 현재 에릭 휠스만, 그 외에도 다른 귀족 자제인 길버트 체터, 아미르 우바르가 있었다. 과연 그들과 만났을 때 케일 자신은 어떤 행동을 보여야 할까. 케일은 이에 대해 고민하며 걸음을 옮겼다.

하지만 결론적으로 그는 그런 고민을 할 필요가 없었다.

"케일, 너 그래도 형 말은 들었잖아. 응?"

케일은 묘한 표정을 지었다. 에릭 휠스만은 쓰고 있던 안경을 추켜올렸다.

지금 케일은 분명 정찬 식탁 앞에 앉아 있었지만, 취조하듯 세 귀족에게 빙 둘러싸여 있었다.

'묘한데.'

하지만 그 분위기는 취조보다는 달래는 쪽이었다. 에릭 휠스만이 말했다.

"그냥 너도 귀찮을 것 아냐?"

그리고 자작 가문의 아미르와 남작 가문의 길버트가 동조했다.

"맞아요, 케일 공자, 번거로운 격식은 싫어하신다 들었어요."

"케일 공자, 귀찮아하는 것은 잘못이 아닙니다."

꼭 어린아이 달래듯 대하는 세 사람을 보며, 케일은 일단 그들의 말에 답했다.

"뭐, 귀찮죠."

"그래. 그러니까!"

탕. 에릭은 테이블을 살짝 두드렸다. 화가 나서 하는 행동이라기보다는, 그저 제 스스로 말하다가 나온 액션이었다. 그는 어릴 때는 귀여웠지만 커서는 망나니가 된, 얼굴만 잘생긴 동생 케일에게 은밀히 말했다.

"너는 말도 하지 말고, 웃지도 말고. 그냥 가만히! 가만히, 있으면 우리가 다 알아서 해결해 줄게. 너 귀찮은 거, 예의 따지는 것 싫어하잖아."

케일은 묘한 표정으로 답했다.

"가만히 있는 건 잘하죠."

"어? 네가? 아, 그렇지. 네가 그렇지. 넌 잘하지."

에릭. 그는 깐깐하고 무난한 성격의 사람이었지만 단 하나, 근심 걱정이 참으로 많았다. 그렇다고 소심한 것은 또 아니라, 그것이 모순인 사람이었다.

그는 어제부터 자신에게 있어 최고의 근심 걱정 덩어리가 된 케일에게 말했다. 그런 에릭을 다른 두 귀족이 응원의 눈빛으로 바라봤다.

"분명 다른 동북부 녀석들이 너를 거슬리게 할지도 몰라. 스텐 후작가나 다른 공후작가에 줄을 댄 놈들은 지금 눈에 뵈는 게 없을 테니까. 하지만 네가 가만히 있으면 우리가 다 해결해 줄게. 어때?"

에릭은 이게 가장 걱정이었다. 현재 동북부 10개의 주요 가문들 중 이곳에 자리한 네 가문만이 어디에도 줄을 대지 않은 상태였다. 다른 대귀족가에 줄을 댄 이들은 이 동북부 모임을 제 윗줄에게 바치고 싶을 터.

그렇기에 조심하고 또 조심해야 했다. 더불어 이 네 개의 가문이 동북부의 중심을 잡아야 했다. 때문에 동북부 내에서 굳건하게 중립을 표하고, 부유한 헤니투스 가문이 사고를 쳐서는 안 되었다.

에릭은 물론이거니와 다른 두 사람도 케일의 반응을 유심히 응시했다.

"그러면 좋죠."

케일의 입가에 긍정의 답과 함께 부드러운 미소가 걸렸다. 에릭은 역시 술만 안 먹으면 그래도 어릴 적 착한 모습이 보인다 생각하며 말을 이었다.

"왕세자 저하께 인사 올리는 것도 우리 넷이서 같이할 생각이야. 넌 이것도 귀찮고, 바로 술을 마시고 싶겠지. 하지만 그건 힘들 것 같아. 그 인사만 하고 나면 나머지는 우리가 다, 전부 다! 알아서 할게."

호오, 케일의 입꼬리가 올라갔다. 분위기가 미묘했다. 그는 자신의 앞에 놓인 와인 잔을 들었다. 길버트 공자가 어깨를 살짝 들썩이는 것이 보였다.

케일은 이 반응이 묘했다. 사고치는 망나니지만 같은 편이니, 내놓은 대책이 결국 보호였다. 그는 와인으로 입안을 축인 뒤 말했다.

"좋은데요?"

"그렇지?"

에릭이 환한 미소를 지었고, 그의 안경이 샹들리에의 빛을 받아 번쩍거렸다. 케일은 아무것도 하지 않는 대신 세 젊은 귀족들에게 보호받기로 했다. 그 상황이 아주 마음에 들었다.

"그냥 가서 가만히 앉아 있다만 오면 될 거야."

"네, 좋네요."

아주 좋은 요구였다. 케일이 원하는 이상향이었다. 그는 편히 식사를 하며 오늘 이 자리에 오길 잘했다고 생각했다. 하지만 에릭, 길버트, 아미르는 케일의 모습을 살피며 방심하지 않았다. 동북부 귀족 자제 모임에서도 케일은 저러다가 술병을 던졌으니까.

특히 이번에 왕세자를 만나면 길버트와 아미르의 영지인 동북부 해안에 대한 투자를 성사시켜야 했기에, 그들은 케일을 조심조심 관찰했다.

"역시 포도주는 헤니투스 영지의 것이 좋군요."

물론 케일은 저 두 가문이 추진하는 동북부 해안 투자에 대한 내용을 한스가 준 보고서로 얼추 알고 있었다. 네 가문끼리 공유하는 정보였다. 하지만 그는 그 투자가 불가능함을 알고 있었다.

'곧 서대륙 남부에서부터 전쟁이 일어나는데 투자는 무슨. 해군이면 몰라.'

네 명의 귀족은 간간히 대화를 주고받으며 식사를 이어갔다. 세 명의 귀족은 처음으로 사고 없이 식사를 마친 케일을 보며 안도했고, 조금 걱정을 놓았다.

모두에게 그럭저럭 만족스러운 시간이었다.

케일은 저택으로 돌아온 후 잠시 쉬면서 이것저것 준비하다가, 최한이 저택으로 돌아왔다는 소식에 그를 불렀다.

"케일 님, 부르셨습니까?"

"여관은?"

"잘 다녀왔습니다. 아이들이 다행히 활발하더군요."

케일은 10명의 늑대인간 아이들의 활발한 모습을 떠올리자 표정이 떨떠름해졌다. 반면에 최한은 한결 마음이 편해지고 표정이 밝아 보였다.

"그러면 이제 더 할 일은 없겠네?"

"네, 그렇습니다만?"

케일은 고개를 끄덕이며 자리에서 일어섰다. 그제야 최한은 케일이 잠옷 차림이 아닌, 그렇다고 평소 입는 옷도 아닌 평범한 평민 옷 차림임을 알아챘다. 케일은 침대로 걸어가며 말했다.

"난 침대에 누워 있을 거니까, 한스한테 이제 문 앞에 있지 말고 자러 가라고 전해. 그러면 그 녀석은 뒤도 안 돌아보고 갈 테니까."

최한은 열린 테라스 창밖에 잠시 시선을 두었다. 밖은 밤이었다.

"밖으로 나가는 겁니까?"

"그래."

케일은 보기 좋은 미소를 입가에 그렸다.

"저번처럼 테라스 창을 열어두었으니, 내 방으로 오도록."

"알겠습니다."

최한의 눈빛이 달라졌다. 그는 케일이 했던 말을 기억하고 있었다. 케일은 피를 마시던 그 마법사를 찾을 방법을 알려준다고 말했었다.

"온, 홍 없이 저와 케일 님 둘이서 가는 겁니까?"

최한이 진중한 얼굴로 케일에게 물음을 던졌고, 그 답은 다른 곳에서 들려왔다.

"나도 간다."

테라스 창문에서 검은 용이 투명화 마법을 풀며 방 안으로 들어섰다. 최한은 검은 용에게 시선을 두었다가 케일을 돌아보았다. 케일은 어느 때보다도 여유롭게 답했다.

"우리 셋이 간다."

최한은 케일을 보던 시선을 돌려 자신을 내려다보는 검은 용을 한 번 본 후, 케일에게 조심스레 물었다.

"혹시 다 부수러 갑니까?"

"아니. 절대 아냐."

쟤는 무슨 생각이 이리 극단적이야. 케일은 침대에 누우며 최한에게 훠이훠이 손짓했다.

"얼른 나갔다 와. 모자도 하나 쓰고."

"알겠습니다."

최한은 침대 협탁 옆 마법 전등만을 켜둔 채 방의 모든 불빛을 끄고, 방 밖으로 나가 문밖에 있는 한스에게 뭐라 이야기했다. 케일은 눈을 감은 채 자는 척을 했다.

곧 문이 닫혔고, 한스도 들어서지 않았다. 문이 열린 동안 투명화했던 검은 용이 투명화를 풀며 케일의 침대 위로 내려앉았다. 침대 한쪽이 기울어졌고 심히 염려스러운 목소리가 들려왔다.

"진짜 자면 안 된다."

케일은 그 말을 들으며 생각했다. 얘 눈에는 내가 4살로 보일까. 케일은 한숨을 내쉬며 자리에서 일어섰다. 잠시 뒤 최한이 로브 차림으로 테라스를 통해 방으로 들어섰다.

"왔군. 모자보다는 로브가 낫긴 하지."

케일이 모자를 챙기며 건넨 말에 최한은 고개를 한 번 끄덕이더니, 검은 용을 보며 입을 열었다.

"그 모습으로 따라올 건가?"

"투명화할 거다."

"……용은 폴리모프를 할 수 있다고 들었어. 인간의 모습을 하면 안 돼? 그게 편할 것 같은데."

용의 마법은 의지의 표현이었다. 그렇기에 최한은 의지만 있으면 검은 용도 충분히 폴리모프를 할 수 있을 거라 생각했다.

검은 용은 최한의 말에 콧방귀를 꼈다.

"난 인간이 싫다. 인간과 같은 존재가 되기 싫다. 용은 오만하고 멋있다고 했어."

"누가 멋있다고 했어?"

최한의 물음에 검은 용은 힐끗 케일을 보다가 휙 고개를 돌렸다.

그리고 투명화해서 날아올랐다. 침대의 푹 눌린 부분이 사라졌다. 케일은 묘한 눈빛으로 자신을 바라보는 최한에게 무심히 말했다.

"용이 멋있지."

"그렇죠."

최한은 고개를 끄덕이며 테라스로 향하는 케일을 뒤따라 걸음을 옮겼다. 그러다 이내 3층 테라스 창을 보며 걸음을 멈췄다.

"저, 케일 님."

"왜?"

"……업어야 합니까?"

떨떠름한 최한의 말에 케일은 콧방귀를 뀌며 검지를 펴 천장을 가리켰다. 그 순간, 케일의 몸이 살짝 들려 바닥과 떨어졌다. 동시에 그의 몸이 서서히 투명해지기 시작했다. 케일은 자신의 몸이 발끝부터 투명해지는 것을 보며 허공에 대고 말했다.

"용은 위대하지."

"맞다. 나는 위대하다."

투명화한 검은 용이 답했다. 최한은 그 순간 잠깐 나타났다 사라진, 사악해 보이는 케일의 미소를 볼 수 있었다. 최한은 케일이 어떻게 검은 용을 다루는지 알게 되었고, 말했다.

"용은 위대하구나."

결국 그도 동조했고, 케일과 마찬가지로 투명화 마법이 걸린 채 저택 밖으로 편안히 나갈 수 있었다. 물론 저택 담장에 둘러진 마법 장치가 있었지만, 이는 침입에 대비한 것으로 나가는 것에 대해서는 어떠한 반응도 보이지 않아 수월했다.

최한은 저택에서 조금 떨어진 골목길에 서며 입을 열었다.

"여기부터는 괜찮습니다."

그 말과 동시에 케일과 최한의 투명화 마법이 풀렸다. 비행 마법
이 풀린 케일은 10㎝ 정도 공중에 떠 있다가 가볍게 내려앉았다. 그
리고 내심 놀랐다.

'검은 용 마법 실력이 생각보다 훨씬 좋은데. 특성과 관련이 있는
건가.'

이 정도 실력이면 최상급 마법사보다 조금 더 위라 할 수 있었다.
역시 성룡이 되면 자신도 죽을 생각으로 왕국 하나를 말아먹을 수
있다는 용다웠다.

'하지만 바람의 소리만 있으면 굳이 이런 과정도 필요 없고, 검은
용이나 최한을 데리고 다닐 필요도 없을 텐데.'

바람의 소리. 세 번째로 케일이 얻고자 하는 고대의 힘이었다. 하
지만 이 힘은 로운 왕국 동북부 해안으로 가야 했다.

'아미르 영애의 영지로 가야겠지.'

케일은 영지로 다시 돌아가는 길에 바람의 소리를 얻고 갈 생각이
었다. 다른 이들에게는 나온 김에 유람하고 돌아가겠다고 하면 될
터. 바닷가에 있는 고대의 힘이란 사실이 내심 걸렸지만 조용히 얻
을 수 있는 힘이기에 케일은 크게 생각하지 않기로 했다.

'어차피 그때면 최한 일행은 곁에 없을 테니까.'

분명 고래족과 인어는 4권 말미쯤에 동부 해안에서 처음 등장했
다. 동대륙과 서대륙 사이의 바닷속 전쟁. 그때 바닷가에 가지 않으
면 그들과 엮일 일은 없을 것이다.

케일은 모자로 붉은 머리칼을 가리고 품에서 지도를 꺼냈다. 그리
고 앞장섰다.

"따라와."

투명화한 검은 용과 최한이 케일의 양옆으로 따라붙어, 귀족들이 모인 수도 서쪽을 나와 휘스시 중심으로 향했다.

중심으로 갈수록 수도의 밤은 낮과 같아졌다. 곳곳에 환한 불빛을 뿜어내며 심야 장사를 하는 가게들이 있었고, 특히 술집들이 어느 때보다도 활기찬 모습을 보이고 있었다.

"확실히 다른 곳보다 수도의 밤은 밝군요."

"그렇지."

케일은 수도 휘스시의 중심, 영광의 광장으로 들어섰다. 원형의 광장이 나타났고, 각 방위별로 분수대가 하나씩 설치되어 있었다. 각 분수대마다 왕국민들이 삼삼오오 모여 있었다.

하루 일과를 마친 이들이 가족과, 혹은 친우들과 일상을 나누는 즐거운 광경이었다. 지금이 밤 9시쯤이니, 아마 11시부터 야간 경비병들이 순찰을 돌기 전까지는 이렇게 삼삼오오 모인 이들이 계속 광장에 있을 것이다.

케일은 옆을 힐끗 쳐다봤다. 최한은 동쪽 분수대에서 가족들끼리 이야기하며 웃는 광경을 멍하니 보고 있었다. 최한과 그 광경 모두를 무심하게 보던 케일은 입을 열었다.

"우리 소리를 차단해 줘."

그 말과 함께 케일 주변 일정 범위에 투명한 마법 막이 둘렸다. 물론 이 범위 안에 들어간 최한과 케일, 검은 용만이 그 투명한 막을 볼 수 있었다. 그제야 최한은 케일을 바라봤다.

"마법 폭탄이라는 게 있다."

"폭탄이요?"

"그래. 마법 폭탄은 다양한 형태가 있어. 서대륙이 전쟁의 역사가 길고, 더불어 마법이 전쟁에서 사용된 기간이 긴 만큼 마법 폭탄의 형태는 다양하지."

최한은 케일의 이야기를 가만히 들었다.

"다만 제약이 많아. 설치 장소, 마나 조달 등등 폭탄은 쓰기가 참 까다롭지."

그래서 보통 전쟁에선 마법 폭탄보다는 그냥 마법사의 마법을 선호한다. 하지만 이번 마법 폭탄은 그런 것들과 달랐다.

"그중 새로 개발된 마법 폭탄이 6일 뒤 이 장소를 포함한 근처 곳곳에서 터진다."

케일은 '영웅의 탄생' 속 최한과 로잘린이 발견한 5개의 폭탄들이 설치된 장소, 혹은 사람이 지금도 소설 속과 같을 거라 생각하지 않았다. 이야기가 틀어졌다. 그렇다면 이 상황도 얼마든지 틀어질 수 있었다. 그래서 케일은 계획을 새로이 짰다.

하지만 마법 폭탄 테러 사건 자체는 소설 흐름 그대로 진행될 것이란 믿음이 있었다.

'그 미친 마법사 자식이 이 나라에 있는 게 확인되었으니까.'

이 마법 폭탄을 만든 놈이 미친 마법사였다. 녀석은 이 폭탄을 후에 로운 왕국 몇몇 영지에 공급한다. 물론 비밀 단체라는 그들의 정체는 숨기고서 말이다.

"이곳에 폭탄이 터진다는 말씀이십니까?"

"그래."

최한은 영광의 광장 분수대와 곳곳에 퍼져 있는 사람들을 바라봤다. 그때 그의 귓가로 차가운 목소리가 들려왔다.

"폭탄은 어떠한 장소에 묻힐 수도 있고, 사람에게 장치해 둘 수도 있다. 물론 그 사람은 폭탄인 줄 모른 채 다른 물건인 줄 알고 그걸 들거나 메고 다니겠지."

사람. 그 단어에 최한은 고개를 돌려 케일을 바라봤다. 케일은 그런 그에게 차갑게 말했다.

"그러니 막아야 하는 거다."

물론 케일 본인이 아닌 최한과 로잘린, 검은 용이 할 일이었다. 케일은 가만히, 이번 일에 가만히 있을 예정이었다.

"어떻게 막아야 합니까?"

"간단해."

케일은 팔짱을 낀 채로 광장에 심어진 나무에 등을 기대며 말을 이었다.

"마법 폭탄은 기본적으로 마나 덩어리다. 그러니 마나 감응력으로 주변을 탐색하면서, 다른 곳과 달리 마나 밀도가 높은 곳을 의심해 살펴보면 된다."

아무렇지 않게 하는 말에 순간 최한은 멈칫했다가 조심스럽게 물었다.

"마나 밀도가 확연히 느껴질 정도로 높은 겁니까?"

"아니. 웬만한 마법사들은 발견하기 힘들 정도로 아주 미세하게 높을 거야. 그 작은 마나 덩어리가 순간 주위의 마나를 일시에 끌어들여 강력한 폭발을 일으키거든."

최한의 표정이 묘해졌다. 그 역시 검을 다루고, 오러를 사용하기 때문에 마나를 어느 정도는 느낄 수 있는 편이었다. 하지만 마법사만큼 마나에 민감하지 않았고, 이를 사용할 수는 없었다.

"케일 님, 쉽지 않은 일 같습니다만."

"쉬워."

케일은 그리 답하며 물었다.

"그렇지?"

허공에서 답이 들려왔다.

"할 만하다. 귀찮을 뿐이다."

케일에게는 마법 실력을 떠나 마나 감응력만큼은 최고인 검은 용이 곁에 있었다. 최한은 바로 수긍했다. 이 용이 대단한 존재라는 것을 잠시 잊고 있었다.

케일은 손에 들고 있던 지도를 최한에게 넘겼다.

"사람은 모르겠지만 장소에 설치될 폭탄은 최소한 이틀 전에 설치가 될 거다."

국왕이 축사를 하는 날. 그 전날부터 수도 경비는 대폭 강화되며, 더불어 광장에 단상 등 여러 장치를 설치해야 하기에 출입이 통제될 것이다.

"다른 장소는 모르겠지만 분명 하나 이상은 이 광장 근처에 설치될 거야. 이곳에 사람이 가장 많이 모이니까."

"네, 그럴 것 같습니다."

"그래. 그래서 이 광장을 중심으로."

케일의 손가락이 최한을 가리켰고, 이내 허공 어딘가를 가리켰다.

"최한 너와 용, 너희 둘이서 밤마다 이 수도 내를 돌아다니며 마법 폭탄을 찾아."

"저희 둘이서요?"

최한의 물음에 케일은 그의 어깨를 두드리며 말했다. 검은 용이나 최한이나 다루는 방법은 비슷했다.

"그래. 최한 너라면 인기척을 숨기고 사람들 눈에 띄지 않게 활동할 수 있을 거다. 넌 능력이 뛰어나니까."

최한은 말없이 신중한 얼굴로 고개를 끄덕여 보였다. 그러고는 물었다.

"찾아서 어떻게 할까요?"

"일단 둬."

"……제거 안 하고요?"

"제거는 당일 한다."

"이유를 물어도 되겠습니까?"

케일의 입꼬리가 올라갔다.

"너 그 마법사 찾고 싶지?"

자신이 건넨 물음에 대한 답이 아니었으나, 최한은 일단 고개를 끄덕였다. 케일은 광장을 둘러보았다. 다들 즐거워 보이지만 저 속에 비밀 단체 일원들이 돌아다니고 있을지도 모른다.

케일은 그 피를 먹는 마법사가 어디에 있는지 알지 못한다. 그자는 어딘가에 숨어 있거나, 혹은 모습을 바꾼 채 돌아다니고 있을 터.

"마법 폭탄은 결국 터지려면 마법사가 있어야 해. 그 폭탄을 만든 마법사가 중앙 제어구를 통해 장치를 폭발시켜야 하지."

"……그럼–"

최한은 순간 드는 생각을 내뱉으려다가 이를 다시 삼키며 케일을 쳐다봤다. 케일은 그런 최한에게 무심한 투로 말했다.

"일단 폭탄부터 찾아. 덤으로 폭탄을 설치하는 인간들을 발견하면 들키지 않게 몰래 뒤를 쫓으면 더 좋고."

검은 용이 함께할 테니, 최한이 그들의 뒤를 쫓아도 놈들의 은신처에 있을 알람 마법 장치 앞에서 멈출 수 있을 것이다. 그러나 케일은 그 사람들까지 발견하기는 힘들 거란 생각이 들었다.

미세한 마나 밀집 장소를 찾는 일은 발품을 팔며 많이 돌아다녀야 하는 일이다. 번거롭고 힘들 것이다. 그래서 케일은 이 일을 둘에게 시켰다. 자신은 도움도 안 되고 또 하기 싫었으니까.

"그럼 이틀 전까지 돌아다니면 됩니까?"

"아니. 전날에도 너희는 몰래 와야 돼."

"전날에도요?"

그때는 경비가 더 삼엄해서 힘들 텐데?

최한은 의문을 품었다. 물론 그렇다고 그가 하지 못할 일은 아니었다. 다만 조금 번거롭고, 조금 더 조심해야 하고, 힘들 뿐.

그 순간, 최한은 악동 같은 미소를 다시 한번 더 짓는 케일을 볼 수 있었다. 케일은 품에서 검은 구슬을 꺼내어 최한의 앞에 보였다.

"아."

최한은 탄성을 흘렸다. 그에게 익숙한 검은 구슬이었다. 마나 교란 장치. 산 하나를 범위로 둘 만큼 뛰어난 장치. 그것이 한 번 더 케일의 손 안에서 세상 밖으로 모습을 드러냈다.

케일은 폭탄이 터지는 순간을 알고 있었다. 그의 입가에 묘한 미소가 걸렸다.

"그날은 주변에 마법사들이 많아서 이 장치를 10분도 못 쓰겠지만 꽤 도움이 될 거야. 마법과 관련된 것들이 대략 10분간 모조리 먹통이 될 테니까."

10분 정도면 충분했다.

그 10분간 마법 폭탄이 달린 사람들을 구하면 된다. 분명 폭탄이 달린 사람들은 표시가 날 테니까. 그때가 되면 최한과 용은 물론이고, 케일이 부려먹을 인간과 종족들이 참으로 많았다.

　최한은 검은 구슬과 케일을 번갈아 바라보다가 침음과 함께 입을 열었다.

　"……케일 님은 이 모든 것들을 홀로—"

　"그러니까."

　하지만 케일은 최한이 하려던 말이 무엇일지 알 것 같아 단호히 잘라 버리며 최한과 검은 용에게 말했다.

　"일하고 와."

　최한이 멍하니 케일을 바라봤다. 그 시선에 케일은 광장에서 맛있다고 알려진 생맥주집을 가리키며 덧붙였다.

　"저기서 기다리고 있을 테니까. 오늘은 11시 전까지만 둘러보고 와."

　최한은 잠시 생각하다가 이내, 하, 탄성과도 같은 웃음을 터뜨리더니 고개를 끄덕였다.

　"네, 오늘은 얼른 광장 인근만 용과 함께 둘러보고 가겠습니다."

　최한은 갔다 오라는 케일의 말에, 순간 왜 같이 안 가냐는 의문이 머릿속에 떠올랐다. 하지만 이내 깨달았다. 최한과 검은 용이 일을 하는 데에 있어 케일은 짐이나 다름없었다.

　케일은 약했다. 몸에서 어떠한 마나도 느껴지지 않았고, 검술을 익힌 자의 기세도 느껴지지 않았다. 그저 평범했다. 하지만 케일은 평범하지 않았다.

　"열심히 하고 올 테니, 갔다 오면 맥주 한잔 사주십시오."

　"그래. 용도 잘 갔다 오고."

검은 용은 케일의 말에 답하듯, 바깥으로 소리가 새어 나가는 것을 막던 투명한 막을 없앴다. 최한은 살짝 고개만 꾸벅이고는 케일에게서 멀어졌다.

⚜

두 시간 뒤, 케일은 아무것도 발견하지 못한 최한과 검은 용을 데리고 저택으로 돌아왔다.

그리고 다음 날 밤에도 세 사람은 아무것도 발견하지 못했다.

지난밤에 잠을 자지 못했던 케일은 대낮이 되어서야 여유로이 일어났다. 심장의 활력이 있어 피곤이라는 것을 잘 못 느끼는 케일이었다.

"도련님, 일어나셨습니까?"

"……론."

케일의 꿀 같은 잠은 한여름 밤의 꿈처럼 사라지고 현실이 돌아왔다.

"돌아왔습니다."

론이 돌아왔다. 그는 케일에게 편지를 하나 내밀었다. 케일은 그 편지를 본 순간, 오랜만에 론에게 지시했다.

"론, 와인 가장 좋은 거 한 병 따로 포장해 놔."

플린 상단의 문양이 그려진 편지. 케일은 편지를 뜯었고, 한 줄의 글을 볼 수 있었다.

공자님, 곧 술 얻어먹을 수 있는 겁니까?

플린 상단의 서자 빌로스. 그가 곧 수도에 온다.

그가 올 날짜를 가늠하던 케일은 이제 왕궁에서 왕세자를 볼 시간이 얼마 남지 않았음을 깨달았다. 악역들이 많은 곳이니 그저 가만히, 가만히 있어야 하는 때였다.

론은 케일의 말에 고개를 끄덕이며 한마디를 덧붙였다.

"알겠습니다. 그런데 도련님, 모레 왕성에 가는 건 기억하고 계시죠?"

광장에서 국왕이 축제의 시작을 알리는 축사 전, 귀족 자제들은 왕세자와의 만남이 예정되어 있었다. 연회도 만찬도 아닌 그 중간 형태의 자리로, 연회가 주로 열리는 궁을 하나 통째로 사용해 행사를 진행한다고 했다.

케일은 왕세자와 왕궁을 떠올리자 자연스레 떠오르는 이름이 있었다.

'테일러와 케이지는 잘 있으려나?'

버려진 장남과 미친 신관. 두 사람이라면 충분히 잘 해내고 있지 않을까. 케일은 그리 생각했다.

"으음."

그런데 순간, 케일은 이상하게 뒤통수가 서늘해져 와 저도 모르게 뒷머리를 쓰다듬었다. 그 서늘함에 그는 결심했다.

'그 둘은 생각하지 말자.'

케일은 왕궁에서 가만히 있을 것이다. 옆에서 누가 욕을 하든 말든 멀뚱히 앉아 있다가 올 것이다.

케일은 힐끗 테이블 위를 쳐다봤다. 편지가 있었다.

케일. 아무것도. 정말 아무것도 안 해도 된다.
이 형님이 다 해결해 주마. 알겠지?

동북부 귀족 자제 중 한 명인 에릭 휠스만은 하루에 한 통씩 편지를 보내왔다. 구구절절 근심 가득한 편지였다. 케일은 대충 테이블 위의 편지를 집어 들어 구석으로 던져 버렸다.

"그럼 제일 좋은 술로 한 병 미리 빼놓으라 말하고 오겠습니다."

"그래."

케일은 론이 나가는 것을 무심히 바라보다가 그가 연 문 사이로 오랜만에 등장하는 이들을 볼 수 있었다. 론은 그 존재들을 힐끗 보다가 마저 문을 닫았고, 들어선 두 존재는 대뜸 케일 앞으로 와 말했다.

"방심하면 죽일 수 있을 것 같은데!"

"죽일 길이 보이는데!"

아기 고양이 온과 홍이었다. 오랜만에 얼굴을 내민 두 고양이들은 늑대족과 비슷한 무력의 수인족을 암살할 방법을 찾아낸 듯 상당히 신나 있었다.

"수고했다."

케일이 툭 던진 말에 고양이들이 다가와 그의 다리에 얼굴을 비벼 댔다. 그 느낌이 귀찮아 케일은 살짝 둘을 밀어냈고, 잠시 뒤 론이 돌아왔다.

"도련님."

"그래."

그는 건성으로 대답하는 케일을 보며 물었다.

"제가 왕성에 도련님 전속 시종으로 가도 될까요?"

"당연한 걸 왜 물어. 그럼 누가 가?"

케일의 대답을 듣는 순간, 론은 결심했다. 떠나기로.

'암'이란 이름으로 동대륙의 뒷세계를 지배한 그자들이 서대륙에 발을 뻗치기 시작했다. '암'은 그들의 팔다리 중 하나일 뿐, 진정한 정체는 어느 누구도 알지 못했다.

동대륙의 밤을 지배하고자 했던 5대 암살 가문 중 하나, 몰란 가문의 주인 론 몰란은 '암'을 증오했으며 두려워했다.

"도련님."

"왜?"

"왕궁에서 도련님은 멋있으실 겁니다."

"론."

케일은 휴가를 갔다 오더니 어울리지도 않는 아부를 하는 론에게 태평스레 되물었다.

"인간적으로 내가 얼굴하고 몸은 좀 되지?"

냐아아옹.

고양이들이 케일의 그런 모습에 콧방귀를 꼈으나, 그들도 부정은 못 했다. 화려한 듯 나른한 미남. 뭔가 좀 있어 보이는 외양. 그게 케일이었다.

케일 본인도 이 망나니의 것 중에서 제일 마음에 드는 첫 번째가 돈이었고, 두 번째가 이 몸뚱이와 얼굴이었다. 케일의 입꼬리가 슬쩍 올라갈 듯했다.

"그럼요. 우리 도련님은 다 되십니다."

하지만 그 입꼬리는 순식간에 내려갔다.

'방금 내가 무슨 목소리를 들은 거지?'

아주 상냥하고, 인자하고, 귀여워하는 목소리였다. 그리고 그 목소리의 주인은 론이었다. 케일은 소름이 돋아 소파 뒤편으로 고개를 돌렸다. 그곳엔 론이 흐뭇한 미소를 짓고 있었다. 흐뭇한 척 연기하는 것과는 조금 달랐다.

케일은 온몸에 소름이 돋았다. 그러나 론은 그가 그러거나 말거나 제 할 일을 했다.

"그럼 저는 잠시 나가보겠습니다. 한스 부집사에게 보고를 해야 해서요."

"어, 어. 얼른 가봐, 얼른."

곧 론이 나갔고, 닫힌 문을 보며 케일은 생각했다.

'왜 저래?'

하지만 케일은 론이 굳이 왜 저러는지 알고 싶지는 않았다. 론의 인생사에 자신이 관여해서 뭐 하겠는가. 한참 동안 닫힌 문을 보고 있던 케일은 의아한 표정을 지었다.

똑똑똑.

누군가 문을 두드렸다. 그때 붉은 고양이 홍이 말했다.

"늑대 냄새다."

케일은 문을 보며 말했다.

"들어와."

잠시 뒤, 달칵 소리와 함께 조심스럽게 문이 열렸다. 그 사이로 허우대만 훌쩍 큰 늑대족 라크가 어정쩡하게 모습을 드러냈다. 그는 주춤거리며 입을 열었다.

"그게, 그 감사 인사를 드리려고 왔는데. 그, 언제 뵈어야 할지를 몰라서. 혹시 괜찮으시다면, 잠시 들어가도."

"들어와."

저 어물쩍거리는 말을 계속 듣기 싫었던 케일은 대충 들어오라 손짓했고, 라크는 조심스럽고 긴장한 모습으로 문을 닫고는 케일의 곁으로 다가왔다. 케일은 맞은편 소파를 가리켰다.

"앉아."

"네, 네."

라크는 소파에 앉으며 케일을 힐끗힐끗거렸다. 케일의 말은 라크의 삼촌을 떠올리게 만들었으나 그것과 달리, 정신이 들어 마주한 케일 헤니투스는 라크의 생각과 다르게 조금 다가가기 힘든 분위기의 사람이었다. 삼촌처럼 강해서 다가가기 힘든 것보다, 분위기 자체에 쉬이 말을 걸기 힘든 여유로움이 있었다.

"할 말 있으면 해."

"그게."

라크는 잠시 할 말을 찾듯 눈알을 굴리다가 벌떡 일어나서 고개를 숙였다.

"감사합니다!"

참으로 어리숙하고, 겁 많고, 어찌 보면 멍청해 보이는 모습. 딱 소설 속 라크였다.

'책 속에서는 첫 광폭화 후에 성격이 바뀌더니, 이번엔 성격은 그대로네.'

케일은 그 인사에 답해주었다.

"그래. 감사할 일이지."

"네? 아, 네."

다시 자리에 앉던 라크의 표정이 묘해졌다. 그런 그에게 케일은 말했다.

"감사 인사는 그걸로 됐으니까, 가봐."

"아, 저 그게."

라크는 자리에서 일어서지 못하고 우물쭈물거리며 입을 달싹였다. 그는 로잘린과 묘족 두 명, 최한, 그리고 가끔씩 오는 한스의 이야기들을 들으며 고민하고 또 고민했다. 그리고 지금도 고민 중이었다.

케일은 그 모습을 가만히 지켜봤다. 사실 그는 라크가 대충 어떻게 행동할지 알았기에 빨리 라크를 내보내려 했다.

"그, 저, 공자님. 그게."

라크는 무슨 말로 시작을 해야 할지 몰랐다. 그는 케일을 연신 힐끗거리며 계속 땅바닥만 쳐다보다, 살짝 입술을 깨물었다가 떼었다. 답답한 분위기 속에서 라크는 자신의 이런 성격이 다시금 싫어졌다.

그때, 차가운 목소리가 들려왔다.

"뱉어내."

"네?"

라크는 고개를 들어 케일을 쳐다봤다. 그는 이 방에 들어와 처음으로, 이제야 제대로 케일과 시선을 마주했다. 케일은 그 모습을 보며 말했다.

"그래. 대화를 할 때는 이렇게 똑바로 쳐다보면 돼."

그리고 이어 말했다.

"네 마음속에 하고 싶은 말들 다 뱉어내."

케일은 시계를 보더니, 멍한 얼굴로 자신을 쳐다보는 라크에게 무심히 덧붙였다.

"들어는 줄 테니까."

아. 라크의 입에서 탄성이 흘러나왔다. 그는 꼼지락거리던 두 손을 꽉 맞잡더니 이내 입을 열었다.

"제, 제가 형입니다."

그의 목소리는 힘이 없었다. 허우대만 크지 아직 어린 소년은 케일을 보며 말을 이었다.

"동생들을 돌봐야 합니다."

라크는 스스로가 늑대족이라고 하기엔 부족함이 많다는 것을 알고 있었다. 그렇지만 그에게는 어린 동생들이 10명 있었다. 그들을 지키고 돌봐야 한다.

또한.

"그리고 저는 조카이고, 또 동생이었습니다."

겁 많고 멍청한 자신을 아끼고 사랑해 주었던 푸른 늑대족. 그 가족들을, 친우들을, 이웃들을 그는 잊을 수 없었다.

"그래서 복수해야 합니다."

그러니 그 모든 빚을 철저히 갚아야 한다.

라크는 덜덜 떨리는 두 손을 꾹 눌러 잡았다. 생각나는 대로 내뱉었다. 그러자 머릿속이 하얘졌다. 그는 고개를 숙였다. 제 발과 카펫이 보였다.

"늑대군."

라크는 고개를 들었다. 케일 헤니투스. 깊은 산골에서 살던 라크는 상상도 할 수 없는 거대한 저택의 주인인, 최한 형이 자신의 목숨을 삼분의 이쯤 걸 가치가 있다고 한 이 남자는 라크에게 당연하다는 듯 말했다.

"너는 늑대구나."

그 순간, 라크의 머릿속이 수많은 과거의 추억들로 채워지기 시작했다. 푸른 늑대족의 삶이 그의 머릿속에 그려졌다.

"늑대족은 가족들을 지키고, 그들을 최우선으로 한다고 들었다. 긍지 높은 종족이라 생각한다."

무심한 듯 쓱 올라간 입꼬리가 라크의 눈에 들어왔다.

"네 이야기 잘 들었다."

그제야 라크는 이 남자와 이 방 안의 풍경이 모두 제대로 보이기 시작했다. 케일의 양옆에 자리한 귀여운 묘족 동생들. 한낮의 햇살이 들어오는, 평온해 보이는 방 안의 풍경.

라크는 해야 할 말이, 하고 싶었던 말이 그제야 생각났다.

"도와주셔서 감사합니다. 그리고…… 도와주세요."

그런 그에게 이 평온한 풍경의 주인은 말했다.

"감사 인사는 한 번으로 됐고."

케일이 요즘 망나니의 행동에 대해 고민하는 가장 큰 이유가 최한과 검은 용 때문이었다. 검은 용은 그 자체로 고민이었다면, 최한은 같이 끌고 오는 것들 때문에 고민이었다.

"나는 너를 도와주기 싫다."

케일은 라크를 도와주기 싫었다. 하지만 부모를, 터전을 잃은 10명의 늑대족 아이들의 슬픔을 알고 있었다.

겪어봤으니까.

또한 자신은 이 상황에 한발이 걸쳐 있는 상태였다. 그러나 모든 것을 책임지기는 싫었다.

딱 자신이 한 정도만큼. 그만큼, 손해 보지 않고 행동할 것이다.

케일은 도와주기 싫다는 자신의 말에 고개를 숙이려는 라크에게 말했다.

"대신 거래를 할 생각은 있지."

"……거래요?"

"그래."

그는 라크에게 말했다.

"무엇을 도와달라는 거지? 그리고 너는 나에게 무엇을 해줄 수 있지?"

케일은 모든 게 어리숙한 이 늑대인간을 가르칠 생각이 없다. 그런 건 최한이나 로잘린이 할 것이다.

케일은 자리에서 일어섰다. 그는 왕성으로 가기 전에 몇 가지 해두어야 할 일이 있었다. 그의 시선이 늑대 소년에게로 향했다.

"모든 것이 명확히 정해지면 찾아오도록."

라크는 잠시 생각하더니, 자리에서 일어서 케일에게 고개를 숙였다.

"네, 다 정해지면 찾아뵙겠습니다."

"그래."

케일은 라크의 머리를 대충 한 번 쓰다듬었다. 다시 고개를 든 라크의 눈빛은 꽤 보기 좋았다.

케일은 왕세자의 초청장을 들고 마차에서 내렸다. 오후 5시부터 시작되는 만찬. 케일은 헤니투스 영주성이나 수도의 저택과는 비교도 안 되게 거대하고 화려한 궁을 올려다봤다.

환희의 궁. 만찬이 열리는 궁의 이름으로, 왕세자의 탄생을 기뻐하며 현 국왕이 세운 작은 궁이었다. 물론 이제는 3왕자를 아끼는 국왕이었지만.

케일은 오늘 이 궁 앞에서 에릭, 길버트, 아미르를 만나 함께 들어갈 작정이었다. 그는 가만히 궁의 전체적인 모습을 눈에 담으며 생각했다.

'이것도 클리셰일까.'

하필 케일과 같은 시간대에, 이 궁 앞에서, 다른 마차에서 내린 이가 있었다.

"아니, 이게 누구십니까? 우리 유우~ 명한 케일 공자 아니십니까?"

하. 케일은 나오려는 한숨을 삼켰다. 들려오는 말투에서부터 케일은 자연스레 꺼림칙한 느낌이 밀려왔다.

다가오는 이는 톨스 자작가의 후계자 네오였다.

'베니온 딸랑이를 왜 하필 지금.'

조잡하고 전형적인 악역인 네오 톨스. 스텐 후작가의 후계자인 차남 베니온의 수발을 자처하는 이였다.

검은 용을 사육하던 마을. 그 마을을 영지로 둔 자작가가 바로 톨스 자작가였다.

과거에 그들은 헤니투스 백작가에 친밀함을 보이며 아주 잘해 주었다. 그런 이들이 5년 전 스텐 후작가 밑으로 들어간 후 기세등등해졌다. 이 톨스 자작가 인간들은 원래 헤니투스 백작가를 좋게 보지 않았다. 산 하나 차이인데 부유함의 정도가 달랐기 때문이다.

물론 대놓고 그 기세등등함을 표출하려고 하지는 않았다. 은근슬쩍 동북부 모임의 주도권을 쥐려고 할 뿐.

네오 톨스는 생글생글 웃으며 케일의 앞에 섰다.

"혼자시네요?"

아직 궁 입구와는 거리가 떨어져 있고, 부단장과 론은 허가를 받느라 잠시 행정관과 대화를 나누고 있었다. 최소한의 인원만 데리고 온 케일은 네오를 내려다봤다.

네오는 케일이 혼자인 것을 보고는 제 수족들을 뒤로 물렸다.

"잠시 우리 케일 공자와 대화 좀 해야겠네. 너희들도 허가를 받고 와."

네오는 수족들을 행정관에게 보내고 케일에게 한 걸음 다가왔다. 둘 사이가 아주 가까워졌을 때 네오는 입을 열었다.

"케일 공자."

그는 다정함과 반가움이 듬뿍 담긴 얼굴로, 케일에게만 들리도록 속삭였다.

"이런 수준 낮은 개망나니가 여기가 어디라고 오셨습니까?"

하. 유치하다. 케일은 속으로 한숨을 삼켰다.

책 속에서 보던 세상이라 그런 것일까. 판타지 세상이 이런 것일까. 아니면 현실에도 이런 놈이 실제로 존재하는 것일까.

그래, 존재하는 것이니 나한테 시비를 거는 거겠지.

자작가 자제가 백작가 자제에게 이딴 식으로 말을 한다? 책이라 가능한 줄 알았는데, 실제로 당하니 케일은 짜증이 밀려왔다.

자신이 주인공도 아닌데, 이딴 클리셰는 없으면 안 될까. 이런 주제 파악 못 하는 조잡한 악역은 그냥 론에게 부탁해서 죽여 버리면 될 텐데.

케일은 그저 네오를 내려다봤다. 그 시선에 네오는 더 환한 표정을 그렸다. 겉모습만 멀쩡한 망나니. 안 그래도 수도에서 내내 베니온 스텐에게 굴복하며 지내던 네오에게 케일은 좋은 먹잇감이었다.

"왜요? 술병 던지고 싶습니까? 아니면 때리게요? 한번 때려보시든가."

시비다. 일부러 네오 톨스가 케일에게 거는 시비였다. 왕궁 안에는 마법 물품 반입이 불가하니 케일이 마법 녹음기도 못 들고 오겠다, 더 날뛰는 것이다.

여기서 케일이 난장판을 피우면 망나니와 건실한 귀족 자제의 싸움이라 네오 저만 득일 테니, 헤니투스 백작가의 트집거리를 만들고 싶어 시비를 거는 것이다.

케일은 그저 가만히 있었다. 그런 그의 머릿속으로 음성이 하나 들려왔다.

용의 마법이었다.

─싸가지 없다. 베니온 새끼 생각난다.

걔 수하야. 차마 전하지 못하는 말을 삼킨 케일에게 용이 머릿속으로 말을 전해왔다.

─죽일까.

굳이 그러지 않아도 될 것 같은데. 케일은 투명화해서 따라온 용에게 고개를 가로저어 보였다. 그 행동에 네오는 뭔가 싶으면서도 아직 깽판을 칠 기미가 보이지 않자 시비 걸 한마디를 더 내뱉으려 했다.

그때 케일은 마침 새로이 도착한 마차로 시선을 돌렸다.

벌컥!

마차는 서자마자 거칠게 문이 열렸고, 그 안에서 에릭 휠스만이 내렸다. 마차에는 길버트와 아미르도 있었다.

케일은 눈을 크게 뜨고서 황급히 다가오는 에릭에게 눈짓으로, 그리고 검지로 네오를 가리켰다. 그의 입이 열렸다.

"형님."

에릭을 부르는 정중한 목소리, 그 서늘한 눈빛과 손짓을 에릭은 찰떡같이 이해했다.

'치워.'

가만히 서 있는 케일의 눈빛은 그리 말하고 있었다.

"크흠, 큼! 네오 공자, 오랜만입니다."

에릭은 곧바로 케일의 앞에 서서 네오와 케일의 사이를 가로막았다. 네오의 눈빛에 낭패라는 기색이 어렸다. 좋은 건수를 하나 발견했다 싶었는데, 에릭 휠스만이 등장함으로써 더 이상 건들기 힘들어졌다.

"네, 에릭 공자. 오랜만입니다."

네오는 속내를 감추며 휠스만 그리고 아미르 영애, 길버트 공자와도 인사를 나누었다. 그리고 그들이 케일의 옆에 서는 것을 보며 속으로 혀를 찼다.

'망나니라도 같은 편이라고 애지중지하려나 보네.'

네오는 세 사람이 케일을 보호하려는 모습에 더 이상 다른 짓은 하지 않기로 했다. 에릭은 네오의 그런 기색을 눈치채고 슬그머니 뒤돌아 케일을 쳐다봤다. 네오도 덩달아 케일을 쳐다봤다.

"음."

그리고 저도 모르게 침음을 흘렸다.

케일이 팔짱을 낀 채 네오를 가만히 내려다보고 있었다. 아주 경멸 어린 눈빛으로. 그는 아까 전부터 네오에게 한마디 말도 없었다. 다만 눈빛으로, 몸짓으로 이야기했다.

'수준 낮은 놈.'

네오는 꼭 베니온이 저를 쳐다보던 그 눈빛이 떠올랐다. 그 눈빛에 분노하면서도 대귀족의 눈빛이라며 굴복하고 찬양했다.

케일은 순간 흔들리는 네오의 눈동자에서 시선을 돌려 뒤돌아섰다. 그의 귓가로 검은 용의 보고가 들려왔다. 검은 용을 데려온 이유가 있었다.

―소리 저장 마법은 다 했다.

케일은 검은 용에게 오늘 그가 듣는 모든 말들에 대한 녹음을 부탁했다. 영상은 마나 유동성이 크고 오랜 시간 지속하기 어려운 마법이라 녹음으로 만족해야 했다.

케일은 마법에 민감한 왕궁에서 마법 사용이 탐지될 것 같으면 하지 않을 생각이었으나, 검은 용은 그 정도 마나 탐지는 괜찮다며 대신 범위를 케일 주변으로 좁혀 들키지 않게 했다.

케일은 이걸로 후에 네오의 피눈물을 뽑아내겠다 다짐하며 궁 입구로 향했다. 케일은 당한 것은 결코 잊지 않는 사람이었다.

에릭 휠스만은 그 모습을 뿌듯한 눈빛으로 바라봤다. 1일 1편지 했던 노력이 통한 것 같았다. 반면에 길버트와 아미르는 묘한 눈동자로 케일의 뒷모습을 쳐다봤다. 늘 화려한 옷만 입던 이가 오늘은 심플한 검은색 정장에 장신구도 없이, 붉은 머리칼을 깔끔히 하고 나타났다.

술을 마시지 않았기 때문일까.

한 걸음, 한 걸음 내딛는 걸음걸이가 여유로우면서도 나른해 보였다.

아미르와 길버트는 입구 문 앞에서 뒤돌아서는 케일을 볼 수 있었다.

특히 저 눈빛. 어서 오라는 듯 무심히 보내는 눈빛이 묘했다.

"네오 공자, 나중에 만찬장 안에서 보지요. 아미르 영애, 길버트 공자. 갑시다."

에릭은 그저 이를 뿌듯하게 바라보고 있었지만, 아미르와 길버트는 케일의 앞에 선 순간 묘한 느낌을 더 강하게 받았다. 케일은 그런 두 사람에게, 그리고 뿌듯해하는 에릭에게 말했다.

"가죠."

세 사람은 케일의 말에 따라 궁 안으로 들어섰고 길버트와 아미르의 묘한 감정은 더 커졌다. 그러거나 말거나 케일은 오늘 이 세 사람을 잘 부려먹어야겠다 생각했다.

"헤니투스 백작가의 케일 헤니투스 공자님께서 입장하십니다!"

만찬장으로 들어선 케일은 뒤따라 에릭과 길버트, 아미르의 이름을 외치는 시종의 목소리를 들을 수 있었다.

"꽤 괜찮네."

그는 넓은 홀을 한차례 훑어보고는 에릭의 뒤를 따라 걸었다. 아미르 영애는 케일을 힐끔 보더니 그와 걸음을 맞추며 입을 열었다.

"케일 공자, 만찬장은 가장 상석에 왕세자 저하의 자리가 있고, 그 아래에 각 지역별로 테이블이 뭉쳐 있어요. 그 이유는."

이유에 대해 설명하려던 아미르는 케일의 표정을 보고 고쳐 물었다.

"이유는 설명하지 않아도 되겠죠?"

"네. 감사하지만 압니다, 영애."

아미르가 케일을 바라보는 눈빛이 한층 더 깊어졌다. 그녀의 눈동자에 잠깐 이채가 스쳐 지나갔고, 케일은 그런 아미르를 스치듯 한 번 바라보고는 동북 방향에 마련된 테이블로 향했다.

홀에는 총 다섯 개의 테이블이 마련되어 있었다. 동북, 서북, 서남, 동남, 그리고 가운데. 각기 귀족 세력 분포에 따라 나뉜 테이블이었다.

'왕세자가 이런 건 잘한단 말이야.'

은근히 경쟁시키고, 은근히 섞이게 만들고. 왕세자의 주특기였다. 하지만 왕세자는 스스로에 대한 대우도 철저했다.

이 다섯 테이블의 정면, 두 단 높은 자리에 왕세자의 테이블이 마련되어 있었다.

'2, 3왕자 자리는 한 단 아래군.'

그리고 그 한 단 아래에 2, 3왕자의 테이블이 있었다.

왕세자가 주최한다고 해도 대부분의 귀족 자제들이 모이는 자리에 2, 3왕자가 안 오는 게 이상했다. 왕세자는 그들을 부르되 격에 차이를 두었다.

'쓸데없이 자잘한 걸 다 챙겨.'

역시 왕세자는, 이런 높은 자리에 있는 인간들은 케일의 타입이 아니었다.

"역시 우리 테이블이 제일 입구와 가깝네."

씁쓸해하는 에릭의 목소리에 케일은 굳이 말을 덧붙이지 않았다.

오늘 환희의 궁은 동쪽 문을 입구로 지정했고, 동북부 지역 귀족 자제들의 자리가 문과 제일 가까웠다.

나름 제 목소리를 내는 동북부지만, 큰 목소리를 낼 만한 가문은 없기 때문이었다. 케일은 에릭의 어깨를 두드렸다.

"문하고 가까워서 좋은데요, 뭐. 그래도 우리는 우리 자리에서 따로 고개 숙일 사람은 없지 않습니까."

다른 지역은 스텐 후작가와 같은 우두머리에게 수그리거나 잘 보여야 했다.

케일의 말이 끝나는 순간, 그를 제외한 세 사람이 걸음을 멈췄다. 케일은 앞서가던 이들이 걸음을 멈추자 덩달아 걸음을 멈췄다. 에릭은 뒤돌아 케일을 보더니 한참 만에 입을 열었다.

"케일 공자."

그래도 만찬장이라고 말을 낮추지 않았다.

"내 정성이 통한 것 같아 기쁘오."

정성? 무슨 정성?

케일이 도통 이해할 수 없다는 표정으로 에릭을 쳐다봤지만, 에릭은 한결 씩씩한 걸음으로 입구와 제일 가까운 제 테이블로 향했다.

에릭은 케일이 편지를 보기는커녕 대충 방구석에 던져둔 것을 몰랐다.

"왜 저러시는 겁니까?"

케일의 물음에 아미르 영애는 감탄하는 듯한 표정으로 고개를 가로저었다. 길버트 역시 비슷한 반응이었고, 케일은 어깨를 살짝 으쓱이곤 테이블로 향했다. 하지만 그 걸음을 잠시 멈추게 하는 목소리가 울려 퍼졌다.

"스텐 후작가의 베니온 스텐 공자님께서 입장하십니다!"

케일은 왜 네오 톨스가 바로 뒤따라오지 않았는지 알 수 있었다. 베니온. 스텐 후작가의 후계자 바로 뒤에 네오 톨스가 따르고 있었다.

하지만 케일은 네오 따위, 베니온 따위는 중요하지 않았다.

"케일!"

에릭은 갑자기 걸음을 빨리해 자신의 자리로 향하는 케일을 불렀지만, 케일은 대충 손을 흔들고는 제 자리에 앉았다.

"음."

"아, 케일 공자 오셨군요."

"케일 공자 오셨습니까."

저마다 예의상 건네는 인사에 케일은 대충 단조로이 답했다.

"네, 반갑습니다."

순간 테이블에 정적이 내려앉았으나, 케일은 다른 사람들 눈에 띄지 않게 만찬 테이블 식탁보 밑으로 손을 집어넣었다.

'역시.'

투명화한 검은 용의 부르르 떨리는 몸이 느껴졌다.

–괜찮다. 내가 괜찮다고 했다.

케일은 머릿속에 울리는 검은 용의 목소리를 들으며, 떨고 있는 몸을 토닥였다. 분노와 두려움, 그 모든 것들이 뒤섞인 떨림일 것이다. 이래서 어릴 적에 겪은 학대가 무서운 법이다.

몸이 기억하는 것과 머릿속 이성이 내린 판단이 달라, 검은 용은 제대로 반응을 못 하고 있었다.

–괜찮다. 나는 위대한 용이야.

케일은 이곳으로 따라오겠다는 검은 용에게 베니온 스텐도 올 거라 말해주었고, 오늘은 베니온을 죽이지 않을 거란 약속도 받아냈다. 그리고 한 가지를 더 약속했다.

ㅡ나중에. 나중에 내가 저 자식하고 다 죽인다. 아주 갈기갈기. 흩날리는 먼지처럼 만들어 버릴 거다.

분노에 가득 찬 검은 용의 목소리를 들으며 케일은 검은 용을 진정시켰다. 다행히 흥분해서 마나 파동을 일으키는 것 같지는 않았다.

역시 용은 생각보다 이성적이었다. 케일은 머지않을 미래, 베니온과 관련 스텐 후작가 놈들에게 펼쳐질 지옥도를 떠올리며 용을 토닥이던 손을 식탁보 밑에서 빼냈다.

용이 미쳐 날뛸 것 같지는 않았다. 만약 용이 미쳐 날뛴다면, 이 궁은 그냥 날아가 버릴 것이고, 케일은 세상을 하직하게 될 터였다.

그는 이를 막았단 사실에 안도하며 주변을 둘러보았다. 이쪽으로 다가오는 에릭 무리와 베니온 무리를 볼 수 있었다. 하긴 베니온은 옆 서북부 테이블이었다.

툭. 툭.

검은 용이 케일의 다리에 제 머리를 비벼댔다.

"음."

케일은 그 행동에 잠시 고민했다.

그 순간, 눈이 마주친 에릭이 눈을 부릅뜨며 신호를 보냈다.

'조용히! 가만히!'

그 신호를 케일은 가만히 무시했다. 그리고 고민했다. 어떻게 베니온을 모른 척할까. 하지만 고민이 무색하게 베니온이 먼저 인사를 건넸다.

"케일 공자, 오랜만입니다."

베니온 스텐. 그는 못 본 사이에 얼굴이 아주 신경질적으로 변해 있었다. 하지만 여전히 부드럽게 웃는 얼굴은 다정한 귀족의 표본 같아 보였다. 네오 톨스가 그런 베니온의 뒤에서 안절부절못하고 있었다.

케일은 환한 미소를 그리며 말했다.

"네, 베니온 공자. 저번에 톨스 자작가 영지에서 보고 난 후 처음 이군요."

베니온의 다정한 미소가 짙어졌고, 네오의 얼굴이 하얗게 질렸다.

왕국의 정계를 주도하는 네 가문 중 하나인 스텐 후작가. 그 후작가의 후계자가 케일의 말을 통해 동북부 지역의 영지를 방문했다는 사실이 알려졌다. 그것도 일반 영지가 아닌 가장 표 나게 스텐 후작가의 수하를 자청하는 톨스 자작가의 영지를.

동북부 자제들의 표정이 안 좋아진 것은 물론, 이 자리에 와 있던 다른 귀족 자제들도 눈빛이 달라졌다. 우두머리 대귀족이 없는 땅, 동북부. 그곳에 대해 귀족들은 촉각을 곤두세웠다.

"맞습니다. 제가 잠시 친우인 네오 공자를 보러 갔다가 돌아가는 길이었지요."

베니온 스텐은 자신을 향한 시선 따위 신경 쓰지 않았다. 그에게 그깟 동북부 땅 하나 밟은 것은 문제도 아니었다. 베니온은 탐색하는 눈초리로 케일을 보면서도 정겹게 말을 건넸다.

"그때 뵈었을 때, 수도에서 술 한잔하기로 했었는데."

"맞습니다."

대화를 나누는 둘의 모습은 지극히 평범했다. 하지만 지켜보는 이들의 마음에까지 평범하게 다가오는 것은 아니었다.

케일은 자신을 힐끔힐끔 보는 네오 톨스를 보며 씩 미소를 지었다. 네오는 그 눈빛에 순간 멈칫했고, 케일은 입을 열었다.

"아, 그렇지. 그때 베니온 공자를 만나고 난 다음 날, 톨스 자작가의 기사가 찾아왔었지요."

케일은 상당히 염려스럽고 걱정을 담은 표정으로 네오에게 말했다.

"별장이 싸그리, 완전히 탈탈 털렸다고 하던데 괜찮으십니까?"

네오의 어깨가 들썩였고, 케일은 베니온의 입꼬리가 살짝 파르르 떨리는 것을 볼 수 있었다.

"베니온 공자, 소식 들으셨습니까? 가까운 친우라 들었는데. 들으셨지요?"

베니온은 한참 만에 답했다. 지극히 자연스러운 어조였으나, 케일은 그 안에 담긴 분노를 느낄 수 있었다.

"……네, 그것 참 슬픈 소식이더군요."

"네. 저도 아침에 해장술 하다가 그 소식 듣고 얼마나 놀랐는지 모릅니다. 세상에, 싸그리! 하나도! 남김없이 털렸다고. 아주 귀중한 것을 잃으셨다지요?"

세상에서 제일 짜증 나는 놈이 입 가벼운 놈이고, 눈치 없는 놈이고, 악의 없는 놈이다.

케일은 지금 그 세 가지를 모두 하고 있다. 이 얼마나 즐거운가.

케일은 네오에게 다정히 말했다.

"네오 공자, 힘내십시오. 인생 살다 보면 한 번쯤 그런 말도 안 되는 일도 일어나는 법 아니겠습니까?"

"아, 그, 뭐. 그렇지요."

네오는 차마 티가 날까 싶어 베니온의 눈치도 보지 못한 채 어영

부영 답했고, 케일은 친절한 미소를 지으며 조언했다.

"그렇게 안 좋은 일이 일어났을 때는 술을 마시며 다 잊는 겁니다. 네오 공자, 오늘 함께 술을 진탕 마셔봅시다. 베니온 공자께서도 한잔하시겠습니까?"

베니온은 케일을 가만히 쳐다봤다. 그는 검은 용을 잃어버리고 난 후, 후작에게 신임을 크게 잃었다. 기사들의 증언과 증거를 토대로 베니온은 현재 별장을 습격한 범인으로 검은 용을 주었던 그 단체를 의심하고 있었으나, 때마침 그때 근처에서 하루 묵었던 케일 일행에 대한 의심도 거둘 수가 없었다.

사실 케일을 의심할 합리적인 요소는 없었다. 그래서 그는 그저 케일을 한번 확인해 보고자 말을 건 것이었다.

"해장술까지 함께하면서 하루를 보내고 나면, 안 좋은 기억들은 다 사라질 겁니다."

하지만 베니온은 역시나 쓸데없는 소리만 지껄이는 케일 헤니투스에게서 더 이상의 확인이 필요 없다는 것을 깨달았다.

"케일 공자, 고맙지만 다음 기회에 하지요."

"아, 아쉽지만 그러면 그래야겠지요."

베니온은 케일을 지나쳤다. 그 순간, 그는 네오에게 말하는 케일의 목소리가 들려왔다.

"기사가 아주 하얗게 질려서 왔더군요. 네오 공자, 원래 뭐든 미리미리 대비를 했어야지요. 어찌 그리 귀중한 물품들을 한 번에 다 잃습니까? 힘내세요. 훔쳐간 것은 못 찾겠지만, 그래도 어쩌겠습니까. 그냥 살아야지."

하, 저 망나니. 베니온은 자신을 탐색하는 귀족 자제들의 은밀한 눈초리를 미소로 받아넘기며 화를 참았다.

'용 새끼도, 다리 병신 새끼도, 다 어디로 간 거야?'

용과 테일러 스텐. 그 두 존재를 떠올리며 베니온은 앞만 보고 걸었다. 그 모습을 대충 힐끗 본 케일은 하얗게 질린 네오에게서 조금의 망설임도 없이 뒤돌아섰다. 물론 따뜻한 한마디도 남겼다.

"힘내세요."

아마 네오는 베니온에게 탈탈 털릴 것이다.

"케일 공자."

케일은 할 말이 많지만 할 말이 떠오르지 않는 표정으로 다가오는 에릭을 보며 다시 자신의 자리에 앉았다.

-다음에는 내 차례야.

케일은 검은 용의 목소리에 대충 고개를 끄덕이며 테이블을 둘러보았다. 동북부 자제들이 자신을 바라보고 있었다. 아마 이렇게 정상적인 케일은 처음 보았을 것이다. 그렇기에 케일은 그들의 기대에 응해주기 위해 눈앞의 술병을 집어 들었다.

순식간에 시선들이 흩어졌다.

망나니의 위력이었다.

다만 다른 테이블에 있던 이들은 호기심을 가지고 케일을 쳐다보았다. 그 시선들을 여유로이 만끽하며, 케일은 에릭에게 술병을 건넸다.

"나중에 마실게요."

"……그래."

한참 만에 존댓말을 하지 않고 답하는 에릭에게서 시선을 돌린 케일은 홀의 입구 위에 위치한 시계를 바라봤다. 곧 만찬 시작 시간이었다. 홀에 자리하고 있던 귀족들은 어느새 제자리에 앉아 있었다.

이유는 분명했다.

베니온 스텐을 시작으로, 나머지 대귀족 자제들이 입장하기 시작했다.

"기예르 공작가의 안토니오 기예르 공자께서 입장하십니다!"

기예르 공작가의 안토니오 기예르 공자, 오르세나 공작가의 카린 오르세나 공녀, 스텐과 더불어 또 하나의 후작가인 아일란 후작가.

그들이 한둘씩 자신의 사람들을 데리고서 만찬장에 입장한 뒤에야 문이 닫혔다. 하지만 이들이 와도 쉬이 그들에게 다가가기 위해 일어서거나 대화를 나누려는 자들은 없었다.

곧 등장할 누군가 때문이었다.

케일은 의자 등받이에 편히 몸을 기대며 연회장 문을 바라봤다. 시계 초침이 점점 오후 5시 정각을 향해 달려갔다.

째깍째깍. 마침내 5시가 되었을 때.

끼이이익―

거대한 문이 열리며 이 자리의 주인공이 조연들을 데리고 등장했다.

시종은 어느 때보다도 배에 힘을 주며 외치려 했다. 하지만 제일 앞에서 등장한 이가 손을 들어 올리며 이를 제지했다.

로운 왕국의 왕세자이자 1왕자. 알베르 크로스만.

그는 자신에게 집중된 시선을 즐기듯, 느긋하게 어떠한 소개도 없이 단상 위 자신의 자리로 향했다. 모든 귀족들이 일어서서 그를 맞이했다. 2, 3왕자를 대동한 알베르 왕세자는 그 모습을 음미하듯 지켜보며 홀의 제일 높은 자리에 섰다.

쿵. 그에 맞춰 입구의 문이 닫혔다. 모든 이들이 도착했다는 의미였다. 알베르 왕세자는 2, 3왕자는 물론 모든 이들을 내려다보며 말했다.

"반갑군. 초대에 응해줘서 고맙네."

자신을 소개할 필요가 없는 자리. 알베르는 맨 위에서 귀족 자제들을 내려다봤다. 케일은 이를 무심히 올려다보다가 시계를 쳐다봤다.

'올 때가 됐는데.'

오늘 이 만찬장을 떠들썩하게 할, 어쩌면 당분간 수도 귀족들 사이 최대의 이야깃거리가 될 인물이 아직 도착하지 않았다.

왕세자의 목소리가 케일의 귓가로 들려왔다.

"이 왕국을 빛낼 귀한 인재들이, 앞으로 장차 위인이 될 이들이 이렇게 모두 와줘서 너무 기쁘다네."

왕세자는 슬슬 혓바닥 기름칠에 시동을 걸고 있었다. 그때였다.

"음?"

왕세자가 입구 쪽으로 시선을 돌렸다. 닫혔던 문이 살짝 열리려는 듯 밀리고 있었다. 살짝 열린 틈으로 소란스러운 소리가 들려왔다.

케일의 입꼬리가 사람들 몰래 살짝 올라갔다. 그때 입구가 아닌, 구석 쪽문으로 시종이 급히 들어와 왕세자에게 다가갔다.

'왔군.'

케일은 직감했다. 그 순간, 왕세자는 시종의 말에 이채를 띠더니 입구에서 살짝 모습을 드러낸 기사에게 손을 들어 보였다.

끼이이익―

다시 한번 거대한 입구 문이 열렸다. 왕세자의 입장 뒤라, 시종은 지각한 이의 이름을 부르지 못했다. 하지만 그럴 필요가 없었다. 귀족 사회에 최소한의 관심이 있는 이라면, 드러난 모습만으로도 지각한 이의 정체는 쉬이 알 수 있었다.

'잘 맞췄네.'

휠체어가 만찬장에 등장했다.

버려진 장남 테일러 스텐. 그가 미친 신관 케이지와 함께 만찬장에 모습을 드러냈다. 일순간 테일러와 케이지의 시선이 어느 누구도 모르게 흘러가듯 케일을 스쳐 지나갔다. 그것만으로도 세 사람은 충분했다.

쾅, 큰 소리와 함께 만찬장의 문이 다시 굳게 닫혔다. 테일러 스텐은 휠체어에 앉아 있음에도 멋들어진 예복을 입고 있었고, 입가에는 여유로운 미소를 짓고 있었다. 신관 케이지는 죽음의 신 신관복을 입고 있었다.

'아예 대놓고 둘 다 정체를 드러내기로 했군.'

케일은 현명한 판단이라 생각했다. 왕실 연회장에 등장한 신관으로 인해 죽음의 신 교단은 골치 아파지겠지만, 그게 케이지 그녀가 알 바이겠는가.

"이게 무슨……!"

경악에 가득 찬 목소리. 케일은 서북쪽 테이블로 시선을 돌렸다. 베니온이 벌떡 일어서서 경악한 얼굴로 테일러를 보고 있었다. 베니온의 평소 모습상 있을 수도 없는, 귀족적 예의에 어긋난 광경이었으나 베니온은 지금 예의를 따질 상황이 아니었다.

케일은 단상 제일 위를 바라봤다. 왕세자 알베르가 두 팔을 살짝 벌리며 입을 열었다.

"스텐 후작가의 장남 테일러 스텐과 죽음의 신 신관님을 여기서 보게 될 줄은 몰랐어."

왕세자는 상당히 즐거워 보였다. 테일러는 휠체어에 앉은 채로 간단한 예를 표했다.

"왕국의 귀족 자제들에게 왕세자 저하를 뵙고 이야기할 수 있는 기회가 있다고 하여, 초대장이 없음에도 이리 찾아뵙게 되었습니다."

왕세자 알베르의 입가에 묘한 미소가 걸렸다. 케일은 그 미소에서 그가 '이야기할 수 있는 기회'라는 말을 제대로 이해했음을 알 수 있었다.

"하긴 나는 각 가문의 대표가 오라고 했는데, 대표가 없는 가문이면 누가 와도 상관없지. 괜히 한 장을 보내 테일러 공자가 섭섭했겠어?"

"조금 섭섭하였습니다, 저하."

케일은 슬쩍 베니온을 쳐다봤다. 대표가 없는 가문. 왕세자는 정식 공표하지 않은 후계자 베니온을 은근슬쩍 돌려 까고 있었다. 하긴 스텐 후작가는 현재 3왕자와 친밀했다.

'그게 이상하단 말이야.'

케일은 그 사실이 이상했다. 아직 알아보지 않았고 신경도 쓰지 않고 있던 부분이었지만, 아무리 국왕이 3왕자를 아낀다고 해도 왕세자를 폐위시키는 일은 쉬운 일이 아니었다.

그럼에도 '영웅의 탄생' 속에서 왕세자는 2, 3왕자를 경계하며 불안해했고, 스텐 후작가는 3왕자와 친밀했다. 다른 귀족들도 각기 미는 왕자가 있었다. 왕세자만이 별다른 뒷배경이 되어줄 귀족 가문이 없었다.

'뭔가 있긴 있나 보네.'

물론 케일이 굳이 알고 싶지 않은 '뭔가'였다.

"섭섭했다니 참으로 아쉽군. 그래도 오랜만에 본 테일러 공자의 모습이 건강한 것 같아 내가 참 기뻐."

왕세자의 말에 테일러는 미소와 함께 답했다.

"저하, 제가 비록 다리가 움직이지 않지만, 아직 손이 남아 있고 제 머리, 눈, 귀, 입, 모든 것들이 아직 살아 있습니다. 아니, 오히려 더 강해졌지요."

"그렇군. 그래, 아직 자네는 살아 있지. 끝까지 살아남는 자가 강한 자임을 내가 잊고 있었군."

케일은 왕세자가 테일러에게 완전히 흥미가 생겼음을 느낄 수 있었다. 베니온은 다시 귀족적인 표정을 지었지만, 뚫어질 듯 테일러를 쳐다보고 있었다. 케일은 이 상황이 꽤 재밌었다.

'관전하는 것도 좋은데?'

왕세자, 테일러, 베니온. 그리고 각 세력의 귀족들. 그 얼굴을 구경하는 재미가 쏠쏠했다. 괜히 팝콘이 그리워졌다. 홀 안은 아직 제대로 만찬을 시작하지 않았음에도 일촉즉발의 상황 같았다.

더불어 케일은 자신은 그저 가만히 있으면 되는 상황이 아주 마음에 쏙 들었다.

"그럼 이쪽은 죽음의 신 신관님이신가?"

"영원한 안식의 종인 케이지가 왕세자 저하께 인사 올립니다."

선한 신관의 표본을 연기하는 케이지는 그야말로 성녀 같아 보였다. 하지만 저 안에는 수많은 저주술에 대한 지식이 가득했다.

왕세자는 케이지의 인사까지 받고 테일러에게 말했다.

"나중에 이야기를 하기로 하고, 이제 만찬을 다 함께 즐겨야 할 것 같은데. 그대들의 자리가 어디가 좋을지 모르겠군."

왕세자의 입에서 아예 테일러, 케이지와 이야기를 하겠다는 확인사살이 내려왔다. 케일은 제 테이블의 사람들을 슬쩍 훑어보았다. 모두 근심과 고민으로 가득 차 있었다. 특히 네오 톨스는 안절부절 못하고 있었다.

케일은 그런 네오 톨스를 보며 씩 미소를 지었다. 그 미소에 네오는 이런 멍청하고 상황 파악 못 하는 놈이 있냐는 듯 케일을 흘겨보다가 곧 얼굴을 구기며 고개를 홱 돌렸다.

이를 흐뭇한 미소로 지켜보던 케일은 이내 고개를 들어 테일러 쪽을 바라봤다.

'음?'

그때, 왕세자와 케일의 시선이 딱 마주쳤다. 우연이었다. 왕세자 알베르는 어느 자리가 좋을까 하며 둘러보다가, 케일은 테일러를 보려고 하다가. 둘의 시선이 딱 부딪쳤다.

그 순간 케일은 직감했다.

'여기네.'

"마침 좋은 자리가 있는 것 같군."

왕세자는 자리를 정했다. 케일은 그 결정이 무엇일지 알아챘다.

'하긴 여기밖에 없지.'

대귀족이 없는 곳. 각 파의 대귀족에게 줄을 댄 가문들은 있지만 그럼에도 힘의 균형이 잡혀 있는 곳. 더불어 다른 대귀족들이 섣불리 건들 수 없고, 그 지역에서 가장 부유하고 강한 자가 중립으로 있는 곳.

"테일러 공자는 저기 동북부 테이블에 앉으면 되겠어. 마침 다른 쪽보다 자리도 널널하고."

헉. 네오의 숨 들이마시는 소리가 들려왔고, 에릭은 근심 걱정 가득한 표정을 숨기지 못했다. 이를 지켜보던 케일은 테일러와 케이지에게로 시선을 돌렸다.

"자리를 내어주셔서 감사합니다, 저하."

"감사합니다, 저하."

"아닐세. 왕국에 이바지할 인재가 될 이들인데 함께하면 좋지."

그리 말한 왕세자는 동북부 귀족 자제들이 모인 테이블을 바라봤다. 시종 몇이 급히 테이블로 다가왔다. 동시에 왕세자 알베르가 입을 열었다.

"자리 좀 잠시 정리해도 되겠는가."

왕세자의 말에 싫다고 할 사람이 누가 있겠는가. 특히 에릭이 바로 자리에서 일어서며 그 말에 응했다.

"당연히 됩니다, 저하."

동북부 해안 투자 건을 따내야 하고, 이미 다른 대귀족 밑에 들어가길 거부한 에릭이라 이런 행동이 가능했다. 그의 행동에 다른 귀족 자제들도 어물쩍 일어났고, 시종이 왕세자의 손짓을 따라 빠르게 새로운 자리를 마련했다.

생각보다 어수선하지 않고 일사천리로 일이 진행되었다. 그러나 그 광경을 지켜보던 케일의 표정이 묘해졌다. 에릭은 다시 근심 걱정이 가득한 표정이 되어 케일의 옆에 다가와 속삭였다.

"케일, 알지? 가만히. 가만히다."

케일은 에릭의 말을 무시하며 제 자리를 쳐다봤다. 새 손님들의 자리는 케일의 옆자리였다. 이것도 왕세자가 정한 자리일 터.

'하긴 대귀족들 밑에 들어간 놈들 옆자리로 할 수는 없을 테고. 그나마 나머지 네 가문 중에선 우리 가문이 제일 강하니까.'

자리 정리를 마친 시종들이 고개를 숙여 인사하곤 물러섰다.

"앉게나."

왕세자 알베르가 말하자 케일은 성큼성큼 걸어가 제 자리에 털썩 앉았다. 그의 옆자리는 의자가 없었다. 대신 곧 휠체어가 와 그 자리를 채웠다.

"반갑습니다."

테일러가 동북부 자제들에게 인사하며, 웃는 낯으로 함께했다. 그리고 테일러의 옆에는 당연히 케이지가 앉았다. 둘 다, 아니, 케일까지 셋 다 서로 처음 보는 사이인 척했다.

─이 상황 재밌다.

케일은 머릿속으로 들려오는 검은 용의 말에 깊게 동의하며 왕세자를 쳐다봤다.

"잠시 지체되었지만, 다시 이어가도록 하지."

왕세자는 만찬의 시작을 알렸다.

"이 왕국의 미래를 이끌어갈 인재들을 한자리에 모아 식사를 한 끼 했으면 했네. 이리 내 초대에 모두 응해줘서 고맙고, 즐거운 만찬이 되길 바라네."

그 말이 끝남과 동시에 시종들이 들어서며, 각 테이블에 음식들을 하나둘 내오기 시작했다. 귀족들 테이블 뒤편에 있던 악단이 음악을 연주하기 시작했다. 식사만 하는 일반적인 만찬과는 확실히 차이가 있었다. 연회의 형태가 뒤섞인 모습으로, 대화와 자리 이동이 조금 더 자연스러운 분위기였다.

"케일 공자, 잠시 뒤에 인사 갈 예정이에요."

아미르 영애의 말에 케일은 고개를 끄덕이는 것으로 대답을 대신

하며 접시 위의 음식에 집중했다. 하지만 그 머릿속은 조금 복잡했다.

'의도가 뭐지?'

왕세자가 정말 고마워서 귀족들을 부른 것은 아닐 것이다. 분명 이유가 있을 터. 물론 후보는 몇 가지 있었다.

'곧 서대륙 남부에서 터질 전쟁 때문이거나, 혹은 위퍼 왕국에서 벌어질 내전의 기미를 눈치채서거나.'

로잘린 왕녀가 가려고 했던 마탑이 있는 나라, 위퍼 왕국. 그곳에 곧 내전이 터진다. 마법사들의 나라에서 마법사와 비마법사 간의 전쟁이 펼쳐진다.

케일은 여러 가지 생각들로 머릿속이 가득 찼지만 이내 그 생각들을 집어치웠다.

'가만히 있을 건데, 왕세자의 의도가 무엇이건 무슨 상관이야.'

케일이 알 바는 아니었다. 그는 제 앞에 놓인 음식들을 음미하기 시작했다.

─맛있겠다. 맛있겠다. 하찮은 인간들은 요리를 잘한다.

무뚝뚝함으로 포장한 검은 용의 칭얼거림을 들으며 케일은 음식들을 여유로이 즐겼다. 역시 왕실 음식은 맛이 뛰어났다. 그의 손이 저절로 시종이 놓아두고 간 와인 잔으로 향했다. 하지만 와인 잔은 사라졌다.

"케일, 오 분만."

간절한 에릭의 목소리에 케일은 와인 잔을 향해 뻗었던 손을 거두고 다시 음식을 즐겼다. 동북부 테이블의 사람들은 그런 그를 가만히 지켜봤다. 동북부는 안 그래도 10개의 가문이 여러 갈래로 나뉘어 불편한 상태였고, 더불어 현재 이 테이블에는 마법 폭탄과 같은 버려진 장남 테일러가 끼어들었다.

사람들은 이 상황에서 태연히 음식을 먹는 케일을 묘하게 바라봤다. 케일의 머릿속에 용의 말이 들려왔다.

–그런데 여기 구석구석에 마법 영상구가 설치되어 있다.

"오."

케일은 나지막이 탄성을 흘리며 입가에 미소를 지었다. 누가 보아도 맛있는 음식을 먹고 감탄하는 모습이었다.

'하나는 알겠군.'

케일은 왕세자의 목적 중 하나를 알 것 같았다.

왕세자는 일단, 지금 귀족 자제들을 감시 중이다. 물론 2, 3왕자도 아는 사항일 것이다. 즉, 이는 왕실 전체의 뜻이다.

케일의 입꼬리가 살짝 삐뚜름하게 올라갔다. 그 미소에 불안해하던 에릭이 벌떡 일어났고, 덩달아 아미르와 길버트도 일어났다. 이미 왕세자에게 인사를 하고 오는 귀족들이 많았다.

케일은 그 세 명의 모습에 천천히 의자에서 일어섰고, 가벼이 머리칼을 쓸어 넘기며 말했다.

"가죠."

케일은 세 귀족을 앞세워 단상으로 향했고 곧 왕세자와 마주했다.

"오, 우리 동북부의 인재들이군!"

왕세자는 환한 미소로 네 명을 반겼다. 왕세자는 아까부터 아예 자리에서 일어나, 다가오는 이들과 악수를 한 번씩 하고 있었다.

알베르 크로스만. 그는 금발에 푸른 눈으로, 꼭 동화책 속 왕자가 세상 밖으로 나온 듯한 모습을 하고 있었다. 저 화려한 금발은 로운 왕국을 다스리는 크로스만 왕족들의 특징이었다. 태양신의 가호를 받는 증거라고 했다.

"반갑습니다, 저하. 오랜만에 에릭 휠스만이 인사 올립니다."

"그래, 그래. 에릭 공자. 우리 할 이야기가 있지?"

먼저 동북부 해안 투자 건에 대해 말하는 왕세자의 모습에, 에릭은 환한 얼굴로 답했다.

"네! 그 이야기 할 순간만을 기다리고 있습니다."

"당연히 나도 그 순간을 기다리고 있네. 우리 동북부의 초입을 맡아주며 이 왕국의 한 축을 담당하는 휠스만 백작가의 영민한 에릭 공자가 아닌가. 내 어찌 그 시간을 미루겠는가."

슬슬 시작이네. 케일은 가만히 선 채로, 슬슬 기름칠한 혀를 발휘하는 왕세자와 환하게 웃는 에릭을 바라봤다. 길버트와 아미르에게도 왕세자의 칭찬이 쏟아져 나오고 있었다.

'재밌네.'

케일은 그 모습을 가만히 지켜보았고, 마지막으로 그의 차례가 되었다. 왕세자는 살짝 고개를 숙이는 케일에게 손을 내밀었다.

"우리 동북부의 끝을 담당하는 헤니투스 백작가의 케일 공자 아닌가. 내 자네는 처음 보지만, 백작가 덕에 어둠의 숲이 두렵지 않아. 얼마나 잠자리가 든든하고, 내 마음에 평온이 찾아오는지 모르네."

케일은 오늘 한 가지 목표가 있었다.

"또 케일 공자는 참으로 자유로운 이라 들었네. 이는 헤니투스 영지 조각가들의 자유로운 영혼이 그대에게 영감을 주어서겠지? 자네는 자유로운 만큼 그 영혼이 순수할 것 같네."

망나니로 유명한 이에게 이렇게 칭찬을 하기도 참 어려운 일일 것이다. 그런 의미로 왕세자는 대단했다.

하지만 그의 입장에서는 케일이 정말로 여기서 망나니짓을 하지 않는 이상, 좋게 말하고자 할 것이다. 왕실에서도 동북부를 손에 넣고 싶을 테니까. 그리고 묵묵히 영지를 잘 다스리는 헤니투스 백작가를 미워할 왕족은 없었다.

'그러니 사람에 대한 선호가 가문에 영향을 미칠 일은 없다는 거지.'

케일은 왕세자의 손을 정중히 잡으며 살짝 입안의 혀를 굴렸다. 이제 자신의 차례였다.

금발에 흰 정장의 왕세자, 그리고 적발에 검은 정장인 케일. 두 사람은 여유로워 보였다. 케일의 담담한 목소리가 주변 공간을 채웠다.

"저 또한 오늘 왕세자 저하를 보고 느꼈습니다. 현 태양이신 국왕 전하와 더불어 밤에도 백성들의 어둠이 걱정되어 달처럼 비칠 저하가 계신다는 것을요. 이 케일의 눈이 개안하는 기분이었습니다."

참으로 담담하고 담백한 목소리였으며, 자세도 당당했다.

"……그런가?"

그러나 왕세자의 표정은 살짝 떨떠름해졌다가 본래의 안색으로 돌아왔다. 케일은 이를 놓치지 않았다.

케일은 잔잔하면서도 진중한 목소리로 여유롭게 말했다.

"그렇습니다, 저하. 이 케일은 우리 왕국민들의 마음속 별이신 왕세자 저하의 존안을 이리 뵙게 되어 오늘 감동으로 잠을 자지 못할 것 같습니다."

에릭은 입을 벌린 채, 길버트와 아미르는 흔들리는 동공으로 케일을 바라봤다. 케일은 왕세자의 눈빛이 떨떠름해지는 것을 보며 '왕세자와 멀어지기' 목표에 한 발짝 내디뎠다 생각했다.

그때, 검은 용의 의아한 목소리가 머릿속에 울렸다.

-이 왕세자라는 하찮은 인간은 왜 마법으로 머리칼을 염색했지? 위대한 용 정도는 되어야 알아차릴 수준인데. 다른 용이 염색시켰나? 아닌가, 다른 힘인가?

제기랄. 지금 이 순간 케일은 자신이 또 쓸데없는, 남한테 티도 낼 수 없는 비밀을 하나 알아버렸음을 깨달았다.

이번엔 출생의 비밀인가. 케일은 그딴 건 알고 싶지도 않았다.

9장

모른다, 나는 모른다

9장
모른다, 나는 모른다

케일은 왕세자에게 부드러운 미소를 지어 보이며 속으로 되새겼다.

'모른다. 나는 모른다.'

검은 용은 계속 어느 용이 시답잖은 인간이라는 존재를 위해 위대한 마법을 쓰냐며 제 스스로의 지난 행동은 돌아보지 않는 말을 지껄여 댔지만, 케일은 절대로 귀를 기울이지 않으려 했다.

–음? 눈동자도 염색인데? 이 하찮은 인간은 뭔가 꿍꿍이가 있는 것 같다. 약한 인간, 조심해라.

네가 말만 안 하면 나는 괜찮을 것 같은데.

–음? 그리고 이 인간 약하지 않다. 약한 인간, 특별히 조심해라. 너는 죽는다.

제기랄. 케일은 쓸데없는 설명을 해대는 검은 용이 처음으로 무서웠다. 그와 동시에 케일의 머릿속이 빠르게 생각이란 걸 하기 시작했다.

왕세자의 어머니는 왕비가 아니었다. 후궁으로, 본래 그녀는 왕실에서 일하던 평민 하녀였다. 3왕자의 어머니가 현 왕비였다. 그리고 왕세자의 어머니는 왕세자가 어릴 적 의문의 죽음을 맞이했다고 했다. 케일의 머릿속은 자연히 왕세자 어머니의 정체가 무엇일지 생각하기 시작했다.

또한 현재 왕세자는 무력이 평범하다고 알려져 있었다.

'그런데 약하지 않다고?'

책에서 최한도 왕세자를 평범하다고 판단했다. 왕세자는 무엇을 숨긴 것일까? 그리고 용은 어떻게 이 모든 것을 알아챈 것이지?

'……아니지. 왕세자가 무엇을 숨기든 말든 내 알 바가 아냐.'

케일은 계속 중얼거리는 검은 용의 말을 듣지 않았다. 무엇이 그리 신기한지 검은 용은 계속 왕세자에 대해 말해댔다.

"……케일 공자는 나와 조금 비슷할 것 같군요."

왕세자가 뭐라고 했으나, 머릿속이 복잡한 케일은 대충 답했다.

"제 인생의 무한한 영광입니다, 저하."

왕세자는 당황한 듯 케일의 손을 쓱 놓았다. 케일은 그 당황스러움을 미처 느끼지 못한 채 아무 말 없이 뒤로 물러서 에릭의 뒤에 가만히 섰다. 복잡할 때는 에릭을 방패막이로 세우면 될 일이었다. 그런 케일을 왕세자는 유심히 관찰하다가, 이내 에릭에게로 시선을 돌렸다. 자연스레 에릭은 다시 왕세자와 대화를 나누기 시작했다.

케일은 이를 보며 생각했다.

'이유가 있었군.'

왜 왕세자가 2, 3왕자를 경계하는지, 그리고 갑자기 국왕의 총애가 왜 3왕자에게로 가는지. 얼추 짐작이 되었다.

'친아들이 아닌가? 아니면 또 다른 출생의 비밀이 있는 건가.'

케일의 머릿속으로 김록수일 적, 고3 수능을 마치고 먹고살기 위해 알바할 때 식당 사장님이 보던 저녁 여덟 시 막장 드라마 한 편이 진행되었다.

당연히 주인공은 왕세자 알베르 크로스만.

케일은 다시 한번 다짐했다.

'가만히.'

자신은 지금부터 가만히다. 더 이상 아무것도 알지 않기로 했다.

케일은 약속을 철저히 지켰다. 케일은 오늘 술을 마시지 않았고, 그 때문에 그를 처음 보는 다른 지역의 귀족 자제들이 다가왔다. 그때마다 케일은 에릭을 지그시 바라봤고, 에릭이 출동했다.

몇 번 반복된 광경에 케일은 나지막이 중얼거렸다.

"오, 이거 좋은데?"

나지막이 중얼거리는 소리에 길버트와 아미르는 멈칫했다. 그들은 눈빛으로 대화했다.

'이거 이상한 거 맞죠.'

'그렇죠.'

둘은 살짝 에릭과 케일에게서 멀어졌다. 그러나 곧 케일이 아미르 영애를 쳐다봤고, 아미르는 케일의 시선에 뒷걸음질을 멈춰 세웠다.

"그런데 아미르 영애."

"네."

"영애 영지의 해안가 경치가 아름답다고 하던데, 많이 아름답나요?"

"훌륭하죠. 깎아지르는 듯한 해안 절벽이 아름다워요."

아름답기는. 케일은 그 절벽을 떠올리며 '바람의 소리'를 더럽게 얻기 힘들겠다는 생각이 들었다.

세 번째 고대의 힘 '바람의 소리'는 위퍼 왕국 내전 때 비마법사 연맹의 사람이 소유하는 힘이었다. 위퍼 왕국 사람이 로운 왕국에 있는 고대의 힘을 가졌단 사실이 이상할 수도 있으나, 거기에는 또 기나긴 이야기가 있었다.

어쨌든 그 힘은 마법사 학살자, 내전을 이끈 광기에 가득 찬 폭군이 가진 힘으로, 그에게 딱히 비중이 큰 힘은 아니었다.

'곧 마탑이 무너지겠네.'

내전 후 마탑이 무너진 자리, 서대륙 새로운 마탑의 주인이 될 만한 유력한 후보자가 로잘린이다.

'최한과 마법사 학살자, 그리고 제국의 황태자.'

이렇게 세 사람이 초반 서대륙 중북부의 모든 사건 사고와 연관되어 영웅으로 나타나는 인물들이다. 물론 서대륙 남부 정글의 여왕이 남부를 통일하며, 후에 그들과 엮일 것이라는 암시가 책 초반부에서 나왔다.

최한과 엮이는 비밀 단체와 별개로, 이 대륙은 약 이백 년의 평화를 깨고 패권을 다투는 각축장이 된다.

케일은 동분서주하는 에릭을 보며 시계를 확인했다. 이제 곧 이 만찬은 끝난다. 물론 그 뒤에 이어질 대화의 시간을 많은 귀족 자제들이 기다리고 있겠지만.

'내 알 바는 아니지.'

케일이 관심 둘 바는 아니었다.

"길버트 공자, 저는 이 시간이 끝나면 가도 되겠지요?"

길버트는 어디 소풍이라도 온 것처럼 여유로이 과일을 집어 먹고 있는 케일의 모습을 보며 고개를 끄덕였다.

"네, 만찬 뒤에 왕세자 저하를 뵙기는 할 건데, 함께 가지 않을 생각이시죠?"

"네, 제가 가서 무엇 하겠습니까. 투자 건은 세 분이 더 잘 아실 텐데."

케일의 말에 길버트의 표정이 달라졌다. 그는 살짝 놀란 표정이었다.

"……문서를 읽어보셨군요."

"뭐, 그냥."

케일은 대충 답하며, 다시 자리에서 일어서는 왕세자를 볼 수 있었다. 만찬의 끝을 알리는 것이리라. 케일은 오늘 이 자리의 의도를 모두 알지 못했다. 그게 아쉽지는 않았다. 왕세자와 다시 엮일 일이 없으니까.

하지만 왕세자의 말에 케일의 얼굴이 구겨졌다.

"오늘 만찬은 즐거웠네. 이 자리 후에 간단한 와인 파티를 준비했으니 원하는 이들은 즐기다 가게. 아, 그리고 이번 탄신일 기념 축사 행사에 자네들의 자리를 마련해 두었네."

왕세자 알베르는 꽤 즐거운 표정으로 말했다.

"다들 그 자리에 와서 기쁜 날을 함께 즐겨주었으면 해."

하. 케일은 튀어나오려는 한숨을 속으로 삼켰다. 말이 즐기라는 것이지 강제로 오라는 소리나 다름없었다.

'……폭탄 터질 때 광장에 있겠구나.'

얼추 예상했던 일이었으나, 케일은 썩 달갑지 않았다.

"그럼 이만 만찬을 끝내도록 하지."

케일은 그 말에 자리에서 일어섰다. 대부분 왕세자, 2, 3왕자가 있는 와인 파티에 가고 싶겠지만, 왕세자와 만남이 허락되지 않은 이들은 그 자리에 가고 싶어도 갈 수가 없었다.

케일은 자신을 스쳐 가는 휠체어에, 슬쩍 시선을 옆으로 돌렸다. 테일러가 스쳐 지나갔고, 그의 휠체어를 끄는 케이지가 뒤따라 지나가며 케일에게만 들릴 작은 목소리로 속삭였다.

"나중에 봐요, 우리 동생."

동생 하기 싫다니까. 케일은 눈빛에 그 의도를 확실하게 담아 슬쩍 응시했으나, 케이지는 아무것도 모른다는 듯 착한 신관의 모습으로 왕세자에게 다가갔다.

"케일 공자, 배웅해 드리죠."

"아미르 영애."

아미르가 다가와 케일이 가는 길을 함께하고자 했다. 케일은 녹색 머릿결에 차분하고 세련된 인상의 그녀를 보며 툭 던지듯 물었다.

"가는 길에 사고 칠까 봐 걱정됩니까?"

"유감스럽게도 네오 공자도 일찍 돌아간다더군요."

"아."

상대가 케일에게 시비를 걸까 봐 함께 간다는 소리였다. 케일은 별다른 의문 없이 만찬장 입구이자 출구로 향했고, 그 옆에 아미르가 함께했다. 아미르와 케일은 별 대화 없이 마차 앞까지 당도했고, 마차 앞에선 론이 대기하고 있었다.

"케일 공자, 오늘 고생하셨습니다."

아미르의 말에 케일은 고개를 끄덕였다.

"고생했죠. 아미르 영애는 더 고생해야겠지만."

아미르는 살짝 미소를 머금으며 입을 열었다.

"좋은 결과를 내어야 하니까요."

그러나 그 안에 담긴 절박함이 느껴졌다. 동북부 해안. 참으로 쓸모없는 땅이었다. 해안 절벽이 가득한 곳으로, 특별한 수자원이 있는 곳도 아니었다.

더욱이 해안 절벽 근처 소용돌이가 문제였다. 숙련된 영지 사람들은 배를 잘 조종했지만, 안 그런 이들에게는 위험천만한 곳이었다.

'물론 그건 '바람의 소리' 때문이지만.'

아미르와 길버트는 이 쓸모없는 바다에 어떻게든 투자를 받아내고 싶을 것이다. 케일은 아미르를 바라봤다. 그녀는 다부진 얼굴로 말했다.

"그리고 저는 충분히 좋은 결과를 낼 수 있다고 생각해요."

"아미르 영애."

"네, 케일 공자."

케일은 오늘 자신의 수족처럼 써먹었던 에릭과 길버트, 아미르에게 조금의 도움을 주는 것도 나쁘지 않겠다는 생각이 들었다. 동북부 모임은 견고해야 하니까. 그리고 귀족 자제 정보에서 아미르는 입이 무거운 사람이었다.

"저하는 이 투자에 관심이 꽤 있으실 겁니다."

"그러신 것 같아요."

아미르는 그 말에 동의했다. 굳이 에릭이 먼저 말을 꺼내지 않아도 왕세자가 이 건을 기억하고 있었기 때문이다.

"영애, 관광으로 투자 건을 내셨지요?"

"네."

해안 절벽을 이용한 관광 건. 케일이 보기에는 턱도 없는 짓이었다. 그는 아미르에게 가까이 다가가 속삭였다.

"투자가 급하다면 위퍼 왕국과 북부 왕국들, 그 사이에서 우바르 영지의 해안 위치가 가지는 가치에 대해서 한번 생각해 보시면 좋을 것 같군요."

"네?"

의아해하는 아미르에게 케일은 어깨를 으쓱이며 덧붙였다.

"물론 제 말은 영애 혼자 알고 계시면 좋겠습니다."

"……일단 그 말은 기억해 두죠."

케일은 의문스러워하면서도 입을 꾹 닫는 아미르의 모습에 만족하며 마차에 올라탔다. 가볍게 손을 흔들어 보이는 그의 모습에 아미르는 살짝 고개를 까딱이는 것으로 인사를 대신했다.

케일은 마차 문을 닫는 론에게 말했다.

"출발하지."

"네, 도련님."

마차는 곧 출발했다. 케일은 창밖으로 들어가지도 않고 고민에 빠져 있는 아미르를 보며 동북부 해안에 대해 생각했다.

로운 대부분의 해안가가 평탄한 모래사장인 것과 달리, 아미르와 길버트의 영지는 해안선이 복잡하고 작은 섬들이 많았다. 더불어 깎아지르는 절벽으로 둘러싸여 있었다.

또한 배가 정박할 만한 몇몇 장소가 안정적으로 형성되어 있었다. 물론 그곳의 어부들은 소용돌이를 비켜 나가며 어업을 할 정도의 베테랑이었다.

'평화가 지속되니 관광만 생각했던 거지.'

그러나 왕세자는 평화의 끝이 다가옴을 알고 있을 것이다.

'어쨌든 나는 마법사 학살자가 표류하기 전에 먼저 고대의 힘이나 가져가면 될 일이니까.'

케일은 그 부분에 대한 생각을 더 이상 하지 않기로 했다. 그리고 만찬을 끝내고 돌아온 그날 밤, 두 가지 소식이 케일에게 전해졌다.

"마법 폭탄을 네 개 발견했습니다."

사람에게 다섯. 장소에 다섯. '영웅의 탄생' 속에서 그러했다.

"모두 광장 근처에 있었습니다."

"지도 줘봐."

케일은 최한을 향해 손을 펼쳤다. 최한은 마법 폭탄 장소에 검은 용을 두고 홀로 왔다. 급히 달려왔는지 드물게 그의 얼굴에 땀이 나 있었다.

"하나를 발견한 후, 제가 용을 안고 뛰면서 인근을 샅샅이 뒤졌는데 총 세 개가 더 발견되고 그 외에는 없었습니다. 일단 광장 근처 외에도 뒤져봐야겠지만, 돌아다닌 곳에는 없었습니다."

툭툭. 케일은 지도를 두드렸다. 이번에는 장소에 네 개인가? 사람이 여섯이고? 아니면 다른 변수가 있나? 케일은 고민하며 자리에서 일어섰다.

"모레 축사 당일까지는 안전하니까, 서두르지 마."

"그렇지만 위험한 것은 얼른 치우는 편이."

"모레 새벽에 훔치자고."

"……네?"

케일이 아는 마법 폭탄은 개발자가 신호를 보내야 폭발한다. 하지만 검은 용이나 로잘린같이 일반 마법사 범주를 벗어난 수준이면,

시간이 조금 걸릴 뿐 폭탄에 향할 그 신호를 끊기 쉬웠다. 그러니 사람에게 붙은 폭탄을 로잘린이 해제한 것이겠지.

'그건 당일에 해야 해.'

그래야 신호가 연결된, 그 피에 미친 마법사가 아직 폭탄은 안전하다고 생각할 터.

"파괴하는 것이 아니라 훔친다고요?"

케일은 의아해하는 최한에게 다시 지도를 건네며 말했다.

"그 유용한 걸 왜 부숴?"

폭탄은 못 쓰지만 미세하게 밀집된 마나의 힘은 꽤 유용한 재료였다.

"내가 써야지."

케일의 미소는 최한이 보기에 상당히 음흉했다. 얼떨떨한 얼굴로 지도를 받아 든 최한에게 케일은 추가로 지시했다.

"더 있을지도 모르니까 계속 찾아봐. 폭탄 위치가 변하는지도 수시로 확인하고."

앞으로 최한과 검은 용은 광장 근처에서 내내 몸을 숨긴 채 주변을 탐색해야 했다. 아마 힘들고 지루하고 신경이 곤두서는 일일 것이다. 그러나 케일이 할 일은 아니었다.

케일은 자고 있다가 깨어난 온과 홍에게도 말했다.

"밥값 해라."

최한에게도 말했다.

"가서 일해."

눈곱을 떼는 고양이 두 마리와 최한은 케일의 지시에 따라 일하러 나갔다. 그들이 테라스 창밖으로 뛰어 내려가는 모습을 여유로이 감상하던 케일은 만찬장에서 마시지 않았던 와인을 홀로 마신 후 잠이 들었다.

그가 자고 있는 사이, 소식 하나가 그에게 전해졌다. 눈을 뜬 케일은 바로 그 소식을 들을 수 있었다.

마침내 탄신일 전날, 빌로스가 수도에 도착했다는 소식이었다.

케일은 빌로스와 만나기로 했던 여관으로 향했다. 늑대인간 10명이 있는 그곳이었다.

마차에 자리한 케일의 곁에는 온과 홍, 라크가 함께하고 있었다. 그는 방금 전 라크가 한 말을 떠올리며 물었다.

"네 동생들을 돌봐달라고?"

"네, 제 거래 내용입니다."

"넌 무엇을 해줄 수 있지?"

"저만 해줄 수 있는 게 아닙니다."

라크는 이전보다 망설임 없이 말했다.

"너만이 아니면 누가 하는 거지?"

라크는 해맑게 답했다.

"제 동생들도 함께할 것입니다. 저희는 모이면 더 강합니다."

케일은 뒤통수가 싸해져 왔다.

'설마?'

라크는 그 설마를 여지없이 케일의 뒤통수에 강타시켜 주었다.

"푸른 늑대족은 기사단으로 유명했던 역사가 있습니다. 그 역사는-"

"나는 모르는 사실이다."

케일은 마차 맞은편에 탄 라크를 외면했다.

하지만 라크는 그 외면에 저 혼자 고개를 끄덕이더니 쭈뼛쭈뼛 입을 열었다.

"모르시면, 제가 설명을 해드려도 될까요?"

분명 소극적인 태도였으나, 할 말은 다 하려고 하는 모습이었다. 케일은 망설임 없이 고개를 가로저었다.

"필요 없다."

"그래도."

케일은 빤히 라크를 응시했다.

'푸른 늑대족 아이들 10명을 데려다가, 거기다가 라크까지 끼워서 기사단을 만들라고?'

혼자서는 고래족을 무서워하는 라크였지만, 제 동료를 위해 고래족 수장에게까지 달려드는 놈이었다. 웬만한 사이비 종교는 저리 가라 할 정도로 맹목적인 녀석들을 부하로 만들라고?

"말도 안 되는 소리는 그만하도록."

케일의 냉정한 목소리에 라크는 어깨가 축 내려갔다. 케일은 그런 모습에 조금도 신경 쓰지 않고, 제 할 말을 이어갔다.

"아직 어린아이들보고 기사단? 넌 나에게 아이들의 보호를 부탁했는데 네가 제시한 조건은 모순 같군."

애들 때부터 기사단을 시키면 늑대족 성질상 어쩌면 사이비 종교보다 더한, 죽음을 불사르는 그런 단체가 될 것이다. 너무 끔찍하다.

그리고 무엇보다도.

"그 아이들의 의사는? 왜 네가 결정하지?"

케일은 홀로 결정한 라크에게 물음을 던졌다. 라크는 순간 멍한 표정을 짓더니 이내 고개를 푹 숙이며 말했다.

"죄송합니다."

"뭘 또 죄송할 것까지야."

슬쩍 고개를 드는 라크에게 케일은 툭 던지듯 말했다.

"일단 네가 나에게 하고 싶은 부탁이 무엇인지는 알았으니, 내가 너에게 받고 싶은 걸 생각해 보지."

물론 이미 받고 싶은 걸 생각해 두었다. 지금은 아니지만 한 세 달 뒤쯤, 험한 산에 묻혀 있던 고대의 힘이 모습을 드러낸다. 이후 그 돈이 되는 고대의 힘은 약 6개월간 존재하는데, 험한 곳을 오르기에는 광폭화한 늑대족이 제격일 터.

'그 고대의 힘을 정글의 여왕에게 팔면, 설령 백작가가 망해도 평생 먹고살 돈은 구할 수 있을 테니까.'

물론 그냥 그대로 파는 것이 아니라 가치를 조금 많이 포장해서 팔 거지만. 왕은 돈도 많을 텐데 좀 더 얻어 쓰면 어떤가?

"제가 필요한 곳이 있을까요?"

케일은 또다시 쭈글쭈글해져서 묻는 라크의 모습에 한숨을 내쉬었다. 그 행동에 라크가 더 크게 움츠러들었을 때 케일은 되물었다.

"당연한 질문은 하지 말지? 필요 없을 리가 없잖아."

아. 라크는 탄성을 터뜨리더니, 이내 고개를 주억거렸다.

"네, 거래 내용을 말씀해 주시면 그게 무엇이든 꼭 바로 하고 싶습니다."

"그래."

케일은 품에서 작은 돈주머니를 꺼내 라크에게 던졌다. 라크는 엉겁결에 그 돈주머니를 받아들었다.

"오늘 네 동생들 오랜만에 볼 텐데, 수도 구경이나 하다가 와."

"……구경이요?"

"그래. 수도 같은 도시는 처음 아닌가? 맛있는 것도 먹고 그래."

애들을 다 내쫓아야 편한 대화가 가능하지 않겠는가.

"온과 홍도 같이 갈 테니까, 길 잃을 일은 없을 거야."

냐아아옹.

냐아옹.

케일의 말에 그제야 마차 구석에 조용히 있던 온과 홍이 존재감을 드러내며 라크에게 다가갔다. 그리고 앞발로 라크의 다리를 툭툭 두드렸다.

"그만해, 온, 홍. 간지럽잖아."

라크가 귀엽다는 듯 온과 홍의 머리를 쓰다듬었으나, 케일이 보기에 고양이들은 진지한 앞발 공격 중이었다. 그 모습을 보며 케일은 생각했다.

'나중에 늑대 애들은 한스에게 맡겨야 되겠어. 아니면 보모를 뽑든가.'

요리 잘하고 깔끔한 사람이면 좋을 것 같은데. 케일은 한스를 제외하고 보모가 될 만한 이를 떠올리다가 문득 제2주방장이자 론의 아들인 비크로스가 떠올랐다. 동시에 케일의 얼굴이 떨떠름해졌다.

요리 잘하고 깔끔하고 평소에는 정상적이고. 가문 사람들 사이에서는 예의도 바르다 알려진 비크로스. 하지만 그러면 뭐 하나, 고문을 사랑하는 돌아이인데. 순수한 늑대 아이들의 인성을 말아먹을 순 없는 노릇이었다.

'그리고 비크로스는 최한에게 딸려 보내야지.'

소설 흐름상 꼭 필요한 일은 아니지만 비크로스는 브렉 왕국에 최한, 로잘린과 함께 가서 대공 고문을 해야 했다. 케일은 늑대 아이들을 책임지고 돌볼 이로 누가 적당한지에 대해 고민하며, 목적지에 도착한 마차에서 내렸다.

"따라와."

케일은 긴장한 듯 서 있는 라크의 어깨를 툭 두드렸고, 라크는 온과 홍을 품에 안은 채 여관 안으로 들었다.

"어서 오세요! 포도 향이 가득한 곳입니다! 일행 있으신가요?"

어린 점원의 인사에 케일은 고개를 끄덕이며 곧바로 반대편 문으로 향했다. 현재 여관 뒤쪽 별채에 최한이 데려온 이들이 묵고 있었다.

케일은 따라 오려는 점원에게 괜찮다 손짓하고는 거침없이 별채로 향했다. 그는 별채 현관문 앞에 서자마자 라크에게 눈짓했다.

"네 동생들이니, 네가 먼저 문을 열어."

"네, 네!"

쭈뼛거리며 다가온 라크는 고양이들을 내려놓고 문고리를 잡았다. 광폭화로 정신을 잃은 후 처음 보는 동생들이었다. 케일은 슬그머니 뒤로 물러섰다. 왠지 저 안의 광경이 보기 싫었기 때문이다.

달칵. 라크가 문고리를 돌리고, 문이 열렸다. 마침내 별채 안의 광경이 모습을 드러냈다. 안락한 거실이 자리하고 있었다.

"어휴."

그러나 케일은 두 걸음 더 뒤로 물러섰다. 본능적인 움직임이었다.

"형."

"형아."

"오빠."

"라크 오빠."

10명의 아이들이 라크에게 달려왔고, 라크도 그 아이들에게 달려들어 서로 얼싸안았다. 감격적인 상봉 현장이 케일의 눈앞에 펼쳐졌으나, 10명이라는 숫자를 실제로 마주한 케일은 그 엄청난 인원을 체감하며 고개를 슬쩍 돌려 외면했다. 그 와중에 케일에게 반가운 이가 다가왔다.

"……공자님."

"오랜만이군, 빌로스."

빌로스에게 이 별채로 오라고 한 이가 케일이었다. 케일은 빌로스의 얼굴이 웃고 있지만 살짝 긴장한 것을 보며, 빌로스 뒤에서 다가오는 남자에게 시선을 두었다.

"처음 뵙겠습니다, 케일 공자님."

"그대가 최한과 함께 온 상단주인가?"

60대의 남자. 선한 인상에 푸근한 체격의 이 사람이 최한에게 푸른 늑대족 관련 의뢰를 한 인물이었다.

"네, 최한 씨에게 많은 이야기를 들었습니다. 이렇게 뵙게 되어 영광입니다, 공자님."

"영광까지야. 망나니 얼굴 보는 게 뭐 대단하다고."

케일은 남자에게 손을 내밀었고, 남자는 그 손을 잡으며 제 소개를 했다.

"오데우스 플린입니다."

케일의 입꼬리가 살짝 올라갔다.

오데우스 플린. 플린 상단의 차기 상단주로 유력한 후계자였으나 이를 포기하고 작은 상단을 꾸리며 살아가는 인물.

빌로스의 큰아버지였다. 그는 최한과 빌로스를 엮어주었고, 감춰 둔 빌로스의 탐욕을 일깨운 자였다.

'론보다 더 음흉한 인물이지.'

작은 상단을 꾸린 척하지만 사실은 뒷세계에서 새로운 가면을 쓴 채 살아가는 인물이었다. 누군가에는 착하지만 누군가에게는 한없이 악한 사람. 그것이 오데우스였다.

그리고 그의 양면을 모두 아는 이는 현재 케일이 유일했다. 케일은 아무것도 모른 척 오데우스와 인사를 나눴다.

"플린이라. 빌로스와 관련된 사람이었군. 반갑네."

"저도 놀랐습니다. 공자님의 아는 분이 빌로스일 줄은 몰랐습니다. 빌로스는 어릴 적 보고 처음 보는데 어찌나 반가운지, 요 근래 좋은 인연들이 많이 생긴 것 같습니다."

빌로스는 오데우스를 보며 복잡한 속내를 감추지 못하고 있었다. 플린 상단을 박차고 나가 소소하게 사는 사람. 선하다고 알려진 큰아버지. 어린 시절, 빌로스가 좋게 기억하는 유일한 인물이었다.

'뭐, 빌로스에게는 좋은 사람이지.'

케일은 오데우스의 손을 놓으며 빌로스에게 말했다.

"위층에 가서 술 한잔하지."

별채는 2층으로, 위층에는 작은 바가 있었다. 물론 케일은 오데우스에게도 말을 전해두었다.

"최한과 로잘린이 곧 올 테니, 그때 같이 회포를 풀면 될 거야."

"네, 저도 언젠가 공자님과 술을 마실 기회가 있었으면 하는군요."

케일은 미소를 그리며 오데우스에게 말했다.

"곧 한번 마시도록 하지."

케일은 복잡한 얼굴로 서 있는 빌로스의 어깨를 툭 치며 2층으로 향하려 했다. 하지만 그런 그의 앞을 10명의 아이들이 막아섰다.

"감사합니다! 공자님."

"감사합니다."

케일은 인사하는 10명의 아이들을 바라봤다. 그리고 생각했다.

'골치 아픈데.'

상당히 강해질 것 같은, 그런 아우라를 풍기는 아이들이 10명이었다. 분명 부모와 친척, 다른 형제들이 죽었음에도 강인하고 또렷한 눈동자를 가진 10명의 아이들은 아직 순수함과 선함을 간직하고 있었다.

또한 아주 어린애들은 없었다. 대부분이 10살에서 13살 사이로 보였다.

'보모가 아니라 훈련 교관을 붙여도 될 것 같은데.'

그러나 케일은 이 아이들에게 훈련 교관을 붙이는 그런 일은 하지 않겠다고 다짐하며, 대충 라크에게 나가보라 손짓했다.

곧바로 2층으로 향한 케일은 아이들의 목소리에 아무런 대답도 하지 않고 무시했건만, 늑대족 아이들은 케일의 등 뒤로 끊임없이 감사하다고 인사를 건네고 있었다. 덕분에 케일의 뒤통수가 서늘해져 왔다. 그런 그를 향해 빌로스는 2층 방에 들어서자마자 물었다.

"공자님, 도대체 무슨 일을 하고 계시는 겁니까?"

그 말에 케일은 고민 없이 가벼이 답했다.

"나의 안락한 노후를 위해 움직이고 있지?"

빌로스는 말도 안 된다는 표정을 지으며 찬장에서 술과 술잔을 꺼내왔다. 그는 케일의 맞은편에 앉아 제 술잔을 채워 들이켰다.

"……너 지금 나는 안 보이니?"

"……속이 타서요. 죄송합니다, 공자님."

빌로스는 거의 반병 정도를 연속으로 잔을 채워 들이붓더니, 케일을 똑바로 응시했다. 아니, 살폈다. 망나니였다가 이제는 그리 살지 않겠다고 한 사람. 그런데 그 사람을 만나러 와서 큰아버지를 보게 될 줄이야. 빌로스는 꿈에도 생각 못 했다.

다시 술잔을 채우려던 빌로스의 손짓을 케일이 막아섰다. 그는 술병을 들어 빌로스의 잔을 채워주었다.

"뭐 때문에 그리 속이 타는지 몰라도 혼자서 그렇게 들이켜면 쓰나?"

"……공자님."

"그래."

케일은 자신의 잔에도 술을 채웠다.

"오데우스 님은 혈연상으로 제 큰아버지십니다."

오데우스 님. 플린이라는 성이 허락되지 않은 빌로스는 큰아버지를 제대로 부를 수조차 없었다. 그러나 그는 빌로스의 어린 시절, 유일하게 따뜻했던 어른이기도 했다.

'영웅의 탄생'에서 오데우스는 빌로스에게 말한다.

'넌 내 조카라고, 가족이라고 생각한다. 너에게도 자격이 있단다.'

그 말이 빌로스에게 하나의 시발점이자 기폭제가 되어버린다. 그리고 오데우스를 통해 알게 된 최한, 그의 힘에 매료된 빌로스는 최한을 따르며 상단주 자리를 향한 후계자 경쟁에 뛰어든다.

"공자님, 왜 오데우스 님은 플린이라는 성을 받았음에도 따로 작은 상단을 하는지 궁금하지 않으십니까?"

궁금하지 않기는. 이미 알고 있다니까. 서북부와 중부의 뒷세계를 꽉 잡고 있는 오데우스였다. 케일은 제 술잔도 채우며 무심히 답했다.

"내가 플린이라는 이름을 궁금해 해야 하나?"

술잔의 술을 삼킨 케일은 잔을 내려놓자 웃고 있는 빌로스의 얼굴을 볼 수 있었다.

"그렇군요. 플린이라는 이름이 그렇게 높은 이름은 아니지요."

"그렇지. 너나 오데우스나. 너도 플린이잖아."

"……전 서자입니다만."

케일은 코웃음을 치며 빌로스의 말에 답했다.

"네가 서자라고 해서 플린이 아닌 건 아니잖아? 남들은 다 네가 플린이라고 생각해."

비록 가문에서는 빌로스에게 플린이라는 성을 주지 않았지만, 남들은 모두 서자인 그를 플린이라고 생각했다. 그래서 서자인 그를 무시하는 외부인은 없었다. 3대 상단 중 하나인 플린이라는 이름은 꽤 거대했으니까. 그게 사실이었다.

빌로스는 케일을 빤히 응시하다가 이내 그의 술병을 뺏어 들며 케일의 잔을 채웠다.

"공자님."

"왜?"

"공자님은 참 맞는 말씀을 잘하시는 것 같습니다."

"내가 좀 그렇지."

"그래서 말인데요."

"어."

"그간 빌려간 장비들로 도대체 뭘 훔치셨습니까?"

빌로스는 그 순간 케일의 입가에 그려지는 미소를 볼 수 있었다. 케일은 채워진 술잔을 들고서 여유로이 말했다.

"하나는 훔쳤고. 나머지는 곧 훔칠 거야."

용은 구했고, 나머지는 이제 내일이었다.

빌로스의 입꼬리가 씰룩였다. 뭔가를 훔친다고 말하는 귀족이 자제는 없을 것이다. 하지만 눈앞에 있었다.

"저도 하면 안 됩니까?"

빌로스의 물음에 케일은 고개를 가로저었다.

"미안하지만."

탁. 케일은 술잔을 테이블 위에 내려놓으며, 그의 말에 답했다.

"이미 자리 다 찼어."

부려먹을 인간 및 종족 목록은 이미 케일의 머릿속에 다 채워져 있었다.

"하, 하하."

빌로스는 한참 동안 웃더니, 술로 가득 찬 잔을 한 번에 들이켜고는 탁, 테이블 위에 내려놓으며 말했다.

"전 그럼 다른 걸 훔쳐야겠군요."

빌로스는 이미 훔칠 것을 정해두었다. 플린 상단의 후계자. 그 자리는 자신의 것이 되어야 했다. 자신의 탐욕이 가장 크고 깊었으니까. 그런 그에게 케일은 말했다.

"그러든가."

그 말에 빌로스는 결국 한 번 더 크게 웃음을 터뜨렸다. 케일은 빌로스가 웃거나 말거나, 그가 오데우스를 만났다는 점에서 오늘 이 만남의 목적은 끝이 났다 생각하며 여유로이 술을 즐겼다.

물론 케일은 내일의 일 때문에 조금만 즐기고 홀로 먼저 저택으로 돌아왔다. 밤부터 움직여야 했기에 이른 저녁 잠시 잠을 자두기로 했다. 그러나 그는 그럴 수가 없었다.

"론?"

론이 케일에게 허리를 숙이며 인사했다.

"도련님, 이 론이 부탁 하나 드리고 싶습니다."

"부탁?"

론은 고개를 들며 케일에게 말했다.

"제 아들 좀 부탁드립니다."

"아들? 비크로스 말인가?"

"네."

"왜?"

케일은 처음으로 론의 얼굴에서 인자함이 사라지고 그 위에 나타나는 진짜 얼굴을 볼 수 있었다. 암살자의 얼굴로, 론은 말했다.

"여우 사냥을 가야 해서 말입니다."

노인이어도 아직 그는 암살자였다. 고개를 든 론의 얼굴은 무표정했지만, 입꼬리만 살짝 위로 올라가 기이한 표정이었다.

"제가 사람 죽이는 놈이라는 걸, 우리 도련님은 아시지요?"

케일은 취하지도 않은 술기운이 훅 올라오는 것 같았다. 뒷골이 서늘해졌다. 그 서늘함과 떨림을 간신히 감추며 케일은 툭 던지듯 물었다.

"그래서?"

론은 평소와 다름없는, 퉁명스럽고 싸가지 없는 우리 강아지 도련 님의 말투에, 저도 모르게 인자한 척 미소를 지을 뻔했다. 하지만 이를 억누르며 말했다.

"그래서 사람 죽이러 떠납니다."

"네 아들은 두고?"

"네."

"여우가 사람인가?"

케일은 암살자 론의 진짜 미소가 어떤 것인지 알 수 있었다. 입꼬리만 기이하게 올라간 미소. 보고 있으면 웃지 않는 게 낫다 싶은 얼굴이었다. 론은 꽤 즐거운 투로 답했다.

"그렇습니다. 여우 떼를 죽이러 가야 하지요."

하지만 목소리는 나직했다.

"갈기갈기."

론 제 몸이 갈기갈기 찢어지거나, 혹은 그자들이 갈기갈기 찢어지 거나. 둘 중에 하나였다.

케일은 갈기갈기라는 단어에서 소름이 돋았다. 그리고 고민했다.

론은 한참 동안 말이 없는 케일을 바라보았다. 몇 번이나 한숨을 내쉬며 얼굴을 쓸어내리던 우리 강아지 도련님은 결국 말했다.

"……갔다 와."

론의 입가에 미소가 사라졌다. 케일은 자려고 준비했던 옷차림 그대로 침대에 누우며 말을 이었다.

"한스에게 말해서 휴직 처리해 놓을 테니까, 중간중간 보고해. 돈은 플린 상단에서 론 네 신분패로 받으면 될 거야. 그리고 비크로스를 망나니인 나한테 왜 부탁해? 성인이니 본인 인생은 본인이 알아서 살겠지."

케일은 쉽게 생각하기로 했다. 지금 최한 일행에게 론은 없어도 된다. 라크가 광폭화를 할 수 있게 된 이상, 비크로스나 론의 무력은 없어도 무방했다.

하지만 최한에게, 무엇보다도 평온한 로운 왕국 동북부를 위해 론은 1년 뒤에 필요했다.

"대신 휴직 기간은 1년이야."

케일은 머리를 베개에 기대며 말했다.

"잘 갔다 와."

1년 뒤에 할 일이 있으니.

"어디 다쳐서 오지 말고."

1년간 꿀 같은 잠을 예약했다는 생각에 케일은 편히 두 다리를 쭉 뻗고 론을 쳐다봤다. 그리고 흠칫 몸을 떨었다.

이 노인네가 소리 없이 어깨를 들썩이며 웃고 있었다. 그 살벌한 모습에 이불 속 케일의 몸이 쪼그라들었다.

'왜 이래.'

케일의 표정이 굳어버렸다. 그런 그를 보지 않은 채, 론은 터져 나오는 웃음을 소리 없이 흘려보냈다.

'저 어린놈이 개새끼인 줄 알았더니, 이 론 몰란이 개새끼가 되어 있구나.'

개새끼처럼, 제 주인을 보는 그런 개새끼처럼. 론은 개같은 상황이라는 생각을 하면서 답했다.

"도련님, 보고는 한 달에 한 번 하면 되겠습니까?"

"어, 마음대로 해."

론은 암살자답게 발소리 하나 없이 문을 열고 밖으로 나갔다. 그리고 문을 다시 닫기 전, 케일에게 말했다.

"그럼 다녀오겠습니다."

론은 케일의 대답을 듣지 않고 문을 닫았다. 그 모습에 안도하며, 케일은 이른 저녁잠에 빠져들었다.

그리고 찾아온 새벽. 케일의 앞에는 총 6명이 서 있었다. 그가 직접 부른 이들과, 최한을 통해 모은 이들이었다.

케일은 로잘린을 보며 말했다.

"로잘린 씨, 갈색 머리칼도 어울리시네요."

로잘린은 오늘 할 일을 정확히 모른다. 다만 마법 폭탄이라는 말에 심각성을 알고 도와주기로 한 상태였다. 또한 한 가지 보상도 약속했다.

"그렇죠? 마음껏 날뛰기 편할 것 같아요."

갈색으로 머리칼과 눈동자를 염색한 로잘린. 그 옆에 온과 홍.

"라크, 광폭화하지 않아도 어느 정도 늑대족의 신체 능력은 사용 가능하지?"

"네, 할 수 있습니다."

긴장한 듯 서 있는 라크, 그리고 검은 용과 최한. 케일은 이들을 두 팀으로 나눴다. 마나 교란 장치. 검은 구슬은 이미 최한에게 시켜 광장에 묻어두고 온 상황이었기에, 폭탄 네 개를 각 팀이 두 개씩 처리하면 될 것이다.

"로잘린 씨, 라크. 이렇게 한 팀. 그리고 최한과 용, 온과 홍이 한 팀."

가만히 듣고 있던 로잘린이 의문을 표했다. 라크 역시 같은 의문을 얼굴에 드러냈다.

"케일 공자는요?"

그 말에 최한과 검은 용, 온과 홍이 차례로 답했다.

"케일 님은, 조금. 신체적 능력이."

"약하다."

"필요 없어요."

"쓸데가 없어요."

아. 로잘린이 탄식을 흘리며 케일을 바라봤다. 라크는 상당히 놀란 표정이었다. 하지만 케일은 최한에게 빌로스로부터 빌린 물건들을 넘기며 당당히 말했다.

"저는 약해서 짐입니다. 그리고 해가 뜨면 바로 행사 참석 준비를 해야 하는지라, 함께하기가 어려울 것 같군요."

밤과 새벽 사이, 수도 경비대에서 왕실 기사단으로 야간 순찰이 바뀌기 바로 전. 이들은 그 틈을 이용해 폭탄 장소에 숨어들어 해제 작업에 들어갈 것이다. 그 뒤 검은 구슬을 작동시켜 마나 교란을 일으키기 전까지, 그들은 각자 정해진 장소에서 대기하며 비밀 단체 일원과 광장 상황을 파악해야 했다.

탄신일 기념 축사. 그 시작은 오전 9시였다.

케일은 시계를 확인하며 여섯 존재에게 말했다.

"자, 일하러 가세요."

그리고 덧붙였다.

"해제된 마법 폭탄은 들고 오고."

그 말에 로잘린이 씩 웃으며 케일에게 말했다.

"저 하나 주는 것 기억하시죠?"

"당연하죠."

"일당은 되겠네요."

일당으로 충분했다. 케일은 이제 테라스라기보다는 밖으로 나가는 입구가 된 제 방 테라스 창을 열어젖혔다. 서늘한 밤바람이 방 안을 채웠고, 그와 동시에 여섯 존재들이 재빠르게 테라스 창을 통해 밖으로 떠나갔다.

투명화를 해서, 혹은 아주 빠른 속도로. 그렇게 사라지는 이들을 보던 케일은 테라스 창을 닫으며 새삼 그들이 강하다는 것을 느꼈다.

홀로 남은 방.

우우우웅-

케일은 제 눈앞에 나타난 거대한 방패와 은빛 날개를 천천히 쓰다듬었다. 변수가 발생해도 이것만 있으면 죽을 일은 없을 것이다.

"……쓸 일 있으면 약하게 써야지."

케일은 심장 무늬까지 새겨져 한층 성스러워진 방패를 툭툭 두드리며, 만약 방패를 쓸 일이 생겨도 최대한 남들에게 들키지 않게 써야겠다 마음먹었다.

그는 소파에 앉아 방패를 약하게 사용하는 연습을 하다가 문득 거울에 비친 자신의 얼굴을 보았다.

'괜찮겠지.'

피에 미친 마법사. 그는 붉은색에 환장한다고 했다. 그래서 푸른 늑대족 사건 때 로잘린을 보고 난 후, 붉은 머리카락과 붉은 눈동자를 위해 그녀의 머리를 잘라 소장하고 싶다고 말하던 자였다.

케일은 화려하게 붉은 자신의 머리카락을 쓸어 넘기며 생각했다.

'설마 그자를 가까이에서 마주칠 일이 있겠어?'

설사 그런 일이 있더라도 최한에게 죽이라고 하면 될 일이었다. 케일은 편히 생각하며 론이 깨우러 올 때까지 기다렸고, 그가 시간이 되어 찾아왔을 때 그에게 말했다.

"오늘이 마지막 시중이겠어."

"1년 뒤에 다시 시중들면 되겠지요."

끔찍한 소릴. 1년 뒤에는 론을 바로 최한에게 보내 버릴 것이다. 케일은 어찌 되었든 오늘 짐덩이 두 개를 치운다는 생각에 가벼운 마음으로 말했다.

"준비하자고."

케일은 모든 준비를 마치고 왕궁으로 향했다. 참가하는 귀족 자제들이 모두 함께 모여 이동할 예정이었다. 그리고 왕궁으로 검은 용이 중간보고를 하러 올 것이기도 했다.

모든 준비를 마친 케일은 저택 정문 앞에서 마차에 올라탔다. 오늘은 헤니투스 백작가의 마차가 아니었다. 다른 이의 마차를 함께 타게 되었다.

"왜 같이 가자고 했습니까?"

마차에 올라타며 케일이 건넨 물음에 아미르는 특유의 차분한 미소를 지어 보였다. 오늘 케일과 함께 가자고 먼저 연락한 이가 아미르였다.

그녀는 마차에 타자마자 인사도 없이 본론부터 치고 들어오는 케일에게 마주 본론부터 물었다.

"공자, 우리 영지에 해군 기지가 들어서면 어떨까요?"

케일의 입꼬리가 올라갔다.

너도 많이 참아주었는데. 잘 안됐다.

안 그래도 에릭으로부터 관광 투자 건에 대해선 좋은 결과를 얻지 못했다는 편지를 받았다. 그래서 길버트와 아미르가 많이 실망했다고 들었는데, 생각보다 아미르는 실망한 것 같지 않았다. 오히려 큰 결심을 내린 듯했다.

"해군 기지라. 답은 영애가 이미 내리지 않았습니까?"

아미르는 고개를 살짝 끄덕였다.

"네, 홀로 결정할 수 없을 것 같아 가주인 어머니께 연락을 드렸죠. 길버트 공자와도 오늘 이야기를 나누고자 합니다."

한 지역에 새로운 군사 기지가 들어서는 것. 그것은 쉬운 일이 아니었다. 비용보다도 그 지역 간의 이해관계 때문에 더 어려운 경우가 많았다. 특히 평화로운 시대에는.

그래서 왕실은 동북부에 눈을 두었을 것이다. 동쪽으로 유일하게 바다가 있기도 했고, 무엇보다 인근 영지 간 그 힘의 역학 관계가 비슷비슷했기 때문이다. 다른 지역의 귀족가에서 힘을 쓰기에도 애매했고.

"그러면 아미르 영애의 고민은 해군 기지가 들어서면 영지 내에 영주의 영향력보다 왕가의 힘이 더 강해질까 걱정인 것입니까?"

"네."

단호히 답한 아미르는 케일에게 이어 말했다.

"그래서 오늘 이 자리를 부탁드렸지요."

할 말이 있다는 소리였다. 케일은 의자 등받이에 몸을 기대며, 마치 제 마차처럼 편안한 자세로 아미르에게 물었다.

"아미르 영애의 말씀이 무엇일지 궁금하지만, 제가 한 가지는 말씀드려야 할 것 같습니다."

그는 아미르가 왜 왔는지 알 것 같았다.

"헤니투스 백작가의 돈은 오로지 백작님, 우리 아버지를 통해서만 결정됩니다. 망나니인 저에게는 아무런 결정권이 없습니다."

왕실은 우바르 영지에 해군 기지 건설 허가를 내리고 막대한 돈을 투자할 것이다. 그렇게 되면 자연스레 해군 기지에 대한 주도권은 왕실의 것으로 넘어간다.

왕실 직영지가 아닌 영지에 왕실과 귀족이 공동으로 군사를 양성할 때는, 그 주도권과 실질적 장악력을 놓고 많은 세부적인 계약이 오고 간다. 단순히 해안 절벽과 바다를 이용한 관광 투자 건과는 들어가는 인력과 자원의 차이가 엄청 컸다.

아미르와 길버트의 영지는 솔직히 말해 그저 그런 영지로, 왕실과의 힘 차이를 막을 만한 자원도, 인력도 부족하였다.

아미르는 이를 막고 싶을 것이다. 그렇다면 방법은 단 하나였다.

돈이 많은 자에게 돈을 빌리는 것.

"과연 그럴까요?"

총명한 눈동자의 아미르는 입가에 살짝 미소를 띠었다. 그녀는 왕세자가 주최한 만찬에서 케일이 떠나고 난 후, 와인 파티에서 에릭, 길버트와 함께 왕세자의 방으로 들어갔다.

그때 왕세자가 동북부 관광 사업 제안에는 난색을 표하면서도 동북부 해안에는 관심이 있음을 알 수 있었다. 그날 아미르는 저택으로 돌아와 케일의 말을 생각하며 그 의미를 파악했다.

"왕세자 저하께서는 위퍼 왕국과 북부의 왕국들을 경계하셨어요. 대화에서 충분히 느껴졌습니다. 그래서 정보 길드에 의뢰해 알아보았죠."

역시. 케일은 아미르의 말에서 왕세자와 왕실이 곧 벌어질 위퍼 왕국 내전의 기미와, 북부의 기사들이 전력을 모으고 있음을 눈치챈 것을 알았다.

'의외군.'

아미르의 행동력이 의외로 괜찮았다. 현재 에릭의 휠스만 가문에게 많이 의지하고 있을 만큼 아미르의 영지는 형편이 좋지 않은 편이었다. 정보 길드에서 타국에 대한 정보를 받으려면 거금이 들 터, 그 돈을 하나의 확신을 위해 투자하는 결단력이 꽤 좋았다.

아미르는 가만히 듣고 있는 케일을 보며 말을 이었다.

"헤니투스 백작가는 성벽을 보수 중이라 들었습니다. 늘 모든 위험으로부터 어떠한 침입도 용납하지 않는 영지이니만큼, 병력에 관심이 많을 거라 생각이 듭니다."

케일은 그녀의 말에 고개를 끄덕이며 답했다.

"아버지께는 제가 한번 말씀드려 보겠습니다."

"저희 쪽에서도 공식적인 연락을 따로 또 하겠습니다."

케일과 아미르는 서로를 보며 미소를 그렸다.

만약 이 해군 기지가 동북부 해안에 들어선다면, 동북부의 주도권은 케일과 에릭 등의 네 가문이 가지게 된다. 그리고 그 군사 기지를 건설하는 데 헤니투스 백작가가 돈을 대서 어느 정도 현실적인 장악력을 형성한다면, 헤니투스 백작가는 무력뿐만 아니라 해양과 관련한 정치, 경제적인 이득도 얻을 수 있을 터.

아미르는 잠시 주저하다가 말을 이었다.

"사실 소용돌이 때문에 조금 걱정이지만, 오랫동안 형성된 뱃길이 있고 타국이 침입할 시에는 장점이 될 테니. 추진해 보려고요."

소용돌이. 그 말이 나오자 케일은 입가에 지어지는 미소를 꾹 참았다. 그 소용돌이는 조만간 케일의 손아귀에서 자유자재로 움직이게 될 것이다.

'나중에 해안가 절벽에 집 짓고 노후를 즐겨도 좋지 않을까.'

바센에게 영지를 넘겨주면, 영지 안에서 지내기는 힘들 테니까. 전쟁 때는 어디 구석에 숨어 있다가, 전쟁이 끝나고 아미르나 길버트의 영지로 가서 저택 하나 짓고 바다를 보며 살아가면 참 좋을 것 같았다. 위치도 헤니투스 백작가와 가까우니 여러모로 편할 것이다.

"케일 공자, 잘 부탁드려요."

"하하, 망나니에게 부탁이라니. 저는 아무런 힘도 없습니다. 그냥 말만 전하는 것뿐이지."

케일이 손사래를 치며 웃어 보였다. 아미르는 이제 그 말을 전혀 믿지 않았다.

'아미르, 힘이 없으면 조심스러워야 한다. 다만 힘을 얻고 싶으면 대담해야 하지.'

가주인 어머니는 그리 말씀하시며 해군 기지에 대해 찬성을 표했다. 아미르는 그런 어머니를 닮았다. 그래서 조심스러우면서도 대담하고자 노력했다. 그녀가 사람을 대하는 방식이기도 했다.

"그 말을 전해주는 것만으로도 충분해요."

아미르가 손을 내밀자 케일이 그 손을 잡아 악수했다. 그녀는 손을 가볍게 놓으며 덧붙였다.

"다음에 우바르 영지로 한번 놀러오세요. 은근히 구경할 곳도 많아요."

"기회가 된다면 가보죠."

바람의 소리.

케일의 빠른 발이 되어주고, 동시에 방어와 공격에 요긴한 소용돌이가 되어줄 힘. 케일은 그 힘이 있을 우바르 영지 앞바다를 떠올렸다.

"그 기회가 빨리 왔으면 하는군요."

그 말을 끝으로 마차는 왕궁 앞에 도착했다. 케일은 마차에서 내리며 주위를 둘러보았다.

현재 시각 8시.

수도 영광의 광장에는 이번 축사 행사를 위한 인원들이 1시간 전부터 모여 있을 것이다. 그리고 8시 30분부터 왕실 기사단이 출입을 통제할 것이고, 광장 안은 사람들로 가득 차게 될 것이다.

더 이상 누구도 쉬이 빠져나갈 수 없고, 쉬이 들어올 수 없는 시간. 그 시간으로부터 30분 뒤 축사가 시작된다. 케일은 기사단이 출입을 통제할 8시 30분부터 숨은 그림 찾기에 들어간다.

목걸이, 가방, 펜던트.

다양한 모양으로 숨겨져 있을 마법 폭탄. 그 폭탄을 지니고 있을 사람들. 그 사람들을 케일의 일행이 찾을 것이다. 뭐, 찾지 못해도 상관없긴 했다. 어차피 정답은 드러날 테니까.

"오, 왔어?"

케일은 에릭과 길버트의 인사를 받으며 아미르와 함께 그들 옆에 섰다.

"다들 일찍 왔군요."

"그렇지. 8시 5분부터 이동이니까."

에릭은 그리 말하며 케일에게 눈빛으로 말했다.

가만히, 오늘도 가만히.

그 눈빛을 보며 케일은 고개를 끄덕였다. 그리고 속으로 되새겼다.

나는 아무것도 모른다.

그가 그렇게 되새긴 순간 케일의 눈앞에 왕세자가 나타났다. 오늘 귀족 자제들은 왕세자의 뒤를 따라 이동한다.

그때, 왕세자의 옆에 누군가 나타났다. 케일은 손으로 살짝 입을 가렸다. 입꼬리가 올라갔기 때문이다.

"세상에."

"어떻게 저런 일이."

에릭의 감탄을 시작으로 곳곳에서 귀족 자제들의 탄성이 터져나왔다. 하지만 케일은 그 말엔 신경 쓰지 않은 채 입가를 가렸던 손을 내렸다. 다시 여유로운 표정이 된 케일은 왕세자 옆의 사람과 눈이 마주쳤다.

버려진 장남, 테일러 스텐.

그가 두 발로 서서 왕세자 알베르의 옆에 있었다. 테일러가 눈이 마주친 케일에게 살짝 눈짓을 해왔다.

동시에 케일은 머릿속으로 검은 용의 목소리를 들을 수 있었다. 검은 용이 중간보고를 하러 왕궁 안에 온 것이다. 검은 용은 보고만 하고 바로 돌아간다.

ー나 왔다.

케일이 살짝 고개를 끄덕이자, 목소리가 이어 들려왔다.

ー장소에 숨겨진 마법 폭탄은 모두 해제 중이다. 8시 55분에 맞춰서 해제시킨다.

모든 게 술술 흘러가는 것 같았다.

ー그럼 바빠서 간다, 약한 인간. 아플 것 같으면 방패 써라.

그 뒤로 검은 용의 목소리는 들리지 않았다. 다시 바삐 돌아간 듯 싶었다. 은근히 시킨 일은 열심히 하는 검은 용이었다. 계속 부려먹고 싶게.

'방패는 무슨. 쓸 일도 없을 것 같은데.'

케일은 이대로만 흘러가면 방패를 쓸 일은 없을 것이라 생각했다.

"모든 출발 준비가 끝났습니다."

한 기사가 외치자, 왕세자는 퍼레이드용 마차에 올라타며 왕실용 민무늬 마차에 올라타는 귀족 자제들에게 말했다.

"출발하지."

케일도 왕실용 마차에 올라탔다. 마차는 곧 출발했고, 케일은 팔짱을 낀 채 떨떠름한 표정을 지었다.

"반갑습니다. 저번 만찬 이후로 또다시 다들 뵙는군요."

휠체어를 타지 않은 테일러가 인사했다.

"반갑습니다. 아미르 우바르입니다."

"……반갑습니다."

아미르 우바르 영애, 그리고 베니온의 딸랑이 네오 톨스까지 한 마차에 타게 되었다. 이 멤버 구성도 왕세자의 농간일까.

케일은 자신의 인사 차례였지만 입을 꾹 다문 채 창밖으로 시선을 돌렸다. 망나니에게 이 정도 싸가지는 용납되는 법. 그는 팔짱을 낀 채 가까워지는 영광의 광장을 응시했다.

난장판이 머지않았다.

2권에 계속